JN074540

# The Indie Rap Archive

Another Side of Hip Hop History:
## 1991-2020

Genaktion

DU BOOKS

本書を手に取っていただき、ありがとうございます。このディスクガイドはヒップホップにおける「インディラップ」というジャンルに特化し、1991年から2020年までのアルバム・EPを中心に、計500作品をリヴューしたものとなっています。

あなたは「インディラップ」という言葉を聞いてどんなことを思い浮かべますか？「よくわからないジャンル」、「とっつきにくそう」、「マイナー至上主義っぽい」、「排他的にみえる」……などなど、あまりこの手の言葉に馴染みがない場合、以上のように映るのではないかと推察します。確かにこのジャンルにはそういった一面がないわけではないのですが、実際のところ「インディラップ」という区分自体はとてもシンプルかつ身近なものです。というのも、そもそもラップの生い立ちを考えてみれば、ラップがインディであるのは至って普通のことでした。

たとえば80年代まで遡ってみれば、当時発表されていたラップレコードはその大半がインディレーベルからリリースされたものでしたし、ヒップホップはまだまだマイナージャンルだったのです。その後90年代にラップが米国音楽市場でメインストリームとなるにつれ、メジャーレーベルから発表される作品はどんどん増えてゆきましたが、同時にインディレーベルからのリリースも途切れることなく続いていました。そしてラップが完全に米国市場で定着を迎える90年代末には、メインストリームとはまた違うもうひとつの市場である「インディラップ市場」が盛り上がりをみせることとなります。つまりこの「インディラップ」というジャンルは、一見ラップの傍流のようでいて、実際は"もうひとつの歴史"として常にヒップホップという大樹のもとにあったのです。また、一言で「インディラップ」といってもその作風は多岐にわたりますし、必ずしもメインストリームのフォーマットに沿う必要がないインディの世界では、多様なテーマの楽曲を比較的簡単に見つけられるのも特徴のひとつです。なかでも小説を読むような入り組んだ物語性や、文学的な滋味深い表現など、言葉の意味を重視した楽曲が多いのが「インディラップ」の大きな魅力でしょう。そして近年では、インターネットの普及と家庭用コンピューターを使用した制作環境の整備により、ラップアーティストがレーベルに所属することなく気軽に作品を発表できるようになりました。つまり、かつての80年代のラップのように、「インディラップ」が傍流ではなく、再びひとつの潮流となる可能性が生まれつつあるのが、この2020年代の特徴なのです。

近年ラップのディスクガイドは少なからぬ点数が刊行されて
おり、メインストリームのラップやヒップホップクラシックに
対する理解はこれまで以上に進んでいると思われます。しか
し、2020年現在「インディラップ」を専門に扱った書籍はほと
んどありません。そこで非常に歪な形ながら、本書ではあえ
てヒップホップのサブジャンルである「インディラップ」のみを
取り上げることとなったのです。しかるに、本書は「誰もが認
める名盤」を取り上げたものにはなっていません。また、いわ
ゆるインディラップ像の代名詞である作品であっても、「どう
してこの作品が載っていないの？」と思われることもあるで
しょう。なぜなら本書はいわゆるメジャーレーベルの作品は
極力排除し、発売元であるディスクユニオンのヒップホップ
部門と相談を重ね、インディレーベルから発表された作品の
中からアルバム・EPをピックアップして掲載しているからです。
つまり本書における「インディラップ」の定義とは、「インディ
レーベルから発表された作品」となります。これらの作品はあ
くまで筆者のフィルターを通したものであり、膨大な「インディ
ラップ」の全てを網羅できているわけではないですし、構成
の都合で泣く泣く掲載を断念した作品も多々あるのですが、
選外となった作品はその他のディスクガイドなどで補完いただ
き、本書はあくまで通常のディスクガイドの発展版としてお読
みいただければ、これまで以上にラップの裾野を広げるお役
立ちができるのではないかと考えております。

　また、本書ではメジャー作品としてリリースを予定していた
ものの一度お蔵入りとなり、のちに自主盤として発表された作
品や、プロモコピーのみが流通した作品、シングルが人気を
博したものの当時アルバム作品としてリリースがなく、後年ベ
スト盤などで再発・再構築された作品なども、広い意味での
インディラップ像となるため、過去を振り返ることができるディ
スクガイドの特性として積極的に取り上げています。以上の
観点から、本書は「良質な内容にもかかわらず、配給の問題
でクラシックの中に埋もれた作品のディスクガイド」という位
置付けでお目通しいただければ幸いです。

　本書の章立ては、第1章はヒップホップがメインストリーム
となりインディラップ黎明期となった91〜96年の作品、第
2章はインディラップ全盛期となる97〜04年の作品となって
います。その後も節目となる年次で区切りながら、「インディ
ラップ」というヒップホップのサブジャンルを2020年まで振り
返ってゆきます。それではどうぞお楽しみください。

# Contents

# 本書の読み方

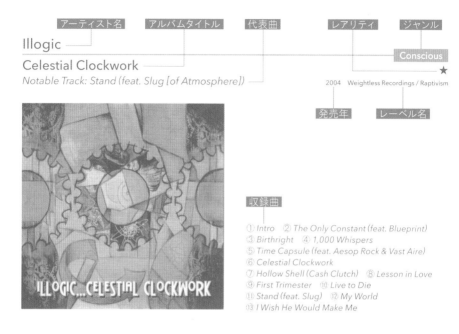

アーティスト名　アルバムタイトル　代表曲　　　　　　　レアリティ　ジャンル

Illogic

Celestial Clockwork

Conscious

★

Notable Track: Stand (feat. Slug [of Atmosphere])

2004　Weightless Recordings / Raptivism

発売年　　　　レーベル名

## 収録曲

① Intro　② The Only Constant (feat. Blueprint)
③ Birthright　④ 1,000 Whispers
⑤ Time Capsule (feat. Aesop Rock & Vast Aire)
⑥ Celestial Clockwork
⑦ Hollow Shell (Cash Clutch)　⑧ Lesson in Love
⑨ First Trimester　⑩ Live to Die
⑪ Stand (feat. Slug)　⑫ My World
⑬ I Wish He Would Make Me

● 発売年について
/（スラッシュ）の右側の年数は再発された年です。
（ ）括弧で括られた年数は録音時期または発表を予定していた年度を表しています。
(Shelved)は一度お蔵入りとなった作品、(Promo Only)はプロモコピーのみが流通した作品です。

● ジャンルについて
各アルバム作品を下記の形で簡単にジャンル分けしています。もっとも、アルバム1枚の中には様々なテーマや歌詞が存在するものであり、簡単に一元化はできないのですが、大まかな目安として代表的な作風をまとめました。あくまで参考程度にご活用ください。

**Battle** … 言葉遊び（ワードプレイ）やバトルライム、フローを重視したラップや畳みかけラップなど、文脈よりも語感を重視したスタイルのラップ
**Conscious** … 社会政治問題に言及したリリックや、宗教的な歌詞世界、ポジティヴなメッセージなど、意識的なテーマを用いたラップ
**Party** … 日常を満喫するボースティングや、楽しげなコーラスなど、パーティミュージックとしての側面が強いラップ
**Hardcore** … ストリートライフへの言及や、ギャングスタ／サグ／ピンプ趣味的テーマ、他者への攻撃的な内容など、ハードコアなラップ
**Unique** … その時代において独創的な作風、またはナードなスタイルなど、上記の内容に留まらないユニークな作品
**Mixed Styles** … 主にコンピレーションなど、多数のアーティストが参加しており、作風の選定が困難な作品

● レアリティについて
本書では一部の作品のみ「レアリティ（入手難易度）」を設定しています。レアリティは★～★★★の3段階で設定しており、筆者ないしディスクユニオンヒップホップ部門の市場調査による、オリジナルのフィジカル版の入手難易度が高いものを抽出しています。★は中古市場で一定の価値がついている、またはあまり見かけないもの、★★は中古市場で一定以上の価値がついており、なおかつ流通が非常に少ないもの、★★★はほとんど流通のないもの、となっています。こちらは2020年10月の統計に基づいているため、今後再発などで入手難易度が変化したり、レアリティを設定していないほかの作品が中古市場で価格高騰する場合があります。あくまで本書出版時点の資料的目安として参考にしていただければ幸いです。

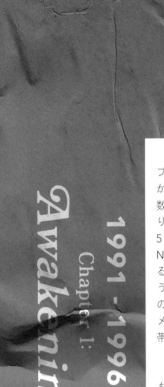

1991-1996
Chapter 1:
Awakening

— 序章 —

　Jeff Changの名著『Can't Stop Won't Stop』('05、邦題『ヒップホップ・ジェネレーション』）でも言及されているように、91年からデータ管理システム「サウンドスキャン」によるレコード販売数の集計が始まり、これまで店舗側の報告に左右されていた売り上げが実売ベースになった。この新技術の登場を以って同年5月からビルボードが集計方法を実売ベースに変えた途端、N.W.A.の『Efil4zaggin』がアルバムランキングにチャートインするなど、ラップアーティストがメインストリームで成功を収めるようになる。本著はラップがメジャーなジャンルとなったこの91年の作品から始めている。メジャーとインディは表裏の存在であり、メジャー市場が盛り上がることで、徐々にインディ市場も活気を帯びてくるのである。

　それでも91〜96年はまだインディラップにとっては序章。そもそも80年代はラップレコードの大半がインディレーベルからのリリースであり、「インディラップ」という枠で括られることは少なく、また96年頃まではメジャー／インディの対立軸もそこまで明確ではなかった。当時はラップの中心はあくまで12インチシングルであり、アルバム発表までこぎつけるのは大方が準大手以上のレーベルのアーティストだった。たとえば91年に『Soul Clap EP』を自主制作したShowbiz & A.G.は、その翌年にLondon Recordsと契約し同EPの再編集版を発表しているし、Del Tha Funkee Homosapienを輩出したHieroglyphicsは、Delのデビュー後、早々に各メンバーが.liveに青田買いされるなど、アルバム発表＝レーベルとの契約という形が一般的だったのである。

　また、当時はニューヨークのインディレーベルNervousから発表されたBlack Moon『Enta Da Stage』('93)のように、のちに人気を確立しメジャー／インディを問わずクラシック扱いされるようになるアルバムも多々存在した。この手の作品は扱いが難しいが、一般的なディスクガイドで常連のため、今回は極力掲載していない。本章ではあくまで黎明期のインディラップ像を象徴する作品紹介を中心としている。

# Freestyle Fellowship

## To Whom It May Concern

*Notable Track: Sunshine Men*

1991   Sun Music

'91 Original Label

A Side
① *We Are the Freestyle Fellowship*   ② *My Fantasy*
③ *7th Seal*   ④ *Let's Start Over*   ⑤ *Sunshine Men*
⑥ *Physical Form*   ⑦ *120 Seconds*
⑧ *We Will Not Tolerate*

B Side
① *It's On*   ② *Sike*   ③ *5 O'Clock Follies*
④ *Legal Alien*   ⑤ *Convolutions*
⑥ *Jupiter's Journey*   ⑦ *For No Reason*   ⑧ *Here I Am*

サウスロサンジェルスには、かつて"Good Life Cafe"と呼ばれる小さな食料品店があった。89年にひっそりとオープンしたGood Lifeは、オーナーのB-Hall、R. Kane Blaze親子の意向により、オーガニックで健康的な食品を専門に取り扱い、また、社会貢献の観点から、毎週木曜の20～22時には店内を開放し、地域の若者たちにラップを披露する機会を与えていた。このオープンマイクを活用した品評会はすぐに人気を博し、収容人数わずか数十名の店内は観客で溢れ、出演者たちは各々のスタイルでラップの技量を競ったという。

Good Lifeのオープンマイクには独自のルールがあった。まず「一切の"カースワード（罵倒語）"を使用してはならない」というもの。そして「無意味な"埋め草言葉"は厳禁である」というものだ。ルールを破った者、聴衆の受けが悪い者は、すぐさま「マイクを渡して」と宣告され、退場を余儀なくされた。彼らは言葉が与える影響をなによりも大切にしていたのだ。

Good Lifeの面々は、自らをGood Lifer（よい生活をする者たち）と呼び、当時攻勢をみせていたギャングスタラップとは異なる方向で技術を磨いてゆく。やがて彼らの活躍がメディアなどで取りざたされるようになると、Good Liferの中でも選りすぐりの精鋭たちを集め、デモが制作される

運びとなる。そこで結成されたのが、このFreestyle Fellowshipだ。創設メンバーは、All in AllのJ-Sumbi、M.D. Himselfというコンビ、MC Acesというトリオ出身のAceyalone、Mika 9の2名に、ソロMCのP.E.A.C.E.、Self Jupiterという構成。Good Life初の作品集『To Whom It May Concern』はこうして誕生した。

Good Liferの面々に特徴的なのは、さながらジャズミュージシャンのようにライムをリズミカルに刻み、いわゆる"譜割り"感を重視した"チョップ"と呼ばれる技法だが、これはぜひAceyaloneが2分以内にキメる"120 Seconds"で堪能してほしい。この独特のメロディアスなラップはのちの西海岸シーンの趨勢を大きく変えることとなり、現在でも多くのMCに影響を与えている。

もちろん彼らのラップを語る上ではそのポジティヴなメッセージ性も重要だ。特に本作の制作指揮をとったJ-Sumbiのラップはゆったりとリリックを聴かせるものになっており、ウエストコーストを覆うギャングスタ信仰に対抗し、ポジティヴな光を与える"Sunshine Men"や、黒人を苦しめる白人社会へのカウンター"Legal Alien"など、政治的な曲を提供している。また、P.E.A.C.E.の"For No Reason"はギャングスタラップの歌詞世界を引用し、それがどれほど「無意味であるか」皮肉った内容となっている。

## Godfather Don

### Hazardous
*Notable Track: Just Begun*

★

1991　Select Records

のちのインディ界におけるトッププロデューサーのデビュー作。今でこそラップ
からプロデュースまで一貫して行うアーティストは多いが、91年当時では珍しく、
しかも彼は楽器の扱いにも長けていた。1曲目の"Just Begun"で披露される
ギターのフレーズは裏ジャケットでも示唆しているように、彼自身によるもの。
同じ音節重視のライムスタイルで相性がよかったのか、この後Ultramagnetic
MC'sの面々に認められ、3作目の『The Four Horsemen』('93)に起用された。

## J Rock

### Streetwize
*Notable Track: Neighborhood Drug Dealer*

★

1991　Ghetto Groovz Records

未契約のアーティストを紹介するThe Source誌の名物企画"Unsigned
Hype"で取り上げられたMCが翌年発表したデビュー作。NY郊外のニューバー
グの無名レーベルから発表されたが、初期のDJ PremierやEazy Mo Beeが
参加している重要作。ストリートの負の連鎖を断ち切るように語りかける
"Neighborhood Drug Dealer"や、銃や薬物の犠牲になる子供たちを救うよ
うに訴える"Save the Children"など、意識的な曲が12"化された。

## Elements of Change

### Elements of Change
*Notable Track: Echo*

1992 / 2005　Not on Label

SchwinnとT-Morの2 MC'sのデュオ。ベイエリアを中心に高い人気を博し、
大手レーベルとの契約も期待されていたが、結局メジャーで作品を残すことは
なかった。本作は彼らが92年に制作したデモ音源。ダークな質感のギタート
ラックに反響するMC2人の特徴的な掛け合いが光る"Echo"などは当時ライ
ヴでも披露。のちのHieroやBored Stiffなどの面々に多大な影響を与えた。
歴史の陰に埋もれるには惜しい一作。05年にCD-R版で再発された。

※アートワークは05年の再発版

## Ragga Muffin Rascals

### Really Livin'
*Notable Track: Really Livin'*

★★

1992　Calabash Records

Maestro Fresh-WesやDream Warriorsに続いて成功したカナダはヴァンクー
ヴァーのラップグループの1枚目。Red-1とMisfitの2 MC'sによる90年代初
頭の跳ねるようなフロウ、ファストラップが全編にわたり繰り広げられ、のち
のヒットメーカーKemoのミニマルでキレのよいトラック群が全体を彩ってい
る。やはり重厚なベースとバトルライムが光る表題曲"Really Livin'"が聴きど
ころ。翌年の再発盤はジャケットが異なる。

## Blackalicious

### Melodica

*Notable Track: Swan Lake*

1993　Solesides

92年にカリフォルニア大学デーヴィス校で結成されたGift of GabとChief Xcelによるデュオのデビュー作。「自分がBaddestだと言うつもりはないけど、自分の力はわかっている。全ての吊るされた黒人のために、お前らをリリックでリンチしてやる」というラインを伴う"Swan Lake"は、そのジャズ感溢れる斬新なトラック、ラップのスキル主体のポジティヴな歌詞で、ギャングスタ全盛のラップ界に切り込んだ。翌94年にはMo Wax版が制作されている。

※アートワークは94年の再発版

## Circle of Power

### Circle of Power

*Notable Track: Daddy*

1993　Rumble Recordings

元々24-7 Posseという名で活動していたMoneとWiz1のデュオによるデビュー作。Quincy Jones "Summer in the City"をBlack Moon "Reality...（Killing Every Nigga）"より早く、同じ使い方をしたシングル曲"Daddy"では、父親がいない苦悩をMC陣が少年目線で叙述するなど、ストリートで暮らす若者のメッセージが凝縮されている。アルバムも全体を通じてシリアスにまとまった。2人はその後、ベイエリアのBlak Forestクルーに合流して活躍。

## Da Phlayva

### Phlayva 4 Dem All

*Notable Track: Identity*

1993　Vertical Records

ラガの雰囲気に満ちたノースキャロライナの3 MC'sによるグループ。アルバムは全体を通じて90年代前半のいかにもな掛け合いラップのスタイルだが、"Identity"では多少自らの出自に言及している。人気曲はDr. Dreと同じLeon Haywood使いでシングルにもなった"Why Ask Why?"など。余談だが、彼らは元々Madd Phlayvaというグループ名で活動していたが、同音のグループMad Flavaがテキサスにいたため、Da Phlayvaと改名したという。

## E.C.

### Ill State of Mind

*Notable Track: Ease Back (New and Improved)*

1993　Mob City Records

シカゴのハードコアラップグループであるIll State Assassinsの一員として90年代初頭より活動しているMCのデビュー作。同地の白人MCの草分け的存在で、ストリート色の強いギャングスタ的作品を多く発表している。本作の中では特にヴィデオも制作された"Ease Back（New and Improved）"が人気で、地を這うようなビートの上で、MC Eihtのようなラップを披露している。09年に日本のHi-Hat Recordsよりボーナストラック付きのCD版で再発された。

## Lord Aaqil

Battle

### Check It Out
*Notable Track: Check It Out*
★★

1993　Tobeat Records

The Roots のデビュー作『Organix』('93)に参加していたサウスフィラデルフィアの MC による唯一となる作品。ヴィデオも制作された表題曲"Check It Out"に顕著だが、いかにも90年代前半の東海岸らしいタンツイスターラップが特徴(「アブラカダブラ」とか言っちゃう…)。生ドラムが気持ちよい"Kick It Like Dis"には The Roots から Questlove が参加している。本作は長年高額盤として知られていたが、12年に Dope Folks から再発された。

## Total Devastation

Unique

### Total Devastation
*Notable Track: Hemp Rally*

1993　PGA Records

Cypress Hill で火が付いたラップ界のガンジャブーム。そのブームに乗る形で登場し、アルバム一作をマリワナ賛歌で構成した「完全な退廃」作品が本作。サンフランシスコのラティーノ系グループであるが、東海岸の影響が強いようで、ネタ感の強いループもののトラックに、これでもかと大麻解禁を謳う声がこだましている。インディレーベルからのリリースだったがその内容からか、シングル"Many Clouds of Smoke"は地元カリフォルニアだけで6万枚売り上げた。

## Bushwackass

Battle

### How Real Israel?
*Notable Track: Rough Rhymes*

1994　Pallas Records

Wu-Tang の影響を受けた NY はフラットブッシュの3人組による唯一のアルバム。無骨で荒々しいビートと、タイトルでも示唆されているように言葉遊びのラップを中心としており、なかでも自身の"Blackness"をイントロで示してから繰り広げられる"Rough Rhymes"では、プリミティブな畳みかけ系のライムが堪能できる。本作には未収録だが、D.I.T.C.ファンなら Buckwild 制作のシングル"Caught Up in the Game"('95)も併せておすすめ。

## Bustin' Melonz

Battle

### Watch Ya Seeds Pop Out
*Notable Track: 1994*

1994　Nuff Nuff Music

「ここらの連中は NYPD とつるんでるぜ。警察じゃない、ニューヨーク・プロフェショナル・ドリンカーズだ」というイントロのパーティ賛歌"Flippin' off the Tip"で知られるフラットブッシュのグループ唯一の作品。この時代の MC よろしくバトルライムが中心だが、ニセモノのヒップホップを喧伝するメディアをこき下ろし、自分たちは見せかけじゃないことを示した"Masquerade"は、疾走感のあるタンツイスターラップと、生ドラムの質感が小気味よいビートが抜群の相性をみせる。

## Freddie Foxxx

### Crazy Like a Foxxx
*Notable Track: Crazy Like a Foxxx (Ultra Magnetic Diss)*

★

1994 / 2008　Flavor Unit Records

80年代より活動するMCの待望の2作目…となるはずだった作品。Epicより
発売を拒否されたため、プロモオンリーで制作されたカセットでしか聴くこと
ができなかった。今では多少丸くなったが、94年当時の血気盛んなFreddie
によるコワモテのラップが無骨なサンプルビートに乗っており、表題曲"Crazy
Like a Foxxx"ではUltramagnetic MC's一派へのディスを披露。とにかくおっ
かない。08年にFat Beatsより93年のデモ版との2枚組で正規再発された。

※アートワークは08年の再発版

## KMD

### Black Bastards
*Notable Track: What a Nigga Know?*

1994 / 2000　Elektra (Shelved)

Elektraから発表予定で、プロモーションもされたものの、その過激なジャケッ
トからお蔵入りになってしまったKMDの2作目。本作での悲劇、そして実弟
DJ Subrocの不慮の死が、Zev Love XをスーパーヴィランMF Doomに変貌
させたのだが、アルバム自体はそこまで過激なプロブラック作というわけでも
なく、見るからに示唆的なタイトルのシングル"What a Nigga Know?"に至っ
ても、基本は彼らしい言葉遊びのライム中心となっている。

## Native Nuttz

### The Nativez Are Restless
*Notable Track: All N Da Splendor*

★★

1994　Down Payment Records

2 Live CrewのBrother MarquisとDJ Toomp主催のレーベルよりデビューし
たアトランタのティーンMCのデュオによる唯一の作品。全曲Toompがビート
を手がけているが、"Rock Rock On"では5パーセント・ネイションへのシャウ
トが入り、"Fruit N Slide"はIsley Brothersの定番チューン、所々拝借される
Slick Rickの声ネタと、当時のNYスタイルに多大な影響を受けた一枚に。基
本的にピースフルな古きよきパーティラップの姿がそこにある。

## No Description Given

### Game and the Player
*Notable Track: Game and the Player*

1994　IEP Record Group

ワシントンDC出身のGameとPlayerのデュオによる唯一の作品。アルバムタ
イトルにあるように、ストリートに根ざしたラップと、随所に94年当時の西海
岸のサウンドの影響がうかがえるトラック群が特徴となっている。なかでも荒
廃した地元DCのストリートにおける黒人の置かれた現状にフォーカスする
"What's Reality"が重く響き、映像も制作された表題曲の"Game and the
Player"あたりは華やかなトラックを聴かせてくれている。

## Scientifik

### Criminal
★
*Notable Track: Lawtown*

1994　Definite

ボストン近郊のローレンス出身のMCによるデビュー作。Definiteという無名
レーベルよりリリースされたため、同郷のEd O.G.をはじめとする豪華なプロ
デューサー陣が参加しているもののプロモーションが上手くなされなかった。
物悲しいピアノとサックスが光る地元をレップした代表曲"Lawtown"では、5
パーセンターの用語を用いつつ、レーベルへの牽制や警察との軋轢など、ス
トリートのハードさも披露している。将来を嘱望されていたが98年に夭逝。

## SFC

### Illumination
*Notable Track: Make Money*

1994　Brainstorm Artists International

SFCとはSoldiers For Christの略で、その名からも明らかなようにクリスチャ
ンラップに特化したグループ。88年の自主制作盤『Fully Armed』でデビュー
した古参のクリスチャンラップグループだが、5作目となる本作はメンバーが減
り、実質Super Cのソロ作品となっており、代わりに客演を増やしている。ア
ルコール中毒や銃を喧伝しセルアウトするのではなく「ミリオンダラーサウンド
でミリオンダラーを稼ぐ」と謳う"Make Money"が聴きどころ。

## Sham & the Professor

### Split Personalities
*Notable Track: The Light's Gone Out (In My Back Yard)*

1994　Freeze Records

Todd Terry主催のレーベルよりデビューしたブルックリンの白人2人組。いか
にも90年代中期のバトルライム然とした曲が大勢を占める(安易にNワードを
発しているのも時代を感じる)が、叔父を殺した警察を糾弾する"Justice for
All"はメッセージ性があり、Todd TerryによるRonnie Lawsのフリップが美し
い"The Light's Gone Out (In My Back Yard)"は、身近で消えゆく命(貧困
問題)を詩的に描写した90年代中期を代表する名曲。

## Various Artists

### Bomb Hip Hop Compilation
*Notable Track: Just Like a Test*

1994　Bomb Hip Hop Records

ベイエリアの伝説的マガジン『Bomb Hip Hop』が編集部に寄せられたデモ音
源を基に発表した記念碑的コンピレーション作品。SolesidesやBored Stiff、
Living Legendsなど、当時の主に西海岸の錚々たる面々が参加しているが、
目玉は本作発表の前年に銃撃を受け、若干20歳で亡くなったCharizma参加
曲の"Just Like a Test"だろう。初期のPeanut Butter Wolf製のトラックに乗
る、過日の彼のバトルライムが堪能できる。西海岸インディの導入として。

## Alphabet Soup

### Layin' Low in the Cut

*Notable Track: Take a Ride*

`Conscious`

1995　Prawn Song

サンフランシスコを代表するジャズヒップホップバンドの1枚目。サウンド面に
フォーカスされることが多いが、奴隷制の時代から続く階級的差別からの解
放をテーマとした"Oppression"や、父親も知らず劣悪なゲトーで葛藤する自
身を描いた"What I Am"など、コンシャスなスタイルが展開されるその歌詞世
界にも要注目。アルバムには未収録だが、94年発表のシングル収録の"Take
a Ride（Black Star Line Remix）"が人気でヴィデオも制作された。

## The Cenobites

### Cenobites EP

*Notable Track: Kick a Dope Verse*

`Battle`

1995　Fondle 'Em Records

Kool Keith が Godfather Don と『The Four Horsemen』（'93）を制作中に録り溜
めていた音源を発表するため、ラジオDJの Bobbito が Fondle 'Em を立ち上げた
ことは記憶に新しい。同レーベルの原点であり、のちのNYインディ市場を牽引
する記念碑的作品。グライミーなビートの上、Kool Keith らしい一風変わったバト
ルライムが堪能できる。なお、"Kick a Dope Verse"、97年の再発版に追加収録
された"Keep On"では、Bobbito 自身もお粗末ながらヴァースを披露している。

## The Cipher

### 360 Degrees

*Notable Track: Dues*

`Hardcore`

1995　Spinner Music Group Inc.

カナダはヴァンクーヴァー発のデュオの唯一の作品。シングル"Dues"はその地
を這うようなホラー趣味なトラックとは異なりラップは正統派で「銃を振り回す
無知なラップではなく、己のスキルを証明しろ」といった硬派なものになってい
る。曲中でも言及があるが、片割れの G² はその後ボストンに活動の場を移し、
Kreatorsのメンバーとしても活躍。現代では再現できないダークなアナログサウ
ンドの質感が本作には凝縮されている。98年にBomb Hip Hopより再発された。

## Concrete Click

### Lyrical Terrorism EP

*Notable Track: Gone with the Wind*

`Hardcore`
★★

1995　Lifeline Records

ボストン出身のハードコアラップコレクティヴが95年に発表したEP。「ヒップ
ホップはただのラップじゃない。ライフスタイルで、ラフなトラックとファット
なリリックだ」という掛け声の"Gone with the Wind"から始まる本作は、全編
にわたり地元ボストンのストリートを誇った内容。Bobby Caldwell を替え歌
にした"Can't Get Enough"では「EPMDと3rd Bassを合わせたレベルでワッ
クを倒す」と宣言している。18年にリマスター LP版が再発。

## Da'Homlez

Unique

### Abandoned in Da Streetz
*Notable Track: Abandoned in Da Streetz*

1995　Noir Records

カリフォルニアはセントラルヴァレー出身のグループが発表した唯一の作品。
アーティスト名からして強烈だが、「俺たちはストリートに投げ出されたBボーイ」
という脱力的なコーラスが印象的な表題曲もなかなかぶっ飛んでいる。のち
に Doom も "Doomsday" で拝借しているが、この時点で Sade の "Kiss of
Life" を丸々使うのは早かった。シングルにもなった "Knock Knock" ではギャ
ングスタを誇るのではなく、ヒップホップで稼ぐことを宣言している。

## Dilated Peoples

Battle

### Imagery, Battlehymns, & Political Poetry
*Notable Track: End of the Time*

1995　Not on Label (Shelved)

今でこそ人気の Dilated Peoples だが、やはり御多分に洩れずデビューまでの
道のりは長かった。Epic 傘下の Immortal Records が発表したコンピレーショ
ン『The Next Chapter』('95) に参加した彼らは、本作の発表も予定していた
が、結局お蔵入りに。地元を中心にデモテープやブート CD などが少量出回っ
たが、現在もこの幻の1枚目は正式発表されていない。ローファイなビートに
実直なバトルライム。初期の Dilated を知るならマストな作品なのだが。

※アートワークはブート CD 版

## Grits

Conscious

### Mental Releases
*Notable Track: 10-a-Cee*

1995　Gotee Records

テネシーはナッシュヴィルのクリスチャンラップデュオが発表したデビュー作
品。ジャズ感の強いサウンドと、時折メロディアスになるフローが特徴。スムー
スなシンセサウンドに地元テネシーを言葉遊びにした "10-a-Cee" や、ストリー
トで罪を犯してしまう自身や仲間たちに対して、神への祈りを捧げ許しを乞う
"Forgive Me" あたりが聴きどころ。95年当時のラップでは比較的珍しく汚い
言葉がないので、安心して子供と一緒に聴ける一枚だ。

## Jamal

Hardcore

### Last Chance, No Breaks
*Notable Track: Keep It Real*

1995　Rowdy Records

キッズラップデュオ Illigal の片割れのソロデビュー作。コンビ時代はまだあど
けなさが残っていたが、本作ではすでに大人のラップへと変化。Pete Rock に
よる "Fades Em All" のリミックスがプッシュされたものの、ヘッズには Stevie
Wonder のエレピをサンプルした Eric Sermon プロデュースの哀愁系トラック
"Keep It Real" が人気だった。同年発表の Miilkbone による同名曲と合わせ
て DJ が愛聴した、90年代中期のハードコアラップを象徴する一曲。

## Jemini the Gifted One

### Scars & Pain
*Notable Track: Story of My Life*

Battle
★
1995   Mercury (Promo Only)

Buckwild や Minnesota など当時の実力派プロデューサーが参加し、メジャーの Mercury からリリースが決まっていたものの、結局正規発表されずにプロモのみとなった一枚。それでも、詩的に自身の生い立ちを述懐しコーラスまで自ら歌い上げた"Story of My Life"はちゃんと販促されていたら評価が変わっていただろうし、「ほかの男より俺が満足させてやるよ」と謳う"Letcho 'Batyflo"も悪くない。時代に翻弄された。12年に日本企画盤で再発されている。

## K-Rino

### Danger Zone
*Notable Track: Illusions*

Hardcore
1995   Electric City Records

80年代初頭より活動しているヒューストンのOGによる2作目のアルバム。プロブラック色が色濃く出ていた前作『Stories from the Black Book』('93)に比べストリート色が増した本作には、「死」か「刑務所」を迫られる犯罪者の末路を語る"Two Roads"、地元ヒューストンのゲトーの危険さを語る"Danger Zone"、妄想と幻覚に襲われたK-Rinoが精神科医を訪ねるところから物語が展開する、虚実ない交ぜのストーリーモノ"Illusions"など、好曲揃い。

## Key-Kool and Rhettmatic

### Kozmonautz
*Notable Track: Can U Hear It?*

Conscious
1995   Up Above Records

のちにVisionariesへと発展するアジア系アメリカ人コンビによるデビュー作で、Ras Kass率いるWestern HemisFearをはじめとする西海岸の主要アーティストが参加している。ヒップホップにおける歌詞の重要性や安易なギャングスタ信仰の是非を問うKey Koolのラップが光る"Can U Hear It?"はヴィデオも制作され、当時ヒップホップ界ではほとんどいなかった日系米国人MCの存在感を示すとともに、エイジアンヒップホップの可能性を広げた。

## Mannish

### Audio Sedative
*Notable Track: Tasha's Room*

Hardcore
1995   Correct Records

Correct Records第1弾アーティストであるLAの2人組による作品。Bob James "Feel Like Making Love" をサンプルした浮遊感のある"Tasha's Room"は翌年シングル化もされ、DJミックスなどで人気を博した。この曲は彼らが昔地元で出会った美しい女性Tashaとの情事を基にしたものらしいが、映画『ボーイズ'ン・ザ・フッド』('91)で主人公Treの夢の中に登場する魅力的な架空の少女Tishaを思い出した向きも多いのでは。

## Munk Wit Da Funk

Hardcore

### I Been Here I'm Stayin
*Notable Track: I Blame My Neighborhood*

★★

1995　Illadelph Records

One Way のメンバーとしても知られるフィラデルフィアの MC が発表した初の EP 作品。シングルにもなった大ネタ DeBarge "I Like It" 使いの "I Blame My Neighborhood" では、自身が置かれる凄惨なゲトーの状況を非難するリリックが展開されているし、Guru のサンプルをフックに使用した "I Been Here I'm Stayin" では、いとも簡単に命を奪われるストリートライフの中、地元フィリーを離れることなく、妻を持ち自分の子を育てる覚悟をポジティヴに語っている。

## People without Shoes

Hardcore

### Thoughts of an Optimist
*Notable Track: Nappyhead Assasin*

★★

1995　Rage Records

ニューヨーク出身のデュオが 90 年代に発表した作品。アーティスト名から想像する無法者っぽさを表す "Nappyhead Assasin" のような曲もあれば、ドラッグと犯罪溢れるストリートの葛藤を表現した "Escape the Streets" のような曲もある。彼ら曰く「靴のない人々」というのは「自分自身の道を貫く人々」という意味だったそうだ。本作は長年貴重盤となっていたが、18 年に再発、19 年には LP 化もされ、MC の TempOpmet の個人名義としてレコーディング活動も再開した。

## Project Blowed

Battle

### Project Blowed
*Notable Track: Jurassick*

1995　Project Blowed

Good Life を継承するべく Aceyalone を中心に立ち上がったワークショップ Project Blowed のショウケース作品。彼らの本当の魅力を体験するなら木曜日のオープンマイクに参加するべきなのだろうが、1 曲目からいきなり Acey が変幻自在のフロウを畳みかける "Jurassick" で多少は追体験可能。本作は当時コーラスとラップが巧みに交差する Figures of Speech の 2 人を地元ロサンジェルス以外の人間が聴ける数少ない作品でもあった。

## Rubberoom

Hardcore

### Gothic Architecture
*Notable Track: Body Snatch'n (On the Isle)*

1995　Elastic Recordings

シカゴの実験的ヒップホップバンドの初期作。科学的な語彙を用いるフリースタイル調の "Synapse Gap"、シンプルなギターループが印象的な "High Noon" など、どれも通常のサンプル主体のトラックとは一線を画しているが、やはりハイライトは己の魅力で他人の女を奪うとブーストしたシングル曲の "Body Snatch'n (On the Isle)" だろう。硬質なドラムに滴るようなエレピ、シンセの転調が心地よい。本作は 19 年に 2LP 再発された。

## Street Poets

### Street Poets

*Notable Track: Skinz*

Hardcore
★

1995　DBK Records Inc.

ボストンのヒップホップグループが発表した唯一の作品。3名のMCがそれぞ
れ4曲ずつメインを担当している。"Everybody Knows Me"では執拗に自分
が地元ボストンで有名なことをボーストしていて心配になるが、一転して闇に
取り込まれる葛藤を表現した"Can't Find My Way"や、自身が育ったストリー
トを述懐する"Everyday Life"、DV加害で子供に会えない心境を吐露する
"209a"といった曲もあることはある。ビートは悪くないのだが。

## Tha Chamba

### Makin' Illa Noize

*Notable Track: Sayahlilsumthin'*

Hardcore

1995　Coroner Records, Inc.

シカゴのIll-State Assassinsからデビューした3人組の作品。基本的にハード
コアなラップと無骨なサンプリングビートを志向しているが、シングルにもなっ
たホーンサンプルの小気味よい"Sayahlilsumthin'"では、地元シカゴのラップ
を見下す業界を牽制し、銃の握り方もわからないのにギャングスタ振ろうとす
るラッパーたちを口撃するメッセージも忍ばせていた。本作は長年廃盤となっ
ていたが、18年にボーナストラック付きの2枚組LP仕様で再発されている。

## Various Artists

### Next Level of Hip Hop

*Notable Track: It's About Time (Jazz Mix)*

Conscious

1995　Brainstorm Artists International

*Also recommended:*

**Freedom of Soul**
**The 2nd Comin'**
1994

クリスチャン系のインディ音楽を専門に手がけるレー
ベルBrainstorm Artists Internationalより95年に発表
された、ヒップホップアーティストによるコンピレー
ション作品。80年代より活動するクリスチャンラップ
の重鎮SFCをはじめ、91年のデビュー作『Word 2
the Wize』で知られるブロンクスのデュオDynamic
Twins、同95年に『The Earth Worm』を発表したLA
のコンビLord's Personal Gangstersが参加しており、
クリスチャンラップの導入には最適な一枚。なかでも
同輩Freedom of SoulのPeace 586を加えたレーベ
ルのアーティスト集合モノの"We"は、シンプルながら
重厚なエレピのループ、そのPeace 586による母音を
2倍にしてラップするスタッカートのような2ヴァース目
が印象的な一曲。本作はGファンク調のスムースな
"It's About Time"などありつつも、一転当時攻勢を
見せていたギャングスタラップに対して、あくまで己の
スキルとポジティヴな歌詞世界で挑戦することを誇っ
た作品に仕上がっている。

## Abstract Tribe Unique

Unique

### Underground Fossils

*Notable Track: Yesterday and Today*

1996  Left-Sided / Mass Men Pro.

Good Lifeより誕生したMCとダンサーによる総合パフォーマンス集団の1枚目。彼らの持ち味は本来ライヴだろうけども、1曲目の"Rebirth"からしてその独特の掛け合いやコーラスのスタイルは十分表現できている。ラップよりもむしろ彼らとFat Jackプロデュースのトラックの方が前面に出ている一枚になっているが、不完全な自分を表現した内省的な"Yesterday and Today"あたりはラップも立っている。録音状況が悪いのが残念だ。

※アートワークは97年のLP版

## Beyond

Conscious

### Comparison

*Notable Track: B.L.A.K. Culture*

1996  Rhymesayers Entertainment

初期Rhymesayers重要作のひとつで、全曲Antがプロデュースしている。「黒人といえばスポーツ選手」といった偏見や、ギャングスタに憧れるのでもなく、自分自身でいることを誇った"B.L.A.K. Culture"がハイライト。ここではSlugもコーラスで参加している。メジャーレーベルをこき下ろした"Vinyl, Cassettes, CD's"では、音源のパッケージで有名になることよりも、マイクのスキルの重要性を指摘。01年にアートワークを刷新して再発された。

## Black Majik

Hardcore

★

### Introducin' the Blackmajik

*Notable Track: Rotten Apple*

1996  Subrosa Record

NYのMC／プロデューサーがUKのレーベルより発表したEP。「計算しろ、これは5＋4だ」と嘯く"5＋4=Nine"で表現している"9"とはもちろん拳銃のことで、Bee Geesを用いプロジェクトの悲哀を表現した"Pass the Axe"も「刻んでやる」と息巻いたもの。とにかく病んだその暴力趣味を支えるのは、すでに失われた技術といえる重厚なサンプリングビート。「OJが妻にしたように連中を殺す」と脅迫する"Rotten Apple"は二重の意味で狂っているとしかいえない。

## Centa of Da Web

Battle

### Beyond Human Comprehension EP

*Notable Track: Ill Visions*

1996  Centrifugal Phorce

のちにNYを代表する一大コレクティヴとして認知されるAtoms Familyの原型ともいえる作品で、基本的にMC3名による複雑なライムから紡がれる言葉遊びを中心としたラップ（もっともWhichcraftは独特な声質と雰囲気があるが）、プロデュースも担うCryptic Oneによる重厚にフィルター処理されたマイナー調のトラック群が持ち味となっている。本作は02年に未発表／フリースタイル音源付きで再発されており、CD派はそちらもおすすめ。

## DJ Shadow

### Endtroducing.....

*Notable Track: Midnight in a Perfect World*

Unique

1996 Mo Wax

地元サクラメントのレコードショップRare Recordsから掘り返した膨大なレコードの山からほぼ全てをMPC60だけで組み上げた現代版コラージュアートの快作。なかでもトラックはもちろんコーラスの調合に至るまでサンプルで丁寧に構築されたシングル曲"Midnight in a Perfect World"や、翌年発表の12"版がDJの定番となった"Organ Donor"などが高い人気を誇り、インストヒップホップの可能性を広げ、トリップホップブームを後押しした。

## Dr. Octagon

### Dr. Octagonecologyst

*Notable Track: No Awareness*

Unique

1996 Bulk Recordings

Kool Keithが西海岸に渡り、プロデューサーのDan the Automatorとともに作り上げたオカルトラップの怪作。Dr. Octagonとは、ヒトならざる容姿を携えた、人体実験が大好きな産婦人科医で、その正体は未来の木星から地球を第二の実験場として利用するためにやってきた宇宙人らしい。先行曲"No Awareness"で地球に侵入し、全てが常人とは異なるその特異性は同じくシングル曲の"Blue Flowers"で表現されている。06、18年に続編がリリースされた。

## Eminem

### Infinite

*Notable Track: Infinite*

Battle

1996 Web Entertainment

デトロイトのライムフリークが地元のインディレーベルより発表したデビュー作。当時ほとんど売れなかったそうだが、たとえば表題曲の"Infinite"を聴けばわかるように、時に発音を曲げつつ執拗に繰り返される、その類いまれな多音節のライムによる複雑な歌詞世界はすでに健在だし、「地元の才能、313を紹介するぜ」というラジオDJのイントロから始まる"It's Ok"も、フックはなんともダサいが、めまぐるしく変わるライムスキームに心躍ることだろう。

※アートワークはブートCD版

## Grav

### Down to Earth

*Notable Track: City to City (feat. Al' Tariq & Lil Ray)*

Hardcore
★

1996 Correct Records

Al' Tariqに続くCorrectの第3弾アーティストとして登場したシカゴのMC唯一の作品。大半を無名時代のKanye Westがプロデュースしており、その甲斐もあってか現在では高額盤のひとつとなっているが、00年前後まではクズ値で流通していた。基本的にBusta Rhymes似のフロウで取り留めのないことをラップしているが、"World Domination"では神が与えてくれたラップの才能を基にポジティヴに生きることを表明している。

## Grouch

### Nothing Changes
*Notable Track: Rap Is Senseless*

1996　Outhouse

※アートワークは99年のCD版

*Also recommended:*
Mystik Journeymen
"4001"
"The Stolen Legacy..."
1995

19歳の夢見る若者がイーストオークランドの倉庫で共同生活する面々（Living Legends）と制作したカセット作品。作中でも度々言及されているように、本作の実態は安価な4トラックや8トラックで録られた自主制作のデモ音源集で、ラップからプロデュースまでその大半をGrouch本人が手がけている。LLクルー初期作品ともあって、後年内省的かつ自嘲的な歌詞世界（いわゆる"ダメ男"）へと変貌する彼が、まだハングリーで血気盛んなラップをロウなビートの上で披露しており、"Language Barrier"ではそのMC名らしく、自身を理解しない世間に不満（グラウチ）をぶつけ、「俺はリヴィングレジェンド。そう胸に掲げているのさ」と早速Mystik Journeymen、3 Melancholy Gypsysと共同設立したクルーを誇示。そのほかも、ルーツを忘れ商業主義にひた走るラップ界への痛烈な批判を展開した"Rap Is Senseless"、キリスト教倫理（信仰）の中で葛藤する姿を示した"Grouch's Prayer"など、彩り豊かな一枚に。のちに本作はリマスターされ、CD、2LPで再発。

## Ill Biskits

### Chronicle of Two Losers: First Edition
★★
*Notable Track: A Better Day*

1996 / 2007　Atlantic (Shelved)

*Also recommended:*
Buckwild
Diggin' in the Crates
- Rare Studio Masters:
1993-1997
2007

ヴァージニアはピーターズバーグのデュオが、96年にAtlanticよりリリース予定だったアルバム（お蔵入り作品）。ハードコアラップ全盛期の当時では比較的珍しい、軽やかに歌い上げるコーラスに、コンシャスでポジティヴなメッセージが踊る彼らのラップスタイルは、そのタイトルにもあるように、ラップで成り上がることを夢想する若者の希望に満ちたリリックに溢れている。成功へのチャンスをくれたレーベルに感謝するという皮肉な台詞の入ったボースト調の"Exclusive Debut"で始まる本作、ストリートの仲間と酒を煽りくつろぐ自然体の曲もあれば、ストリートを抜け出し成長を誓う"God Bless Your Life"など、向上心に満ちた楽曲もある。両者に共通するのは、あくまで彼らは等身大の自分を崩していないということだろう。Buckwildプロデュースの爽快なエレピが心地よい"A Better Day"においては、「たとえ空に雲がかかっていても、よりよい日を見つめていよう。そうすればいつか太陽が昇って、視界を晴らしてくれるから」なんて青くさい台詞をフックで歌い上げている。

## Innersoul

### The Theory

*Notable Track: It's the Right Time*

Conscious
★

1996　Mix-It-Up Records

アップタウンのMCによる唯一のアルバム。自身のMC名にも明らかだが、本作のイントロでも語っているように、彼は「肉体は滅びても内なる心は朽ちない」というポジティヴな想いからアルバム全体を構成しているようだ。リッチになることばかりではなく、全ては音楽のためにという献身を示した"How Ya Gonna Do It"や、妻ができ、人生の生き方を見つめ直した"Looking for Survival"など、収録曲はどれも粒揃い。18年にSmoke on RecordsからLPで再発された。

## The Juggaknots

### The Juggaknots LP

*Notable Track: Clear Blue Skies*

Conscious

1996　Fondle 'Em

*Also recommended:*
The Juggaknots
Re:Release
2002

ブロンクス生まれの3人兄弟グループによるデビュー作。元々はElektra傘下のEast Westと契約していたが、音楽性の違いからレーベルをドロップされ、かねて親交があったBobbitoのレーベル、Fondle 'Emより再起を果たした。アルバムというよりはメジャー時代に録り溜めたデモ音源集に近いが（録音時期にばらつきがある）、身重の妻を養うために看護師となった元強盗の青年が、職場で目にした大量のクラックベビーの死体で発狂し、近所のドラッグ密売所を襲撃して壮絶な死を迎えるという凝ったストーリーの"Loosifa"や、表題でも示唆されている"青く澄み渡る空"と"白人の持つ碧眼"を対比し、白人至上主義者の父に"黒人の彼女と付き合っている"ことをとがめられ、口論の末、家出を決意する少年の物語"Clear Blue Skies"などは、創意工夫に富んだ佳曲だ。彼らはストーリーテリングの先達Slick Rickに多大な影響を受けたという。96年にこれらのコンセプチュアルな楽曲を残していたということに立ち戻って聴いてみてほしい。

## Mark Sparks

### Mark Sparks Presents Kakalaka Raw

*Notable Track: Stay Awake*

Conscious
★★

1996　Kakalaka Records

すでにメジャー作品のプロデュースで成功していたMark Sparksが地元ノースキャロライナのMCのショウケース用に発表したコンピレーション作品。犯罪と隣り合わせのストリートに生きる苦悩とラップへの希望を吐露した"Stay Awake"や、スムースなギターに愛憎相半ばする南部への感情をポーストする"Southern Relaxation"、あくまでポジティヴな向上心を提供する"We Serve You"など佳曲揃い。16年に20周年記念版が発表された。

## The Micranots

`Conscious`

### Return of the Travellahs
*Notable Track: 141 Million Miles*

1996　Mental Madness Wreckords

ミネアポリスの5パーセンター2人組によるデビュー作（カセット作品）。サックスとベースを立たせたコズミックな"141 Million Miles"や、過去の出来事としてヒップホップの未来について語ったコンセプチュアルなSci-Fiモノの"Farward"など、のちにシングル化される楽曲が目立っているが、最終曲の硬質なドラムに柔らかなキーボードが合わさる実直なボーストモノ"Judgement Day"も上々。本作は03年にRhymesayersからCD再発されている。

※アートワークは03年の再発版

## Moonshine

`Battle`

### Weep No More
*Notable Track: The Sad Sombrero Song*

1996　Arcane Records / Nightglow Music

元々Vertigoの名で活動していたLAの3人組の作品。いきなり和モノ使いとなる"通りゃんせ"のサンプルで面食らうが、奇を衒った作風というよりは、タンツイスト気味のメロディアスな西海岸フロウと重厚なビートが持ち味。目玉はポエティックなバトル調のラップに物悲しげなストリングスのトラックが絶妙な"The Sad Sombrero Song"で、シングル化もされた。のちにDJ Drezが合流し、The Anonymousと改名して『Green and Gold』('98)というEPを発表している。

## Mr. Low Kash N Da Shady Bunch

`Hardcore`
★

### Forever Raw
*Notable Track: Forever Raw*

1996　Pep Records

ストリートで命を落とした故人に捧げるGファンク調の"R.I.P."でデビューしたニュージャージーのグループのアルバム作品。ラガ調のフロウを披露する"Forever Raw"、Ready Ta Rollのリリックを引用した"The Illest"、リスペクトを示さない者は携行した拳銃で撃ち殺すことを示唆した"Heatholder's"など、基本的にはコワモテのボーストが中心で特筆すべき点はないが、東海岸ラップの過渡期である96年ならではのトラックに妙あり。

## Punk Barbarians

`Party`

### Sex, Props, Cream & the Drama in Between
*Notable Track: Bubblin'*

1996　Lethal Records

Public Enemy周辺のアーティストとして登場した、NYはロングアイランドの4人組唯一の作品。先行シングルで映像も制作されたアルコール／パーティ賛歌の"Bubblin'"で有名だが、「とにかく黒人は長生きできないんだ。だから安らかに」という言葉とともにMalcolm X、Marcus Garvey、W. E. B. Du Boisといった偉人へ言及するスムースなシンセの最終曲"Rest in Peace"ではPEのフォロワーらしさが垣間見える。20年に2LP化された。

## Ram Squad

### Operation Lock the City
*Notable Track: Keep It Real*

Hardcore
★★
1996   Echo International

フィラデルフィアのハードコアラップグループが発表した1枚目のアルバム。本作ではRam Sqad Raw名義で発表した"Just the Two of Us"使いの先行シングル"Keep It Real"、そのB面で「俺は女にとってのMVP（Most Valuable Pimp）」と宣言する"When & Where"が再録されており、実はその他収録曲もほとんどシングル化されている。ストリート色の強いラップで人気を博すものの、メインMCのTommy Hillは11年に凶弾に倒れた。

## Raw Breed

### Killa Instinct
*Notable Track: Killa Instinct*

Hardcore
1996   Warner Bros. Records (Shelved)

Ultramagnetic MC's周辺として登場したブロンクスのグループの作品（通算2作目）。Warnerから発表を予定していたが、リリックの内容が過激だったため、プロモーションまでしたもののお蔵入りとなった。たとえばエレピのループが怪しく響く"Lock Shit Down"はストリートの犯罪礼讃といった内容だし、"Carlisto's Way"はドラッグディールからの脱出を模索するギャングスタの物語。本作は17年にベルギーのBack 2 Da Sourceから正規再発された。

※アートワークは17年の再発版

## Scott Lark

### Razzle Dazzle
*Notable Track: Razzle Dazzle*

Unique
★★
1996   Contract Recording Company

Poor Righteous Teachers関連のプロデュースで知られる故Tony Dが全面プロデュースしたニュージャージーのMCの作品。人を食ったようなゆるい鼻声フロウに、PRT周辺のアーティストとは似つかない言葉遊びを中心としたダーティな語彙のラップが続く。それは昔の女たちとの体験をブーストする"I Killed a Hoe"や、少年期を懐かしむ"Natural Bliss"などのシングル曲に顕著。リリックの内容というよりは、Tony Dのビートを堪能すべき作品だろう。

## Sharpshooters

### Choked Up
*Notable Track: Trust No One (feat. Four Fifths)*

Conscious
1996   Conception Records

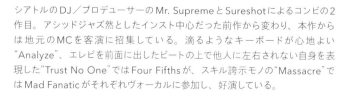

シアトルのDJ／プロデューサーのMr. SupremeとSureshotによるコンビの2作目。アシッドジャズ然としたインスト中心だった前作から変わり、本作からは地元のMCを客演に招集している。滴るようなキーボードが心地よい"Analyze"、エレピを前面に出したビートの上で他人に左右されない自身を表現した"Trust No One"ではFour Fifthsが、スキル誇示モノの"Massacre"ではMad Fanaticがそれぞれヴォーカルに参加し、好演している。

## SleeStack'z

Hardcore

### Behind the Iron Curtain
*Notable Track: Crystal Clear (Morning Blunt Mix)*

1996　Ichiban International

Sleestack'z Enterprise名義で前年に発表済みだった自主制作盤を再編集して発表したアルバム。水滴の滴るようなパーカッションが幻想的なトラックの上、自分を偽るのではなく、透明であることを誇る"Crystal Clear（Morning Blunt Mix）"や、犯罪のために銃を手に取る悪辣な周辺環境を呪い憂う"Ruintion"などシングル曲がやはり秀逸。本作は15年にDJのDebonair Pが主催する豪州のGentleman's Reliefから2LPで再発されている。

## Trigger Tha Gambler

Hardcore

### Life's a 50 / 50 Gamble
*Notable Track: Hitman (feat. D.V. Alias Khrist)*

1996　No Doubt Entertainment (Shelved)

兄Smoothe Da Hustlerの活躍もあり、Def Jamからリリースされる予定だったが、お蔵入りになった作品。当時M.O.P.のプロデュースで飛ぶ鳥を落とす勢いだったDR Periodが全曲プロデュースし、D.V. Alias Khristが癖のあるコーラスを随所に提供していた本作は、当時順当に発表されていたら、のちの評価も異なっていたことだろう。シングルにもなった"My Crew"や、プロモカットの"Hitman"（ビートは別ヴァージョン）などが収録されている。

## Ultra

Hardcore

### Big Time
*Notable Track: The Industry Is Wack*

1996　Our Turn Records

*Also recommended:*
Kool Keith
Sex Style
1997

Ultramagnetic MC'sのKool Keithと、"Fuck Compton"のTim Dogによるユニット唯一のアルバム。Timの留守電にワックな連中への怒りを残すKeithのイントロでも明らかなように、"The Industry Is Wack"や"Keep It Real...Represent"など、96年当時のポップ化するラップ界を斬った快作で、全曲Kut Masta Kurt製の重厚なビートがアシストしている。シンプルな語彙で凄むTimとの共演ともあってか、KeithもDr. Octagon名義とは異なりストレートなディスが続くが、インタヴュー調でヴァースが展開される"Super Luv"でも説明されているように、あえて耳に留まる卑猥な表現を常に登場させている。たとえばそれは、Dr. Octagonで広めたSci-Fi的世界観を真似するラッパーたちを口撃する"Get off the Dick"、自分のイチモツをマイクに喩えた"Who Rocks"など、執拗に"下ネタ"をテーマにしていることからも明白で、翌年の『Sex Style』の原型がすでに出来上がっている。なお、残念ながらTimは13年に他界。

## Various Artists

Conscious

### The Bassments of Bad Men

*Notable Track: Open Letter to Hip Hop*

1996   Hand'Solo Records

カナディアンヒップホップレーベル Hand'Solo の第1弾となる作品。本コンピレーションでBuckやSixtooなど、のちに北米規模で活躍するファリファクス出身のアーティストの存在を認識した向きも多いだろう。おすすめはシンプルなブーストモノの"Forever Real"や、大ネタ使いの"My Life in the Sunshine"、Buck 65がラップをする白人としての苦労を綴った"Success without College"あたり。02年に続編が発表された。

## Various Artists

Conscious
★★

### Do the Math

*Notable Track: Equilibrium*

1996   Tribal Music Inc.

Vitamin Dが主催するレーベルより発表された初のコンピレーション作品。それまでほとんど知られていなかったシアトル産のヒップホップをラップ界に示した記念碑的作品。妖艶なヴァイブにブーストラップが踊る"Soldier"、重厚にフィルター処理されたベースが印象的な"Schoolin' 'Em"、温かなヴァイブのビートの上で大切な女性について語るシングル曲"Equilibrium"など、どれも聴き応えあり。19年にBack 2 Da Sourceより再発された。

## Various Artists

Hardcore

### Rap Essentials Volume One

*Notable Track: Dear Hip Hop*

1996   Beat Factory Music

*Also recommended:*
Citizen Kane
Deliverance
1999

カナダ産ヒップホップを語る上で外すことのできないコンピレーション作品。当時勢いのあったアーティストが一堂に会しており、なかでも目玉は「死ぬまでヒップホップを愛することを誓った」恋文朗読スタイルのDan-E-O "Dear Hip Hop"。哀愁漂うScam製のビートと、ヒップホップへの愛に溢れたラップの相乗効果は、当時多くのヒップホップヘッズを虜にしたことだろう。のちに本曲はDan自身の手によって続編も制作されている。そのほかの曲も好曲揃いで、妖しいキーボードが雰囲気のあるConcrete Mob "Boiling Point"、前向きに自分の人生を振り返るChoclair "21 Years"、ストリートの同志たちへ贈る応援歌Citizen Kane "Structure Foundation"、地元のレップモノGhetto Concept "U.L."、牧歌的なストリートトークScales Empire "Bright Lights, Big City"など、どれも魅力的な内容となっている。それでも惜しいのは、どうして本作はクリーンエディットされた曲を収録してしまったのか。そこだけが残念でならない。

# リリックの読み解き方を考える
# Part 1　70, 80, 90年代の変遷

　英語のラップは基本的に「2小節（上の句／下の句1小節ずつ）」対となる押韻の反復から成り立っている。つまり2小節1組という制約の中で、いかにライムパターンや言葉の意味世界を工夫するかがアーティストに課されているというわけだ。


## Grandmaster Flash & the Furious Five (Melle Mel) – "Superrappin'" (1979)

|  | |
|---|---|
| Bar 1 | They say a child is born with no state of mind |
| Bar 2 | Blind to the ways of mankind |
| Bar 3 | God is smilin' on you but he's frownin' too |
| Bar 4 | Because only God knows what you'll go through |
| Bar 5 | You'll grow in the ghetto livin' second-rate |
| Bar 6 | And your eyes will sing a song of deep hate |
| Bar 7 | The place you play and where you stay |
| Bar 8 | Looks like one great big alleyway |
| Bar 9 | You'll admire all the number-book takers |
| Bar 10 | Thugs, pimps, and pushers, they're the big money makers |
| Bar 11 | Drivin' big cars, spendin' twenties and tens |
| Bar 12 | And you wanna grow up to be just like them |
| Bar 13 | Huh, smugglers, scramblers, burglars, gamblers |
| Bar 14 | Pickpocket, peddlers, even panhandlers |
| Bar 15 | You say, "I'm cool," huh, "I'm no fool" |
| Bar 16 | But you'll wind up droppin' outta high school |
| Bar 17 | Now you're unemployed, all non void |
| Bar 18 | Walkin' around like you're Pretty Boy Floyd |
| Bar 19 | Turned stick-up kid, and look what you done did |
| Bar 20 | Got sent up for an eight year bid |
| Bar 21 | Now your manhood is took, you're a Maytag |
| Bar 22 | Spent the next two years as an undercover fag |
| Bar 23 | Bein' used and abused, served like Hell |
| Bar 24 | 'Til one day you was found hung dead in a cell |
| Bar 25 | It was plain to see that your life was lost |
| Bar 26 | You was cold and your body swung back and forth ※母音の異なる強引なライム |
| Bar 27 | But now your eyes sing the sad, sad, song |
| Bar 28 | Of how you lived so fast and died so young ※母音の異なる強引なライム |

初期のラップの例として、79 年に Grandmaster Flash & the Furious Five が発表した "Superrappin'" から Melle Mel のヴァースを下掲する。82 年に "The Message" で再利用された教訓的な内容の本ヴァースは、4 拍子の 4 拍目に拍を合わせたオンビートのラップと、2 小節対となる末尾の単語韻を基軸に物語が展開されてゆく。ラップの基本である「2 小節毎に言葉の意味世界と音をいかに揃えるか」がよく表現されている。

| Bar 1 | 子供はなんの偏見も持たず |
|---|---|
| Bar 2 | 人の世に無垢なまま生まれてくるという |
| Bar 3 | 神は微笑みかけつつも、同時に悲しい顔を浮かべている |
| Bar 4 | 君がこれから体験することは、神のみぞ知ること |
| Bar 5 | 君は二級市民としてゲトーで育つことになり |
| Bar 6 | その両目は、深い憎しみの歌を唄うことになる |
| Bar 7 | 君が遊び、暮らすところは |
| Bar 8 | まるで巨大な一本の路地 |
| Bar 9 | 賭け屋にチンピラ、ポン引き、売人 |
| Bar 10 | 大きな車に乗り、大金を使う成金連中に |
| Bar 11 | 君は憧れ、彼らのような |
| Bar 12 | 大人へ成長したがるんだ |
| Bar 13 | 密輸入者、スクランブラー、強盗、ギャンブラー |
| Bar 14 | スリ、物売り、コジキ |
| Bar 15 | "俺はかっこいい" って言うんだよな "俺はバカじゃない" とさ |
| Bar 16 | だけどお前は結局、高校を中退することになる |
| Bar 17 | 今、お前は職なし、完全に空っぽ |
| Bar 18 | ギャングスターのように歩き回る |
| Bar 19 | 強盗小僧になっちまって、やっちまったな |
| Bar 20 | 8 年の刑期を送ることになった |
| Bar 21 | お前の男らしさは喪失、便利な道具にされ |
| Bar 22 | 隠れゲイとして 2 年を過ごした |
| Bar 23 | 利用され、虐待され、地獄のように仕えた |
| Bar 24 | ある日、独房で首を吊って死んでいるのが見つかるまで |
| Bar 25 | お前の人生が無駄になったのは明らかだった |
| Bar 26 | お前は冷たくなり、体は前後に揺れていた |
| Bar 27 | その目は、悲しい、悲しい歌を歌っている |
| Bar 28 | 若くしてあっけなく死んでしまったことを |

※歌詞はアーティスト支給ではなく、筆者、翻訳協力者による聴き取り、文字起こしの上、筆者による対訳を併記。
※主要な押韻箇所を対になる色別でハイライト。ラップは必ずしも完全韻であるとは限らないため、一部完全韻ではないが聴感的に揃っている箇所もハイライト、またはアンダーラインを引いている。

27

## シンプルな単語韻から複数音節の韻へ

　86年にデビューを果たしたRakimは、これまでのオールドスクールのMCたちとは異なり、複数音節でのライムや重層的にラインの中間で押韻するなど、より複雑なライムを志向していた。なかでも翌87年の"I Know You Got Soul"は象徴的なタイトルだ。聴衆を虜にする自身のラップスキルを誇った内容の本曲、もちろん2小節1組で脚韻するという最小単位は変わらないが、たとえば1ヴァース目の冒頭に登場する"left you" → "step to"でも示されているように、従来の単語韻とは異なり2音節での脚韻を披露するなど、多音節のライム（Multisyllabic Rhyme）を駆使してヴァースを展開するようになっている。

## Eric B. and Rakim – "I Know You Got Soul" 1st Verse (1987)

Bar 1　It's been a <u>long time</u>, I shouldn't have left you
Bar 2　Without a <u>strong rhyme</u> to step to
Bar 3　Think of how many weak shows you slept through
Bar 4　Time's up, I'm sorry I kept you
Bar 5　Thinkin' of this, you keep repeatin', you miss
Bar 6　The rhymes from the microphone soloist
Bar 7　So you sit by the radio, hand on the dial, soon
Bar 8　As you hear it, pump up the volume
Bar 9　Dance with the speaker till you hear it blow
Bar 10　Then plug in the headphone 'cause here it go
Bar 11　It's a four letter word when it's heard, it control
Bar 12　Your body to dance (You got it) soul
Bar 13　<u>Ditects</u> the tempo like a red alert
Bar 14　Reaches your reflex, and let it work
Bar 15　When this is playin', you can't get stuck with
Bar 16　The steps, so get set and I'm a still come up with
Bar 17　A gift to be swift, follow the leader, the rhyme'll go
Bar 18　Def with the record that was mixed a long time ago
Bar 19　It can be done, but only I could do it
Bar 20　For those that can't <u>dance</u>, just clap your hands to it
Bar 21　I start to think and then I sink
Bar 22　Into the paper like I was ink
Bar 23　When I'm writin', I'm trapped in between the lines
Bar 24　I escape when I finish the rhyme... I got soul

※歌詞はアーティスト支給ではなく、筆者、翻訳協力者による聴き取り、文字起こしの上、筆者による対訳を併記。
※主要な押韻箇所を対になる色別でハイライト。ラップは必ずしも完全韻であるとは限らないため、一部完全韻ではないが聴覚的に揃っている箇所もハイライト、またはアンダーラインを引いている。

また、下記のヴァースでは79年のMelle Melとは異なり、Bar 1からBar 4までは同じライムパターンだが、Bar 5、Bar 6で変化し、Bar 7、Bar 8でまた切り替わるなど、必ずしも小節が同じ回数で続かない。つまり古典的な定型詩にとらわれない押韻構成となっていることがわかる。なお、Bar 1、Bar 2に登場する"long time"と"strong rhyme"は2音節とも音が揃っているが、特に曲中で強調していないため、偶然揃っていた可能性が高い。加えて"Superrappin'"のMelle Melのヴァースと同様、本ヴァースも24小節と長めになっており、いわゆる現代的な16小節1ヴァースというフォーマットでないところに注目だ。これらの荒削りな部分にラップミュージック興隆期の80年代らしさが残っている。

| Bar 1 | 久しぶりだな　離れるべきじゃなかった |
| Bar 2 | お前を乗せられる強力なライムを残さずに |
| Bar 3 | どれだけつまらないショウで眠らされたか思い出せ |
| Bar 4 | 時間だぜ　待たせて悪いな |
| Bar 5 | こいつを思うと、恋しくて仕方ないだろう |
| Bar 6 | マイクの独奏家のライムを |
| Bar 7 | だからラジオにかじりつき、ダイヤルに手を置き |
| Bar 8 | 聞こえたらすぐに、ヴォリュームを上げるのさ |
| Bar 9 | スピーカーが壊れるまで一緒にダンス |
| Bar 10 | そしたらヘッドフォンを挿入　来たぜ |
| Bar 11 | こいつは4文字　それが聞こえた時 |
| Bar 12 | お前は踊らざるをえない　（そう）「SOUL」 |
| Bar 13 | 警報機みたいにテンポを発見し |
| Bar 14 | 反射神経に影響、衝動が抑えられない |
| Bar 15 | 俺のライムが流れる時は　上手に踊れ |
| Bar 16 | 準備しとけよ　俺はまだいけるぜ |
| Bar 17 | 速攻のギフトだ　リーダーに続け　そのライムは |
| Bar 18 | かつて作られたレコードと完璧にフィット |
| Bar 19 | 可能性はあっても、これができるのは俺だけ |
| Bar 20 | 踊れない連中は、手拍子だけでいい |
| Bar 21 | 考え出すと、まるでインクのように |
| Bar 22 | 俺は紙に馴染んでいく |
| Bar 23 | 書き始めたら、俺は小節の虜になる |
| Bar 24 | ライムが終われば解放されるのさ　「SOUL」を得たぜ |

## さらなる音節の拡大とラップゲームの高度化

　80年代末にRakimやその同時代人のKool G. Rap、Big Daddy Kaneなどが広めた複数音節のライムは、ラップの表現の幅を大きく広げることに成功した。彼らの後継者となるEminemは、その数いるフォロワーたちの中でもとりわけ音節の多さを強調した作風で知られている。例として彼のデビューアルバム『Infinite』('96)に収録の表題曲から最初のヴァースを右掲する。本ヴァースは冒頭 Bar 1 から Bar 4 まで"chain re-ac-tion" → "brain re-la-xin'"というように4音節の母音を基軸に重層的な音節のライムを披露してゆく。2小節1組という最小フォーマットで韻を転換させるのではなく、できる限り同じ音節を重ねることでライムの難易度を上げるスタイルが本ヴァースのEminemの特徴となっている。

## 発音を曲げてしまう多音節ライム

　また、彼のライムは、Bar 3 の"brainiac in fact, son [sʌn]"、Bar 4 の"insanely whack when [wen]"、"fraction of my tracks run [rʌn]"のように、本来 Bar 1 ～ Bar 4 のメインの音である"action [ʃən]"と必ずしもライムできない単語を用いているが、発音を濁したり、抑揚（イントネーション）を揃えることでライムしているように聞こえるテクニークも併せ持っていた。なかでも特に象徴的なのは、Bar 13 の"nar-er-ration (nar・er・ra・tion)"という語で、これはもちろん通常"narration (nar・ra・tion)"と発音する。つまり彼は"er"という本来そこに存在しない音節をひとつ足すことで、同ラインの"lamination (lam・i・na・tion)"と音節数を揃え、4音節でのライムを駆使しているというわけだ。

　もちろんEminem以前のMCも母音の発音を曲げる場合は多々あり、一例を挙げるなら先の"I Know You Got Soul"においてRakimは"detects [dɪ・tekts]"という語を"ditects [daɪ・tekts]"と二重母音化して発音しているが、ここではライムのためというよりはストリートっぽさを演出するために発音を曲げていたといえる。このようにラップはあくまで発話される韻文であるため、必ずしも古典詩のように発音は一定ではなく、非常に柔軟に表現されるアートフォームであるということに留意が必要だ。なかでもEminemはとりわけ自由に発音や抑揚を変え、多音節のライムを志向しているMCのひとりといえるだろう。

## 言葉遊びとバトルライム

　Bar 12 の「car-tunes（車の曲）」は発音が同じである「cartoons（アニメ）」との言葉遊び。続く"animation"と語呂を合わせている。つまりBar 12は単語の意味ではなく、ライムによって紡がれる連続性が発揮されており、これが「パンチライン（話の聞きどころ）」となっている。ラップはこのように必ずしも理路整然と文章が続くわけではない。本曲はリリックの中身というよりはライムに注力したバトルラップだが、時にリリックの物語性を中心に据え、時にライムに重きを置く、そんなバランスのもとでラップの歌詞世界は成り立っているのである。

## Eminem – "Infinite" 1st Verse (1996)

Bar 1   My pen and paper cause a chain reaction
Bar 2   To get your brain relaxin', the zany actin' maniac in action
Bar 3   A brainiac in fact, son, you mainly lack attraction
Bar 4   You look insanely whack when just a fraction of my tracks run
Bar 5   My rhymin' skills got you climbin' hills
Bar 6   I travel through your mind and to your spine like siren drills
Bar 7   I'm slimin' grills of roaches, with spray that disinfects
Bar 8   And twistin' necks of rappers 'til their spinal column disconnects
Bar 9   Put this in decks and check the monologue
Bar 10  Turn your system up, twist 'em up and indulge in the marijuana smog
Bar 11  This is the season for noise pollution contamination
Bar 12  Examination of more car-tunes than animation
Bar 13  My lamination of nar-er-ration
Bar 14  Hits a snare and bass on a track for duck rapper interrogation
Bar 15  When I declare invasion, there ain't no time to be starin' gazin'
Bar 16  I turn the stage into a barren wasteland; I'm Infinite


Bar 1   俺のペンと紙は連鎖反応を起こす
Bar 2   脳をリラックスさせるため、狂ったMCはクレイジーぶっている
Bar 3   実際俺は賢い　お前は主に魅力不足
Bar 4   俺のトラックが流れる時、お前はマジでダサく見える
Bar 5   俺のライムスキルでお前は逃亡
Bar 6   警鐘音みたいに、俺の音楽はお前の身体中に浸透する
Bar 7   俺は殺虫スプレーで、ゴキブリの口めがけて噴射
Bar 8   脊椎がねじ切れるまで、ラッパーたちの首をひねる
Bar 9   テープをデッキに入れ、この独演を聴け
Bar 10  音量を上げろ　ジョイントを巻いて、マリワナの煙に酔え
Bar 11  騒音公害汚染のシーズン到来だ
Bar 12  アニメーションより多く、車の曲を検査
Bar 13  俺のナレーションの保存版は
Bar 14  フェイクラッパーの尋問トラックでスネアとベースを奏でる
Bar 15  俺が侵略を宣言する時、ボーッと見ている時間はない
Bar 16  ステージを荒地に変える　俺は無限

※歌詞はアーティスト支給ではなく、筆者、翻訳協力者による聴き取り、文字起こしの上、筆者による対訳を併記。
※主要な押韻箇所を対になる色別でハイライト。ラップは必ずしも完全韻であるとは限らないため、一部完全韻ではないが聴感的に揃っている箇所もハイライト、またはアンダーラインを引いている。

31

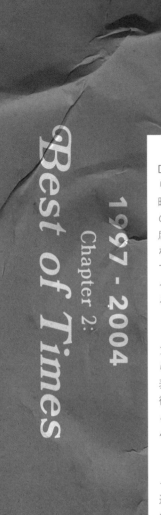

— 最盛期 —

　ヒップホップ歴史家の Dart Adams は、97年1月の Puff Daddy & Mase "Can't Nobody Hold Me Down" の登場により、きらびやかな衣装と大予算のヴィデオを駆使した"ジギーの時代"がメインストリームに到来したと定義している。確かにこの97年は Bad Boy や Master P 率いる No Limit などが市場を席巻し、それまでのサンプリングを主体としたサウンドや、複雑なライムを多用したラップはメインストリームから徐々に後退していた。結果としてこの97年以降は、メインストリームラップとインディラップは完全にジャンルとして差別化されてゆくことになる。

　また、「インディラップ」というジャンルを考える時、多くのファンもこの97年以降を思い浮かべるのではないだろうか。なぜならこの97年には、Company Flow の『Funcrusher Plus』に代表される象徴的なインディアルバムが多数発表されており、その後00年代前半にかけてラップの趨勢を大きく変えた節目であるとともに、これまでシングル主体で発表されていたラップがアルバム主体へと変化したきっかけの年でもあった。

　このインディラップ興隆期を象徴するのが、90年代半ば以降、インターネットの発展とともに続々と登場したネットレーベルや通販サイトであり、ネット上に独自の商圏を確立することで、かつてメジャーレーベルに所属していた多くのアーティストが独立した。また、インターネットにより地域間格差が徐々に解消され、NY や LA といったラップ中心地以外のレーベルが次々と誕生し、なかでも90年代末に創業した Anticon や Rhymesayers、Stones Throw などの新興レーベルの台頭により、ラップのクリエイティヴィティの中心はインディに移行したのである。サウンド面でもリリック面でも、この時代のヒップホップを牽引したのはインディで、El-P や MF Doom など、インディ発とはいえ世界規模の人気を誇るアーティストが続々と登場しているのも印象的だ。本章ではこのインディラップ最盛期の象徴的な作品を中心に紹介してゆく。

# Atmosphere

## Overcast! EP

*Notable Track: God's Bathroom Floor (Stress's 4track Fiasco)*

1997　Rhymesayers Entertainment

Conscious

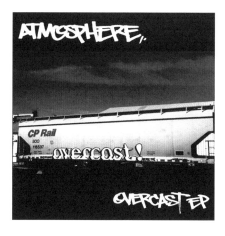

'97 Original Label　　　『Overcast!』('97)

*A Side*
① *Scapegoat (Album Version)*　② *Multiples*
③ *Primer*　④ *The Outernet*

*B Side*
① *Scapegoat (It's Edited for the Radio)*
② *Sound Is Vibration*　③ *Brief Description*
④ *God's Bathroom Floor (Stress's 4track Fiasco)*

Rhymesayers成功の契機でありヒップホップ不毛の地ミネソタを一躍マップに押し上げた記念碑的作品『Overcast!』('97)。同作からカットされたサンプラーEPがこちら。SlugとSpawnの淡々としながらも息の合った掛け合いラップと、Antによるメランコリックなプロダクション群が光る本作の目玉は、B面に追加収録された"God's Bathroom Floor"だ。彼らの最初期の曲のひとつで、副題に"Stress's 4track"とあるように、レーベルのトップであるStressのスタジオに設置されていた4トラックでSlugが録音したデモ音源である。本曲は開始早々「Head, pressure, senses, clutched...（頭、苦痛、五感、掴んだ）」という意味深な単語が提示され、続く本編のヴァースにおいて、その各単語を効果的に配した物語が展開される作りになっており、Slug扮する主人公が様々な誘惑によりコケイン中毒となってしまい、最後は風呂場の床に転倒して"過酷な現世から救われる"様を詩的に描写してゆく。のちのインディ界が"反ドラッグ"や"内省性"を獲得する上で本曲が与えた影響は計り知れないものがあった。彼らが持つ"既存のラップ界へのカウンター性"は2曲目の"Multiples"でもいかんなく発揮されている。「俺はコケインは吸わないし、銃を持ったこともない。人生が完璧なんて思わないけど、監獄送りになったこともなければ、

犯罪歴は皆無。ディスはしないし、友だちを乱暴に扱ったりもしない」と謳うSpawnに始まり、「この曲はショウをサポートしてくれる奴ら、音楽で過酷な現実を忘れられる奴ら、ミックステープに込められた愛や喜びを見出せる奴ら、"ファックメジャーレーベル"を掲げる奴ら、未契約で貧乏な奴ら、エアゾールで壁を彩る奴ら、アクロバティックな技をみせるBボーイ、リリックをちゃんと聴いている連中に捧げるよ」と語りかけるSlugのメッセージが展開され、「真のヘッズはリアルな音楽の批評家だ。どこに住んでいようと、心からの愛を」というフックのコーラスで、ミネソタからラップ界の趨勢を変えようとする意志が示されていた。そのほかも妻を妻とも思わないミソジニー暴力男に扮した"Primer"のシニカルさだったり、様々な責任の所在をあげつらい、最後に「悪いのは俺じゃない。俺じゃないからな」と弁明するパソロジカルな"Scapegoat"など、本作ではほかのMCが扱わないひねりの効いたトピックが堪能できる。実は本作発表を前にしてSpawnはクルーを離れており、AntもすぐにSlugとコンビを組んだわけではなく、00年代初頭までツアーにはMr. DibbsがライヴDJとして参加していたなど、現在のAtmosphereが確立されるまでには多くの時間を要した。しかしこの不完全な体制にこそ、インディで奮闘する彼らの魅力が詰まっている。

## Black Anger

### Maxed Out Singles
*Notable Track: 206 Mix Tapes (Worldwide)*

1997　K

"首を吊る白装束の頭巾"のジャケットとそのアーティスト名にも明らかだが、物悲しいキーボードのビートにラガ調のラップが乗る"Consious Attack"で、彼らは黒人教会に放火する南部の白人の暴力に触れ、黒人同士が団結すべきだと語っている。それでも、基本的にブースト色が強く、地元ワシントンのエリアコードを用い、まるでミックステープのように世界に伝播する自身を示した"206 Mix Tapes（Worldwide）"は妖しいビートとの相性もよい。

## Blak Forest

★

### You Are Now Entering the Blak Forest
*Notable Track: The Fourth Quarter*

1997　Skanless Records

LAのコレクティヴによる初のアルバム作品。イントロで各メンバーの紹介を済ませてから、彼らは聴衆を西海岸の深い森へといざなってゆく。「パールハーバーの日本人みたいに俺は銃弾を避ける」なんてドキッとする台詞の入ったワックMCディスの"The Fourth Quarter"や、Souls of Mischiefの"So You Wanna Be A..."から着想を得たと思われる、売れない自分を「政治が邪魔をする」と皮肉る"Just Wanna Be a Star"などがひときわ輝いている。

## Buck 65

### Vertex
*Notable Track: Sleep Apnea*

1997　Metaforensics

カナダはハリファックスの白人MC／プロデューサー Buck 65 の初期代表作。どうやら本人も本作をお気に入りらしく、のちにメジャーレーベルのWEAから再発されている。99年にシングル化もされた、ケンタウロスに成りきり"セックス事情"について語る"The Centaur"が有名だが、Amon Duul II "Kismet"から転調部分の妖しいキーボードをサンプルし、"睡眠障害"をテーマにポエティックな歌詞世界を展開する"Sleep Apnea"も聴き応えあり。

## Citizen Kane

★

### The Epic EP
*Notable Track: Lost Angels*

1997　Treehouse Records

カナダはトロントのラップデュオによるEP作品。都市部のストリートで葛藤する黒人青年の視点から展開されるリリックが多い彼らだが、なかでもK-Cutが Janet Jackson をドープにフリップした"Lost Angels"が重く響く。ゲットーで葛藤し、彷徨いもがく人々を表現した97年を代表する名曲。なぜかクリーン版になっているのがもったいない。彼らは99年にアルバム『Deliverance』を発表したが、その後解散。色々な意味で惜しいグループだ。

## Company Flow

### Funcrusher Plus
*Notable Track: Krazy Kings*

1997    Rawkus

① *Bad Touch Example*    ② *8 Steps to Perfection*
③ *Collude / Intrude (feat. J-Treds)*    ④ *Blind*
⑤ *Silence*    ⑥ *Legends*    ⑦ *Help Wanted*
⑧ *Population Control*    ⑨ *Lune TNS*    ⑩ *Definitive*
⑪ *Lencorcism*    ⑫ *89.9 Detrimental*
⑬ *Vital Nerve (feat. Buddy Slim)*
⑭ *Tragedy of War (In III Parts)*    ⑮ *Corners '94*
⑯ *The Fire in Which You Burn*
　*(feat. Breeze Brewin & J-Treds)*
⑰ *Krazy Kings*    ⑱ *Last Good Sleep*    ⑲ *Info Kill II*
⑳ *Funcrush Scratch*

本作は96年6月に発表された『Funcrusher』とい

うレコードオンリーのEPを下敷きにしている。タイトルの"Funcrusher"が意味しているのは"Fun-Crusher（楽しさを破壊する者）"、つまり「反商業主義」ということ。本作の始まりを告げる"Bad Touch Example"では、早速Bigg Jusが比喩を多用したバトルライムを披露してから、El-Pの「俺たちは大予算のメジャー契約組を1ヴァースで始末できる」という台詞と、大資本に翻弄されずNYのインディラップを牽引したStretchとBobbitoへのシャウトが続く。まさに"楽しさ"とは無縁のスタイルが披露されていた。また、このFuncrusherは、"Funk-Rusher（ファンクをラッシュする者）"という区切り方をすれば、そこに"ファンク"が内包されていたことに気づくはずだ。96年当時のラップミュージックの主流はシンプルなブレイクビーツに、わずかばかりの上モノを乗せたワンループ。似たようなサウンドが頻発していたのである。その点、2曲目のシングル曲"8 Steps to Perfection"を聴いてみてほしい。Bigg Jusの「ルワンダのようにラギッド（"Rugged like Rwanda/Don't wanda.."）」というライムから始まる重層的なボーストラップに、コズミックなシンセと重厚なベース、ハードなドラムが掛け合わされたノイジーでファンキーなトラックは、当時のヒップホップシーンの主流からかけ離れたサウ

ンドを提示していた。Bigg Jus、El-P、Mr. Lenの3名により構成されるCompany Flowは、その硬派で攻撃的なスタイルで、96年のラップ界に絶大なインパクトを残したのである。

本作『Funcrusher Plus』は上述のEPの再編集版となる。CDの内ジャケットには中指を立てたEl-Pと、"Independent As Fuck（半端なくインディペンデント）"の謳い文句。インディ／メジャーの対立軸がもっとも進んだ時代に発表された象徴的タイトルだ。追加収録された曲は軒並みトピックに富んでいて、"Collude"ではメジャーの代表格Time/Warnerをこき下ろし、"Lune TNS"ではオールドスクールのグラフィティライターへの愛を示すなど、彼らなりのリアルの精神をみせつけており、終盤のEl-Pソロ作"Last Good Sleep"においては、Kool G. Rapの名曲を巧みに引用しながら、継父の暴力に怯える幼少期を回想するなど、内省的な側面も覗かせる彩り豊かなアルバムを完成させた。本作は数万ドル規模の低予算でありながら高品質を証明したため、その後のインディラップブームを牽引するとともに、97年から00年代初頭に連発したインディアーティストによるCDアルバム発表の流れを築いた。なかでもEl-PはDef Juxの主催やThe Weathermenへの参加など、様々なプロジェクトで存在感を発揮し、活動の幅を広げてゆく。

# Danja Mowf

Conscious

## Word of Mowf

*Notable Track: Strange Fruit (feat. Shawn Chapelle)*

1997　Fun Town

*Also recommended:*
Supafriendz
The 804 Compilation
2000

The Supafriendz 所属のMC が Fun Town より発表した作品。本作はいわゆる南部にありながら、ギャングスタラップとは一線を画す。それは「ラップをするためには銃を持ち歩かないといけないのか?」と、安易なギャングスタ信仰に警鐘を投げかける"Question"に顕著だし、そもそもアルバムのイントロを聴けば、Danja のデモテープを「酒も女もいないし売れそうにないな」と小馬鹿にしていたA&R を撃ち殺しちゃっているわけで（勿論冗談だが）、すでにここでMC としての美学が表現されている。各曲のコンセプトも特徴的で、電話越しにA&R を気分よく始末してから始まる"Phone Tag"は、Danja の留守電に入ったメッセージからストーリーが展開されるという構成だし、"Vowel Movement"はその名の通り、各MC が指定の母音の脚韻でひたすらライムしてゆくという内容。シングルは発表が96 年なので、同種の内容のBlackalicious "Alphabet Aerobics"より約3 年も早かったということに。そのほか、人種問題に切り込む"Strange Fruit"などトピックが豊富だ。

# Del Tha Funkee Homosapien

Battle

## Future Development

*Notable Track: Don't Forget the Bass*

1997　Hiero Imperium

*Also recommended:*
Souls of Mischief
Focus
1998

96 年に発表予定だったDel の通算3 枚目となるアルバム。彼もまた悪名高きElektra の被害者となったが、Hiero 一派の逞しいところは、メジャーからドロップされたら自分たちで出せばいいという姿勢。翌97 年に自主サイトHiero Imperium とツアー限定でカセットヴァージョンを発表、翌々年発表のSouls of Mischief『Focus LP』('98）と併せて、90 年代後半のインターネットレーベル成功の先例となった。本作はその後02 年にCD/LP のフォーマットでも再発され、日本企画盤までリリースされている。犯罪を煽るのではなく、ヒップホップの基礎であるベースを鳴らすように語った"Don't Forget the Bass"、自分の本当の愛に気づくように語りかける"Love Is Worth"など、主に自身とA-Plus による90 年代中期の重厚なサンプリングサウンド、自然体でポジティヴなメッセージが全体を彩るが、"Del's Nightmare"ではしっかりとメジャーレーベルが行う搾取について奴隷制に対比して注意喚起するなど、本作の発表背景を踏まえると非常に味わい深い。

## The Dope Poet Society

### Dangerous Days

*Notable Track: Don't Give a Damn!*

Conscious
★★★

1997　Justus League Records

カナダはトロントのラップグループによるデビュー作。当初は95年に発表を予定していたそうだが、権利処理関係の問題でリリースまで2年の歳月を要したという。多チャンネル志向のトラック群や、政治的に傾倒したリリックを聴く限り、多分にPEの影響を受けているであろう彼ら。本作には「革命だ。メインストリームミュージックの処刑だ」と謳い、ギターとサックスを立てたファンキーな95年のシングル曲"Don't Give a Damn!"もしっかり再録されている。

## Down Ta Erf

### Down Ta Erf

*Notable Track: Learn to Earn*

Conscious
★★

1997　Beatfactory

カナダはトロントのMCであるMathematikと、プロデューサーのWall、Steelによるヒップホップグループが発表したオフィシャルデモ作品。まずは前年発表のコンピレーション『Rap Essentials』にも収録された、まっとうな生き方を目指すようにストリートに問いかける"Learn to Earn"の再録が嬉しい限りだ。Mathematikの実直かつポジティヴなラップが映える、シンプルで重厚なブーンバップサウンドが持ち味のグループ。

## E.N.E.M.Y. Mindz

### Every Negative Environment Manipulates Your Mind

*Notable Track: Hip Hop RIP 1997?*

Hardcore

1997　Lyons Gate Entertainment

そのタイトルからも明らかなように、NYCの荒んだ環境で暮らすラティーノの想いが詰まったアルバム。ゲットーを脱出するために何がなんでもラップ界で稼ぐことを宣言した"Mind of a Enemy（Enemy Mindz）"はいかにもという感じの内容だが、朝起きたら突然ヒップホップが違法になり、警察の弾圧を受けるようになっていたディストピアン世界を描写する"Hip Hop R.I.P. 1997?"は、鬼気迫るシンセのトラックとリリックの相性が抜群。

## Example

### Impulses

*Notable Track: 7_26_96*

Conscious
★★

1997　Beat Farm Recordings

ヒューストンのデュオが97年に発表したデビュー作。RJD2 "June"と同ネタのイントロから雰囲気があるが、「この曲はギャングスタとピンプの国で作られた」という台詞を伴いつつも思慮深い"7_26_96"を聴くと、どうやら彼らは荒んだストリートで冷静さを失わずにいるようだ。それは「長く生き残るためにはポジティヴに」というフックを伴う次曲の"The Strive"でも確かに表現されている。長年廃盤だったが、13年にDope Folksより再発された。

## Godd Boddies

### Ill Visions
*Notable Track: Ill Visions*

★

1997　Def Beat Records

カナダはオンタリオの5パーセント系デュオが発表した唯一のアルバム。やはり表題曲の"Ill Visions"がよい。「これはムショ暮らしのブラザーたちに捧げる。なにせ連中はIll Visionsを見てしまったんだ」という台詞からもわかるように、ストリートで嫌が応なく犯罪に巻き込まれる黒人青年の境遇を語った曲だ。しかし、彼らは最後に皆に対して銃を置くように語りかけている。第三の眼、即ち、別のIll Visionsを開眼して、世の中を見つめ直すのだ、と。

## Latyrx

Unique

### The Album
*Notable Track: Latyrx*

1997　Solesides

Solesides共同設立者のLateefとLyrics Bornのコンビによるデビュー作。実験的なサウンドやフローを志向している彼らは、1曲目のDJ Shadow制作のトラック"Latyrx"からぶっ飛んでいて、ステレオの左右それぞれにヴァースを分けて同時にラップを披露。Lyrics Bornが独演する"Balcony Beach"では"老い"をテーマに、わざとゆったりと口籠った声色を使い、浜辺でくつろぐ老人のような質感を表現しながら、人間としての成長を描いてゆく。

## Major Stress

Hardcore

### Against Tha Wall
*Notable Track: More and More*

★★★

1997　Norfside Records (Promo Only)

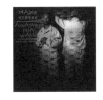

Salaam Remiの全面プロデュースでリリースされるはずだったが、結局プロモCDのみの流通となった作品。クラブヒットしたマリワナ賛歌の"More and More"、タイトルからしていかにもな"Smokin' & Fuckin'"といったパーティモノや、ブルックリンの危険さを示した"A Day in Da Stuy"などのシングル曲もよいが、息子のためによい暮らしを誓う"Me & My Son"、ゲットーの苦悩を披瀝する"My Life's a Fairy Tale"などのアルバム曲もおすすめ。

## Mike Ladd

Unique

### Easy Listening 4 Armageddon
*Notable Track: Kissin' Kecia*

1997　Scratchie Records

ボストンのMC／プロデューサーが発表したデビュー作。本作は全編にわたりラップというよりはポエトリーリーディングに近いヴォーカルスタイル、生楽器を多用したテーマ音楽然としたトラックで展開され、これからやってくる世界の終わりへ向け、独自の世界感にリスナーをいざなうコンセプト作となっている。彼曰く、"終末"は皆に等しく訪れるのではなく、選ばれた一部の者だけにやってくるらしい。「お前だけのアルマゲドン。リラックスして楽しめ。どうせあと4年しかないんだから」

## The Mood

`Hardcore`

### Doom
*Notable Track: Esoteric Manusctips*

1997　Blunt Recordings

オハイオはシンシナティのグループによるデビューLP。半数近くの曲にのちの Reflection Eternal の Talib Kweli と Hi Tek が参加している。聖書の言葉が続くポーストモノの"Esoteric Manuscripts"、フェイクディスの"Karma"、5パーセント的世界観の"Illuminated Sunlight"など、神秘的なトラックと硬派なラップの良曲揃い。なお"Nuclear Hip Hop"はタイトルからも推測できるが、残念ながら日本の原爆の件に言及しながらボーストしている。

## The Nobodies

`Conscious`
★

### Fables
*Notable Track: Fables*

1997　Mends Recordings

東海岸出身の2人がノースキャロライナで結成したグループ。自己紹介を兼ねた"Off the Block"のあとは、大学生の復讐劇を描いたストーリーモノの"Fables"、自分を騙そうとする間抜けな女たちをディスする"You Don't Know Me"、悩み多い黒人としての人生とその解放を語る"Suicidal Tendecies"、ゲトーの困難にあっても自分の道を進むと語る"Do What I Gotta Do"など、豊富なトピックの曲が続く。19年に Back 2 Da Source より再発。

## Shamus

`Hardcore`

### Serving Life
*Notable Track: Dwellin in Darkness (feat. Rugged Brood)*

1997　Raw Track Records

Crime Wave を主催する MC が発表した EP 作品。まずは関連グループ Rugged Brood のシングル曲 "Dwellin in Darkness" 収録が嬉しい限り。シンプルながら雰囲気のあるエレピのループがハードな歌詞世界を彩る。そのほかも「貧しさが今の自分を造った」という台詞を伴いクルーの絆を謳う"Tight Team"は曲名通りビートもタイトだし、ストリートライフの苦悩を吐露する"I Got Ya Back"は哀愁のあるストリングスが効果的だ。

## Various Artists

`Hardcore`

### Tru Criminal Records EP
*Notable Track: Sub Sidewalkers*

1997　Tru Criminal Records

NYのハードコアラップを中心に発表してきた Tru Criminal による初のレーベルショウケース作品。Lord Finesse プロデュースによる哀愁系のエレピが美しい、地元ブルックリンのストリートをレップした God Sunz の"Sub Sidewalkers"、最終的には携行する銃が物事を解決するという Street Smartz、O.C.、Pharoahe Monch による"Metal Thangz（Remix)"など好曲揃いだが、なぜか一部の曲のみクリーンエディットされている。

# Aceyalone

Conscious

## A Book of Human Language

*Notable Track: The Faces*

1998　Project Blowed

① *Forward*　② *The Guidelines*　③ *Contents*
④ *The Balance*　⑤ *The Energy*　⑥ *The Hurt*
⑦ *The Hold*　⑧ *The Walls & Windows*
⑨ *The Jabberwocky*　⑩ *The Grandfather Clock*
⑪ *The Reason*　⑫ *The March*　⑬ *The Vision*
⑭ *The Faces*　⑮ *The Hunt Prelude*　⑯ *The Hunt*
⑰ *The Catch*　⑱ *The Thief in the Night*
⑲ *Human Language*　⑳ *Afterward*

本作は「もしラップが"人間の言語の可能性を記した指南書"だったら」というテーマのもとに成り立った"ヒップホップ版の箴言集"的作品である。"The Hurt"では John Coltrane "Ole"、"Human Language"では Ornette Coleman "Lonely Woman"のウッドベースをフィーチュアし、"The March"においては Nat Adderley のコルネット、"The Faces"では Ray Bryant のキーボードを大胆に使用するなど、アルバムのサウンドを一手に担う Mumbles のプロダクションは当時のラップ界では比較的珍しい、いかにもジャズらしいサンプルを駆使していた。これらの統一感のあるトラックが Acey のスムースなラップを絶妙に盛り立てている。

アルバムの幕開けとなる"The Guidelines"は MC としてのスキルを誇示したバトルライムで、代名詞のスムースなラップで軽く自己紹介。以降本編が始まるのだが、本作では最初に"キーワード"となる単語を曲のタイトルで提示し、その単語から連想される言葉を紡いでヴァースを展開してゆくという詩世界になっている。続く"The Balance"は、両面的・相対的な社会の姿を Acey なりに詩的に表現した曲で、彼の唯名論的な思想がうかがえる内容に。穏やかな語り口であった本曲とは打って変わり、ネガティヴなエネルギーが蔓延する社会をアグレッシヴに斬り込んだ次曲の"The Energy"

では、Acey のポジティヴなエネルギーが投下され、「痛み(Hurt)を消すために、己を主張する」というフレーズで、"The Hurt"へとつながってゆく。そして"The Hurt"では、ストリートの貧困や黒人同士の犯罪が蔓延る状況に心を痛めた自身の心境を吐露し、それでも「持ちこたえてくれ(Hold On)」というメッセージを示して、次曲の"The Hold"へと展開してゆくのである。本アルバムはその後も、"ヴィジョン"という語から始まる言葉遊びにより、しまいには脳の容量の話にまで及ぶ"The Vision"や、"狩り"という一語からスキットを含め4曲に連なる詩世界を魅せる⑮～⑱と、Acey 節全開の好曲が並ぶが、後半の聴きどころはやはりシングルの"The Faces"と、表題曲"Human Language"であろう。前者は実際に"対面"して目の当たりにした人々の"顔"から読み取れる"表情"についてポジティヴに整理されたメッセージが展開されているし、アルバム最後となる後者では、MC としての原点に再び立ち戻り、"人間の言語の持つ力"を誇示したボーストラップを披露して幕を閉じている。ラップとポエトリーの世界を交差する美しい詞世界、情緒たっぷりのライムとデリヴァリー、そして穏やかで深みのあるトラックの化学反応は、人間の言語の可能性のみならず、ラップというアートフォームの概念すらも敷衍させたコンセプト作として完成をみた。

## All Natural

### No Additives, No Preservatives

*Notable Track: 50 Years*

1998   All Natural Inc.

*Also recommended:*
**Family Tree**
**A Close Knit Family**
2001

シカゴのMC Capital Dと、DJ Tone B. Nimbleによるユニット。初期はTNDと名乗っており、かのWild Pitchと契約していたが、デビュー前にレーベルが閉鎖の憂き目にあっている。本作はそんな苦労人の彼らが、"商業主義にひた走る音楽業界"を一刀両断にした快作だ。アルバム全体を通して"無添加・防腐剤不使用"のコンシャスなラップ、実直なサンプリングサウンドが展開されており、さっそく"Fresh Air"で"新鮮なライムとビート"を提供したかと思えば、"Phantoms of the Opera"ではMC陣が"ワックラッパーを襲う怪人"に扮し、徹底的にコマーシャルラップをこき下ろしている。インタールードを挟んで続く"This Is How It Should B Done"では、颯爽と小刻みに単語を畳みかけるバトルライムを披露。"果汁100%の濃厚でピュアなヒップホップ"の看板に偽りなし。おまけに本作は最後に、デビュー曲である"50 Years"もちゃんと収録している。50年後も変わらずシーンを席巻し、ヒップホップ愛を失わずに創作活動を続けると誓ったコンセプチュアルな佳曲。

## Baby J

### Birth

*Notable Track: Savior (feat. Poetic)*

1998   Bomb Hip Hop Records

*Also recommended:*
**A-Alikes**
**Live or Die**
2004

UKのミッドランズを拠点に活動するプロデューサーのデビュー作品（コンピレーション）。客演アーティストは主にNY出身のコンシャス／5パーセンター系の人員で構成されており、すでにここで自身のプロデュース作品の歌詞世界に対するこだわりがうかがえる。Gravediggazの故Poeticが商業主義にひた走るラジオやラップ業界を徹底的に糾弾する救世主として復活する"Savior"は、シリアスなコーラスサンプルとキーボードがラップを見事にアシスト。フックの「俺の魂はラップキャリアよりも貴重」という台詞も心に訴えてくるものがある。聖書を引用しながらゲトーの解放をテーマとするShabazz the Disciple "The Lamb's Blood"は妖しげなシンセのループが巧みに雰囲気を演出しているし、ストリートでのハッスルを曲にしたA-Alikes "Walk with a Bop"では一転して、哀愁感のある温かなヴァイブを用い、憂いを表現。ポッセカット"Angels of Death"ではとにかくハードコアだ。MC陣だけではなく、トラック面においても多様性に溢れた快作。

## Black Star

### Black Star
*Notable Track: RE: DEFinition*

1998　Rawkus

Co-Flowに続いてRawkusからデビューしたMos DefとTalib KweliのNY出身ユニット初となるアルバム。"Black"の意義と歴史について解説した"Astronomy（8th Light）"から始まる本作は、そのアーティスト名にも明らかなように、プロブラックの思想が根底に存在する。その後もヒップホップの定義と再定義を扱った曲、Slick Rick "Children's Story"のカヴァー、黒人としての誇りを取り戻すように指南する曲などが続く。

## Colored Section

### Bomb MC
*Notable Track: Light Skinned*

1998　12 Inch RPM

元MadkapのCokeが新たなメンバーと結成したグループ。まずはシングル曲の"Bomb M.C."に耳が向く。まるでヒップホップの変遷を始まりから体現したかのようなボーストラップで、往年のオールドスクールのレジェンドたちに言及してゆく。なお、"Colored Section（有色人種の場所）"という彼らのアーティスト名の由来は華やかなシンセの"Light Skinnded"で明らかに。ライトスキンである負い目を感じずに"黄色い肌"を誇る2人のラップが聴ける。

## The Coup

### Steal This Album
*Notable Track: Me and Jesus the Pimp in a '79 Granada Last Night*

1998　Dogday Records

社会主義に傾倒したオークランドのラップグループがメジャーの配給を離れて発表した通算3作目。独特のファンキーなサウンドはそのままに、本作ではBootsのストーリーテリングスキルが開花している。ハイライトは白人のピンプ"Jesus"と、彼に搾取される黒人の親子の姿を、息子の視点で巧みに描写した復讐劇"Me and Jesus the Pimp in a '79 Granada Last Night"。物語の顛末と最後の"mac"を用いたパンチラインに要注目。

## Da Great Deity Dah

### Declaration of War
★★
*Notable Track: Rapmatics*

1998　Royal Alchemist Productions

ドラゴンボールに影響されたワシントンDCのMCによるデビュー作。トラック面ではスキル誇示モノのシングル曲"Rapmatics"がやはり頭一つ抜けているが、たとえば同じくシングルの"Ready to Kill"ではブラックコミュニティへの献身をみせているし、アメリカ社会の変革を謳う"Sunz of Righteousness"も哀愁系の好曲。そして本作の最後には、同胞の黒人へ向けてポジティヴな救済のメッセージを示す"Existence in Life"という曲まで収録されている。

## Da Ruckus
Hardcore

### Episode I
*Notable Track: We Shine (feat. Eminem)*

1998　Federation Records

のちにソロに転向するデトロイトのデュオ、Hush と Uncle Ⅲ による EP 作品。まずは彼らの代表曲 "150 MC's" が際立っている。 タイトルにあるように 150 名の MC たちの名前を 1 曲中でシャウトした曲で、狂おしいまでのヒップホップ愛が伝わるはずだ。本作のもうひとつの目玉は、まだメジャーデビュー前の Eminem を客演に招いた "We Shine"。温かなシンセのループにキレのよいボーストライムが光る。 なお、この 2 曲は翌年シングル化されている。

## Donny Hoffa
Party
★

### Black Monday
*Notable Track: Where I'm From*

1998　Cee-Low Entertainment

コネティカットの MC 唯一となる作品。ハスリング系のボーストライムや女をテーマにした曲が多く、郷愁漂うピアノの "Down for Whatever" などではストリートの悲哀を叙述。"I Don't Need No Stress" は「Weekend が来たら "Freakin'"（フリーキング＝セックスの意）」というコーラスが笑えるパーティチューンだ。最終曲 "Where I'm From" は文化としてのヒップホップのあり方を示しつつ、地元ブリッジポートのレップになっている。

## The Dynospectrum
Battle

### The Dynospectrum
*Notable Track: I Wouldn't Want You to Die Uniformed*

1998　Rhymesayers Entertainment

Rhymesayers 初期作のひとつであり、ミネアポリスの MC たちのショウケース作ともいうべき一枚。本作では参加 MC がそれぞれ変名を用いており、設定上は別人格となっているが、特に突飛なキャラクター像となっているわけではなく、内容は至って正統派。全曲 Ant がプロデュースを手がける『Overcast!』の延長線然としたミニマルなビートに、別人格ならでは（？）のハードなバトルライムが合わさった、ラップの基本の自慢話が堪能できる一枚だ。

## Frankenstein
Conscious
★

### UV
*Notable Track: Rain Is Gone*

1998　Knowledge of Self

トロントの白人 MC ／プロデューサーが前年に発表した EP を再編集したアルバム。まず目玉は、物憂げなエレピに裏切りをテーマにしたラップが乗る 96 年のシングル "Rain Is Gone" の追加収録だろう。 その続編の "UV" では大々的にコーラスを配置し、より華やかな作風に。世紀末の混沌の中、自分を保つことをライムした "Agony and Ecstasy" も、華やかなストリングスのフリップが小気味よい。 14 年に Ill Adrenaline より音源追加で再発。

43

## Greer

### Ill Visions
*Notable Track: Ill Visions*

★★

1998　Wildlife Records

ヴァージニアのMCのデビュー作。イントロで"NYに乗っかる連中"をこき下ろしてから始まるストリート賛歌の"Fu#k Yall"を聴く限り、自身のサグっぷりには相当自信があるようだ。タイトル曲"Ill Visions"ではその名の通り、誰彼構わず襲う病んだ妄想を披露。続く"Armageddon"では終末思想と退廃を表現。その後も延々"Bitch"を連呼する曲や、ストリートで夜襲をかけることを示唆する曲、地元をヴェトナム（戦場）に見立てた曲などが続く。

## Hieroglyphics

### 3rd Eye Vision
*Notable Track: You Never Knew*

1998　Hiero Imperium

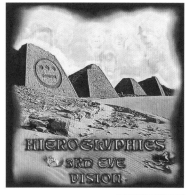

*Also recommended:*
Hieroglyphics
Hiero Oldies Volume One
2001

Ice Cubeの従兄弟としてElektraから颯爽と登場したDel Tha Funkee Homosapien。Delの地元オークランドの仲間たちという触れ込みでJiveと契約したSouls of Mischiefの『93 'Til Infinity』。翌年発表された彼らの兄貴分Casualのソロ作『Fear Itself』。本作に参加していた地元のクルー Hobo JunctionのMC Saafirが、自身の作品『Boxcar Sessions』の収録に現れなかったCasualをディスし、地元のラジオ番組Wake Up Showで繰り広げたフリースタイルバトル。DelとElektraとの契約解除に端を発するネットレーベルHiero Imperiumの創生。これらの出来事はまるで昨日のことのようだ。本作『3rd Eye Vision』はそれぞれ別名義で活躍していたHieroglyphics初のコレクティヴ作品となる。A-Plus印のメロディアスなプロダクションが光る"You Never Knew"、Dominoによるスリリングなシンセが特徴のバトルライム"No Nuts"など、たとえインディ市場に舞台を変えても過日のHiero的世界観はなんら変わっていない。

## Hobo Junction

### Limited Edition
*Notable Track: Crooked Letter Eye*

1998　Not on Label

Hieroとのバトルでその名を轟かせたSaafir率いるコレクティヴもようやく98年にクルー名義のCD作品を発表している（95年のカセット版をCD化）。のちにソロでも活動するEye Cueや、前年メジャーデビュー済みのWhoridas、SaafirのデビューアルバムでもフィーチュアされていたBig Nose、Rashinelなどが参加し、各々のスタイルでバトルライムを披露している。本作と同年発表の『The Black Label』はぜひともセットでチェックしよう。

## Jurassic 5

### Jurassic 5

`Party`

*Notable Track: Lesson 6: The Lecture*

1998   PAN

Good Life出身の2グループが母体となり結成されたコレクティヴの98年作。オールドスクール趣味全開の掛け合いラップに、DJを立たせた作風を志向しており、なかでもPleasure Web "Music Man (Part II)" のイントロの軽快なフルートをサンプルしだ"Jayou" は、当時様々なミックステープやコンピレーションに取り上げられた彼らを代表する一曲。そのほかの収録曲もパーティラップが大勢を占め、あくまでポジティヴで楽しげな作風を崩していない。

## Kool G. Rap

### Roots of Evil

`Hardcore`

*Notable Track: A Thugs Love Story (Chapter I, II, III)*

1998   Illstreet / Downlow

Epic Streetから発表の『4, 5, 6』('95) でソロキャリアをスタートしたJuice Crew随一のリリシストが、アリゾナに居を移し自主レーベルより発表した作品。映像的なマフィオーソラップの世界観が展開されるコンセプト作『Live and Let Die』('92) ですでに証明していたストーリーテリングのスキルは、本作収録の"A Thugs Love Story (Chapter I, II, III)" でさらに盤石なものとなった。3つの章立てで構成されている本曲は、1章目でラテン系の女性と恋に落ちる顛末を描き、2章目でマフィアにねぐらを襲われた2人がスノーモービルに飛び乗り拳銃で敵をなぎ倒しながら脱出する様を、そして3章目でマフィアのボスとの船上での大立ち回りを丁寧に描写してゆく。多音節の複雑なライムを駆使し9分以上の綿密な物語を構成した本曲は、後続のハードコアMCたちに多大なる影響を与えた。もちろん、ストリートの復讐劇"Foul Cats" や、Miss Jonesが参加した女性賛歌のサマーチューン"Can't Stop the Shine" など、そのほかのシングル曲も代名詞の多音節ラップは忘れていない。

*Also recommended:*
Kool G. Rap
The Giancana Story
(Unofficial)
2001

## L\*Roneous Da Versifier

### Imaginarium

`Battle`

*Notable Track: L'chemy*

1998   Ocean Floor Records / Raw Elements Records

サンフランシスコのMCによるデビュー作。全曲DJ Zephプロデュースで、独特の詩的で難解なリリックが全編にわたり展開される。まるで化学の実験授業のような構成でヒップホップの錬金実験を繰り広げる"L'chemy" がやはりハイライトだろう。自身の暮らすストリートの階級差別についてポエティックに叙述する"A Place Called This" も聴き応えあり。オリジナル版のCDには公式のリリックが付属しているので、ぜひそちらを読み解きながら。

## Lewis Parker

### Masquerades & Silhouettes
*Notable Track: Eyes of Dreams*

1998　Melankolic

UKのMC／プロデューサーによる初のEP作品。物悲しげなヴァイブの上で詩的に自身のアートに対する向上心を示した"A Thousand Fragments"、ワックMCディスモノのハードな"Fake Charades"、煌びやかなラップ界を牽制する"Crusades"、のちにJoey Bada$$がトラックを借用した"Eyes of Dreams"など、どれも表題の『仮面とシルエット』に合わせた劇場音楽のような構成、歌詞世界になっている。SP直系のサンプリングサウンドを堪能できる一枚。

## Mountain Brothers

### Self 1
*Notable Track: Paperchase*

1998　Pimpstrut Records

フィリーのアジア系米国人3人組によるデビュー作。映像も制作されたコズミックかつファンキーなシングル曲"Galaxies the Next Level"が目立つが、やはり目玉は96年の12"作"Paperchase"の収録。96年当時のラップ界における拝金主義を批判し、スキルと創造性の大切さを謳った佳曲だ。創造性といえば、クルーのサウンドを司るChopsはそのほとんどのビートをサンプルを用いずに制作している。彼らなりのヒップホップが示された良作。

## The Nonce

### The Sight of Things
*Notable Track: The Greatest MC's*

1998　Fluid Recordings

American Recordingsとの契約が解除され、配給なしでリリースされた作品。レーベルオーナーものちに認めているように、ラジオ受けするような華やかなトラックはなく、サンプルの権利処理の問題で、大半の曲が未収録となった。それでも「リアルなBボーイは俺と来い」とMCとしてスキルを磨くことを忘れた同世代へ語りかける"The Greatest MC's"、エゴや自惚れで自滅するグループの負の連鎖を綴った"Who Falls Apart?"など、前作より歌詞に重みが出た。

## Of Mexican Descent

### Exitos Y Mas Exitos
*Notable Track: Money Is Meaningless*

1998　Nerve Deafness Recordings

2MexとXololanxinxoのラップユニットによる1枚目。アーティストとして金やレーベルに左右されない自身を誇ったNobodyプロデュースの"Money Is Meaningless"、Key Kool製のビートに合わせて跳ねるようなラップを披露する"Lady of the Lake"などが秀逸だが、録音状況が非常に悪いのがもったいない。本作は06年にボーナストラック／映像付きで再発された。なかでもJizzm名義で発表されたポジティヴなコーラスモノ"Atlas"の追加収録が嬉しい限り。

## People Under the Stairs

### The Next Step

*Notable Track: San Francisco Knights*

`Party`

1998　PUTS Records

オールドスクール趣味溢れるロサンジェルスの２人組が自主レーベルより発表したデビュー作。ジャズの名門CTIのロゴを拝借した彼らのレーベル面を見れば、この２人のサンプリングに対する並々ならぬこだわりがうかがい知れるだろう。そんな彼らがCTIレーベルをシャウトし、のんびりとした夏の夕暮れを楽しむかのような"San Francisco Knights"がとにかく美しい。ポジティヴで楽しげなパーティラップが全編にわたり堪能できる一枚。

## Phatt Al

### The LoFI Factor

*Notable Track: Let Me Be*

`Conscious`
★

1998　New Empire Records

カナダはトロントで活動するMCのデビュー作。ヒップホップでの団結を謳い、Rock Steady CrewやUTFOなどへのシャウトで幕を開ける本作は、全体を通してセルアウト批判と黒人としての誇り、地元コミュニティへの献身をテーマにしている。ドラッグの過剰摂取で亡くなった弟を引き合いに、黒人が社会に負わされる"重荷"を物語る"Burden"、犯罪に手を染めるような過酷な環境の中でも、家族を支え生き抜いてゆくことを誓う"Let Me Be"など力強い。

## Rasco

### Time Waits for No Man

*Notable Track: Time Waits for No Man (feat. Encore)*

`Battle`

1998　Stones Throw Records

ベイエリアを代表する正統派リリシストがStones Throwから発表した作品。全編にわたりバトル調のワックMCディス、スキル誇示のボースト系のラップが続くが、やはりPaul Niceプロデュースの緊張感のあるシンセ使いの表題曲"Time Waits for No Man"が力強い。また、レーベルオーナー Peanut Butter WolfがプロデュースしたBボーイアンセムの"Hip Hop Essentials"は、当時数多くのミックステープに収録され人気を博した。

## Scaramanga

### Seven Eyes, Seven Horns

*Notable Track: Holdin' New Cards*

`Unique`

1998　Sun Large Music

宇宙に関する用語を多用した難解なラップでDr. Octagonのプロジェクトに貢献したMCのデビューアルバム。とにかくライムを機軸に言葉を畳みかける彼のスタイルは好き嫌いが分かれるかと思われるが、それでも表題曲"Seven Eyes, Seven Horns"は強力だし、Godfather Donプロデュース／客演の華やかな"Special Efx"、Scaramangaとしての新たな門出を期する"Holdin' New Cards"などシングル群も冴えている。00年にボーナス曲付きで再発。

## Sebutones

### 50 / 50 Where It Counts
*Notable Track: Newport*

1998 Not on Label

Buck 65とSixtooによるユニット名義の2作目となる作品。裏ジャケットでもトリビュートされているように、幼少期によく3人で遊んだという親友Newportに捧げた鎮魂歌"Newport"がハイライトだろう。Mike Oldfield "Ommadawn (Part One)"のピッチを下げて全く異なる質感に仕上げたビートも面白いし、Sixtooのパートから転調が入る演出もよい。なお、本作は00年に彼らの自主レーベルMetaforensicsからジャケット違いで再発されている。

## Shades of Culture

### Mindstate
*Notable Track: Mindstate*

1998 Windmill Records

モントリオールの3人組のデビュー作。温かなヴァイブとコーラスが印象的な表題曲"Mindstate"は映像も制作された、彼らを代表する一曲。そのほかもメロディアスなギター使いの"Main Objective"、96年のブースト系シングルの続編"Payin Rent II"、ラガチューン"Shine"など好曲揃い。彼らはその後、93〜96年に制作していた音源をまとめた『A Little Bit About Us』('00)というコンピレーションも出しており、そちらもおすすめ。

## The Shape Shifters

### Planet of the Shapes
*Notable Track: Sacred Geometry*

1998 Champion Sound

元グラフィティライターの集団で、ソロでも活動するAwol One、Akuma、Circus、Radioinactiveなどを擁するLAのコレクティヴによる初のアルバム(カセット作品)。映画『猿の惑星』('68)をパロディにしたアートワークやタイトルからも明らかだが、Sci-Fi趣味を基にした独特の世界観とチープなエレクトロサウンドが特徴となっている。00年にCD2枚組で再発されたことからもわかるように、同時代のLA産アブストラクトラップを牽引する作品。

## Starvin Art Clique

★★

### Starvin Art
*Notable Track: Alone*

1998 Overkast Records

バルティモアのラップグループが発表した唯一のアルバム。まずは重厚にフィルター処理された煙たいビートの上で、Prodigyのラインを拝借し、監獄に囚われた彼女を想う"Alone"が強烈に響く。タイトル通りのバトルラップ系"Poetry"も濃密だ。一転して爽やかなコーラスモノの"Keep Pushin On (Remix)"では困難な中でもポジティヴに生きることを指南してくれる。この時代でしか味わえないSP直系のサウンド、ストリート感溢れるラップを楽しめる作品。

## Styles of Beyond

### 2000 Fold

`Battle`

*Notable Track: Survival Tactics*

1998 Bilawn Records

スケーターにお馴染みのLAのグループのデビューアルバム。アブストラクトラップ界のカリスマDivine Stylerプロデュースのグラフィティ賛歌"Styles of Beyond（Style Warz）"や、本人参加の"Killer Instinct"、後年 Joey Bada$$ がビートを拝借したことで再び脚光を浴びた"Survival Tactics"など良曲多し。西海岸オルタナティヴの象徴的作品。彼らは05年にLinkin ParkのMike ShinodaのプロジェクトFort Minorに参加しメジャーデビューを果たしている。

## T-Love

### Return of the B-Girl EP

`Hardcore`

*Notable Track: Return of the B-Girl (feat. Kool Keith & This Kid Named Miles)* 1998 Pickininny Recordings

Project Blowedから登場したLAの女性MCが自ら創設したレーベルより発表したEP作品。全曲Stones ThrowのThis Kid Named Milesがプロデュースしており、楽器を立たせたファンキーなサウンドが中心となっている。鬼気迫るバトル調の"I'm Comin'"、生トランペットが心地よい"Wanna-Beez"などどれもよいが、やはりKool Keithを招いた表題曲"Return of the B-Girl"が素敵だ。02年のアルバム『Long Way Back』も併せてぜひ。

## Third Sight

### The Golden Shower Hour

`Battle`

*Notable Track: Rhymes Like a Scientist*

1998 Darc Brothas Records

D-StylesがMCのRoughneck Jihad、DJのDufunkと結成していたベイエリアのグループの1枚目。そのタイトルに反してスクラッチを前面に配置し、Melle Melへのシャウトが入る"Rhymes Like a Scientist"で、彼らのオールドスクールに対する敬意がよく伝わってくる。唸るようなベースの"Hostage"、おどろおどろしいキーボードのバトルライム"The Execution Starts"など、ラップはもちろんシリアスなトラックが活きた佳曲揃い。

## Various Artists

### Beneath the Surface

`Battle`

*Notable Track: Who's Keeping Time?*

1998 Beneath the Surface Music

プロデューサーのOmidがGood Life関連のアーティストを集合させたコンピレーション。LP3枚組の意欲作で、全曲彼自身がプロデュースを手がけている。時をテーマに幼少期の記憶から人類の迫害の歴史までを振り返る、メロディアスなギターが牧歌的な"Who's Keeping Time?"が特に強く響くが、そのほかもポエティックな"For Her Soul, Slowly, Solely"など良曲が続く。翌年発表のCD版は収録内容がかなり異なるので注意。

## Various Artists

Conscious

### Classic Elements
*Notable Track: Hip Hop Was?*

1998　K

*Also recommended:*
Source of Labor
Balance
1996

シアトルのインディロックレーベルKより発表された地
元のヒップホップアーティストのコンピレーション作
品。ヒップホップがまだ黒人中心のアートで、フレッシュ
でいることが至高だったオールドスクール期を懐かし
むGhetto Children "Hip Hop Was?"で始まる本作。
重厚にフィルター処理をされたワックMCディスの
Jaleel "I Call It Like I See It"、数世代前の大叔母に
ヒップホップについて説明するというプロットで展開さ
れるファミリーヒストリーモノのSource of Labor &
Beyond Reality "Aunt Anna"、物悲しいピアノに政
府の暗躍をテーマとしたSoulstice "Novus Ordo
Seclorum"、哀愁系のギターループに酒やドラッグで
身を滅ぼしてしまう少女の物語を乗せて、身近な黒人
女性への想いを綴ったNobody "A.N.I.T.A."、5パー
セント的世界観で黒人の力を誇示するBlack Anger
"Third Eye"など、多様性に溢れる地元のコミュニティ
の姿がうかがい知れる作品となっている。『Do the
Math』、『14 Fathoms Deep』('96)と並ぶ重要作。

## Various Artists

Mixed Styles

### Lyricist Lounge Vol. 1
*Notable Track: Action Guaranteed*

1998　Rawkus

Rawkusが出資したオープンマイクイヴェント"Lyricist Lounge"の参加アーティ
ストによるコンピレーション。シングルカットはMos Def、Q-Tip、Tashによる
"Body Rock"と、KRS-One、The Last Emperor、Zack de la Rochaによる
"C.I.A. (Criminals In Action)"だったが、個人的にはRas Kass、O.C.による
"Action Guaranteed"を推したい。Shawn J渾身のビートに言葉遊びを多用
した2人の下世話なボーストラップが踊る。

## Various Artists

Mixed Styles

### Rules of the Game
*Notable Track: Conspiracy Theory*

1998　Tripek Records

ベイエリアの豪華アーティストが集結したコンピレーション作品。当時の西海
岸ラップを押さえる上で重要な楽曲が収録されている。物悲しいヴァイブのト
ラックの上、知識を持つことを投げかけるBored Stiff "Conspiracy Theory"
がやはり頭一つ抜けているが、シンプルなエレピにベースがうねるMystik
Journeymen "So Much Soul"、メジャーデビュー前のMysticがラップする
"Ok...Alright"などどれも聴き応えあり。

## Various Artists

`Mixed Styles`

### Tags of the Times

*Notable Track: Negro League, Baseball*

1998   Mary Joy Recordings

*Also recommended:*
**Various Artists**
True Underground Hip Hop
1995

Mary Joyというと、当初は"再発系レーベル"の印象が強かった。お蔵入りになったMain Sourceの2作目に収録予定だった曲を12"でカットし、ベスト盤を発表したり、当時すでに廃盤だったO.C.『Word...Life』をリイシューしたり。また、12"のみで発表されていたインディ作品をコンパイルした『True Underground Hip Hop』2部についても、多くのCD派のヘッズがお世話になったことだろう。本作『Tags of the Times』も基本はその路線を踏襲していたが、これまでの作品と異なったのは、このコンピにはMary Joy自主企画の曲も収録されていた点だ。Siah & Yeshua DapoED名義だった"A Day Like Any Other"に、EL-P、Murs、日本語でもライムするShing02を加えたリミックス版や、Saafirによる"Scand'lous"など、同レーベルから12"化もされたこれらの楽曲は本作でしか聴くことができなかったのである。結果として計3作リリースされることになるこの記念碑的シリーズから、インディ市場でしのぎを削る多くの才能が世界に紹介された。

## Various Artists

`Mixed Styles`

### Wu-Tang Killa Bees: The Swarm (Volume 1)

*Notable Track: Never Again*

1998   Wu-Tang Records

*Also recommended:*
**Soul Kid Klik**
Invisible Army
2001

RZAが中心となり編集した、Wu-Tang関連のアーティストたち＝Killa Beesによるショウケース作品。まずなんといっても本作の目玉は、ユダヤ系白人ラッパー／プロデューサーのRemedyによる、第二次大戦期の東欧におけるホロコーストを生々しく描写した"Never Again"だろう。彼の名を一躍有名にした楽曲であり、Wu-Tang関連作の中でもひときわ重要なコンセプト作だ。黒人の5パーセンターが中心のWu-Tangにあって、イスラエル国歌をフィーチュアした本曲を収録してしまうRZAの懐の深さにも驚かされる。そのほかの曲でいうと、すでにシングルになっていたRuthless Bastards "Bastards"、Wu Syndicates "Where Was Heaven"の収録はありがたいし、初お披露目作品でいうなら、物悲しいエレピのトラックの上、子供たちへ向けたポジティヴなラップが展開されるThe Beggaz "On the Strength"、NYの冷酷なストリートを描写するSunz of Man "Concrete Jungle"などが強烈に響く。本作を導入にWu-Tang本体以外のアーティストもチェックしてみてはいかがだろう。

## The 57th Dynasty

### Spoken Word
*Notable Track: Lil Bro*

1999　Fas Fwd

ロンドンのスタジオが地元のアーティストのショウケース作として発表したコン
ピレーション。目玉は12"も切られた会話調の"Lil Bro"。ストリートに生きる
のではなくライチャスになるように説得する兄をParadiseが、頑として聞かな
い弟をLil Monstaが好演。Preemoの4番煎じのようなチープなトラックだが、
ラップだけでも十二分に魅力的だ。ちなみに本作、レコーディングはUKだが、
兄弟ともなぜか米国英語の発音でラップしている（弟はUK訛りが出るが）。

## Blackalicious

### Nia
*Notable Track: Sleep*

1999　Mo Wax / Quannum Projects

*Also recommended:*
Blackalicious
A2G EP
1999

『A2G EP』で言葉遊びのスキルを示した彼らが発表した待
望のデビュー作。表題の『Nia』はスワヒリ語で"目的"を意
味するという。では本作の目的は何かというと"黒人同志
へのメッセージ"と要約できるだろう。志の高かったMCが
レコード産業に飲まれてゆく様を描写する"Deception"、
アルコール依存症で苦しんだ経験を下敷きに、酒に溺れ
ず知識の力で発展してゆこうと語りかける"If I May"など、
より普遍的なメッセージから、「黒人のみんな、前進ある
のみ。仕事に向き合おう。教育と探究を続け、輝きを持っ
て、過去を忘れずに。なんとしてでも、自由にならなきゃ」
と謳う"Making Progress"、ブラックパワー運動の提唱者
であるStokely Carmichaelの演説から「黒人にとってのコ
ミュニティの問題とは、地理的な問題ではなく、我々の"色"
の問題である。つまり、アフリカンアメリカンだけの問題
ではない。世界中に我々の仲間はいる」をインタールード
に配し、暴力が席巻するラップ界をポジティヴなライムで
発展させることを誓った"Shallow Days"など、より人種を
強調したメッセージも披露されてゆく。

## Da Grassroots

★★

### Passage Through Time
*Notable Track: Drama (feat. Elemental)*

1999　Conception Records

カナダのプロダクションチームが発表したLP。まずは何よりも95年のヒット曲
"Drama"の再録が嬉しい限りだ。Jeru "Come Clean"の如く「銃ではなくス
キルでトラウマを残す」と謳う客演のElementalによるヴァース、浮遊感のあ
るシンセとキレのよいスネアが印象的なトラックは、当時多くのヘッズを虜にし
た。もちろんそのほかも極上だが、なかでもQ-BotとCryp2niteの思慮深い
言葉に哀愁系エレピの相性が抜群の"Political Proverbs"が光る。

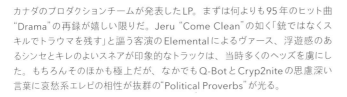

## Deep Puddle Dynamics

### The Taste of Rain... Why Kneel
*Notable Track: The Scarecrow Speaks*

1999　Anticon

Sole、Alias、Doseone、Slugの4名によるスーパーグループ。まずは"Deep Puddle Theme Song"でその4名のラップを確認してみてほしい。ちゃんと4者4様のスタイルを持っていることがわかるはずだ。おすすめは"ロウソク"の視点から各々がラップするというコンセプトの"The Candle"、シンプルながらディープなトラックに詩的なヴァースが繰り広げられる"The Scarecrow Speaks"など。その後のAnticonの躍進を牽引した一枚。

## E Money Bags

### In E Money Bags We Trust
*Notable Track: Friend of Ours (feat. Kool G. Rap & Nature)*

1999　Grand Imperial Records

Live Squadと活動していたブルックリン出身のMCの唯一の作品。本作の目玉はKool G. Rap、Natureを客演に招いた物悲しいキーボードが印象的な"Friend of Ours"や、CNNのクラシック"Calm Down"のヴァース違い"Thugs Calm Down"など、地元NYのシーンで活躍する豪華ハードコアMC陣のラップが聴けること。なお、本作の大半の曲に表れているが、サグなスタイルで知られていた彼は、結局01年に凶弾に倒れることになる。

## Fat Jack

### Cater to the DJ
*Notable Track: Gimme Five Feet (feat. Aceyalone)*

1999　Celestial Recordings

プロデューサーFat Jackが発表したCD2枚組(LP4枚組)となる長尺コンピレーション作品。客演にはGood Life周辺のMC陣を押さえており、もちろん自身が全ての曲をプロデュースしている。おすすめは他人との距離感について語るAceyalone "Gimme Five Feet"、琴のサンプルが臨場感のあるJizzm "I'll Put You On"あたり。04年の続編と併せて、本シリーズの参加アーティストから西海岸インディラップの歴史を追ってみるのも面白いだろう。

## Greenhouse Effect

### The Up to Speed EP
*Notable Track: Slaves to the Rhythm*

1999　Weightless Recordings

Blueprintを中心に、Inkwel、Manifestにより構成されるコロンバスのグループによるデビューEP。「揺り籠から墓場まで、金が俺たちの振る舞いを支配する。俺たちは資本主義の奴隷になった。同種喰い、カニバリズム、このサイクルが続く」というフックを伴う拝金主義批判の"Slaves to the Rhythm"がハイライト。Freddie Hubbard "The Surest Things Can Change"のトランペットをサンプルしたビートが何より美しい。Weightless初期重要作。

## Haiku D'Etat

Battle

### Haiku D'Etat
*Notable Track: Haiku D'Etat*

1999　Pure Hip Hop, Inc.

Aceyalone、Myka 9、Abstract Ruleによるスペシャルユニットのデビュー
LP。全体的にゆったりとレイドバックしたラップ、気だるいファンクサウンドが
展開されるが、まずはラガ調のフロウでマリワナ解禁を迫るボースト系のシン
グル曲 "Los Dangerous" の再録がありがたい。MC陣の変わらぬラップ愛を
披瀝する "Still Rappin'"、ほかのラッパーとはレベルが違うことを誇示した
"Other MC's" なども上々。ラップの基本のボーストが堪能できる一枚だ。

## Illogic

Conscious

### Unforeseen Shadows
*Notable Track: Hate in a Puddle*

1999　Weightless Recordings

コロンバスのリリシストIllogicがまだ18歳、シンシナティ大学の学生だった頃
に制作した作品。作詞に8ヶ月を費やしたということからも明らかなように、
練り上げた美しい詩世界が展開されており、たとえばそれは、水たまりに映る
自身の影と、人生の苦悩、信仰心との間で揺れ動く葛藤を巧みに対比させた
"Hate in a Puddle" や、最愛の人へ捧げた美しいメッセージの "Angel" などに
結実している。全曲同郷の Blueprint がテーマに沿ったプロダクションを提供。

## J-Live

Conscious

### The Best Part
*Notable Track: Wax Paper*

1999　Not on Label

NYの現役教員でポジティヴな歌詞を展開するMCが自主制作した作品。まず
は Prince Paul 製のビートに乗る "Wax Paper" に耳が向く。DJ-ingとMC-ing
を "双子の兄弟" に擬人化し、ヒップホップの成り立ちを述懐してゆくコンセプ
チュアルな名曲。そのほかも DJ Premier が参加した自叙伝的内容の表題曲
"The Best Part"、ビートのテンポが変調してゆく "Them That's Not"、コー
ラスとボーストのバランスが絶妙な "Don't Play" など収録。

## Kreators

Hardcore

### No Contest
*Notable Track: Foreign Lands*

1999　Bomb Hip Hop Records

ボストンのJaysaun、XL、Big Juan、G²によるグループのデビュー作。美麗
なハーブのトラックの上で自分たちがいかに世界的なのかをボーストする
"Foreign Lands"、映画『スカーフェイス』('83)のBGMをサンプルし、同郷
の Ed O.G. を客演に招いた "No Ordinary Love"、同じく Ed O.G. がボストン
のゲトーの不幸を綴る "Spotlight" など、基本的にストリート目線のハードな
ラップが続き、G²のシリアスなトラックが世界観を統一している。

## L.A. Symphony

### Composition No. 1
*Notable Track: San Diego*

1999 　Eartube Empire

Pigeon Johnを輩出したLAのコレクティヴが発表したデビュー作。彼らのスタイルは「どうして銃やサグ、女性を搾取することを曲にしないといけないんだ?」「イズラミックではなくクリスチャン」という台詞を伴う"Heartfelt Rhymes"によく表れている。つまりは、彼らはあくまでクリスチャンのラップグループであり、信仰を基にしたポジティヴなメッセージを志向しているということだ。なかでも掛け合いスタイルで神についてブーストする"San Diego"は新鮮。

## Lootpack

### Soundpieces: Da Antidote!
*Notable Track: Questions*

1999 　Stones Throw Records

ロングビーチのMadlib、Wildchild、DJ Romesの3人組が発表した唯一のアルバム。基本的にMadlibのチープながら癖になるトラックが持ち味で、スキル誇示のブーストモノ"Whenimondamic"、セルアウトディスの"The Anthem"などがシングル曲になっている。なお、04年に発表された未発表音源集『The Lost Tapes』では、彼らの初期作"Miss Déjà Vu"などが楽しめるので、そちらもおすすめ(録音状況は最悪)。

## Mass Influence

### The Underground Science
*Notable Track: Life to the MC (Remix)*

1999 　Boulevard Connection Records

アトランタのラップグループY'all So StupidのH2oが新たなメンバーとともに発表した作品。97年リリースのワックMCディス曲"Life to the MC"が再録されているが、本作にはボーナストラックとして温かな質感のキーボードを配したリミックスも収録されている。そのほかもいかにも90年代中期のホーンが印象的な"Under Pressure"、鬼気迫るトラックの"Massmatics"など、表題通りアトランタ地下の良質なヒップホップが堪能できる一枚に。

## Mathematik

★★

### Ecology
*Notable Track: Formation*

1999 　Beatfactory

Down Ta ErfのMCのソロ1作目。クルーのデモCDにも収録されていた曲が一部再録されているが、それを補っても余りある良質な新曲の数々が収録されている。ストリートの仲間を鼓舞したアップリフティングなラップと実直なサンプルビートが堪能できる一枚。やはりThe Blackbyrds使いの"Formation"、Bob James使いの"My Enemy"がよい。次作の『No Division』('05)でも変わらずポジティヴなライムを続けているので、そちらも併せて。

## MF Doom

### Operation: Doomsday

*Notable Track: Doomsday*

1999　Fondle 'Em

KMD時代の悲劇を乗り越え、スーパーヴィランとして復活したアブストラクトMC／プロデューサーの記念すべき1枚目。本作の目玉はやはりSade "Kiss of Life" 使いの表題曲だろう。とにかく何よりライムを畳みかけることで、そこから紡がれる言葉の妙味を表現するラップスタイルは、後進のインディアーティストたちに多大なる影響を与えた。タイトルからして言葉遊び色全開の"Rhymes Like Dimes"のような曲もある。故Subrocとの思い出溢れる"?"は涙なしでは聴けない。

## Mikah Nine

### It's All Love: American Nightmare

*Notable Track: It's All Love*

1999　Pure Hip Hop, Inc.

Freestyle FellowshipのMCの自身名義初となる作品。ほぼ全曲をMadkapのトランペッター Josef Leimbergがプロデュースしており、その手作り感満載のローファイなビートの上、FF時代から得意としていた歌モノに今回は広く挑戦している。流れるようなシンセの"American Nightmare"、華やかなファンクビート"It's All Love"の各タイトルトラックは見事にポジティヴな唄のみで構成。ちなみに本作、後年の再発盤は収録内容が異なっているので注意。

## The Mind Clouders

### Fake It Until You Make It

*Notable Track: Hollow Victory*

1999　Concentrated Entertainment / Memo Records

2MexとプロデューサーMum's the Wordのユニット作。クリスチャンラップで知られる2Mexならではの曲が"False/Lost"。宗教団体という組織に対する信仰ではなく、神への信仰に立ち戻ることを力説しているシリアスな曲だ。そのほかもコミカルな会話を用い軍隊を揶揄する"Marshall Law"や、妄想的なまでの自身の疑い深さを説明する"Paranoia Sheik"などトピック豊富。ジャケットからも明らかだが、頭を使うようにリスナーに訴えかけてくる作品。

## Mystik Journeymen

### The Black Sands Ov Eternia

*Notable Track: The Piano Lesson*

1999　Outhouse

Living Legendsを主導するLuckyiam.PscとSunspot Jonzのコンビの99年作。まずはなんといっても、ステレオの左右に振った抜けのよいスネアとメロディアスなピアノループが心地のよい"The Piano Lesson"がハイライトだろう。08年のオバマ当選を経験した今、Jonzの「俺たちが黒人の大統領を拝めるか、時間が教えてくれるよ。その頃には俺もスニーカーを履いたままホワイトハウスの住人になっているだろう」という台詞を聴くと、感慨深いものがある。

## The Outfit
### Soundtrack to Life
*Notable Track: Beauty of the Week*

`Battle`
★

1999  Oblique Recordings Inc.

AllHipHop.com の共同設立者 Greg Watkins が結成したデラウェアはニューアークの3人組唯一のLP。本作はアルバムというよりはコンピレーションに近く、事実95年の"Beauty of the Week"、97年の"Why I Don't Know?"など、かつて12"で発表していた楽曲が再録されている。なお、Greg は実業家の道を歩んだが、残りの2人はボーストモノ"The Livest"でも自称していた The 49ers という名義で再起を果たし、07年にアルバムを発表している。

## Peanut Butter Wolf
### My Vinyl Weighs a Ton
*Notable Track: Breaks Em Down (feat. Kazi)*

`Battle`

1999  Stones Throw Records

Stones Throw のオーナーがソロ転向後リリースした初のラップアルバム。主に地元ベイエリアの MC をヴォーカルに招集し、自身はプロデュースを担当している。シングル曲の Rasco "Run the Line"、故 Charizma 参加の"Keep on Rockin' It"、緊張感のあるシンセが特徴の Kazi "Breaks Em Down"など、良曲揃い。ちなみに翌年発表された本作の日本企画盤には、45 King や Lord Finesse による豪華なリミックスが収録されている。

## Pharoahe Monch
### Internal Affairs
*Notable Track: Queens*

`Hardcore`

1999  Rawkus

Organized Konfusion の MC のソロ転向後1枚目。ゴジラのテーマをサンプルした"Simon Says"がラジオでヒットしたが、何よりも水の滴るようなシンセとエレピの美しい"Queens"に耳が向く。地元クイーンズのストリートでハスリングに暮れる青年 Donovan の物語だ。同年 Rawkus のコンピ『Soundbombing II』向けに制作した"Mayor"のコンセプチュアルさをちゃんと再現できている。自らのスキルをメタファーにした"Rape"は今だと厳しいか。

## Polyrhythm Addicts
### Rhyme Related
*Notable Track: Big Phat Boom*

`Battle`

1999  Wreck Records

DJ Spinna を筆頭に Apani B、Mr. Complex、Shabaam Sahdeeq の MC 陣で構成されるコレクティヴの1枚目。Spinna の代名詞ともいえる浮遊感のあるトラックと各 MC 陣のバトルライムが絶妙の相性をみせる。なかでも先行シングルの"Not Your Ordinary"や、冒頭から Apani B のポジティヴで強い女性像がスピットされる"Big Phat Boom"が印象的だ。自慢のサウンドを誇示する"Take Me Home"も楽しげなシンセに心躍る。

## Rec Center
### Lonely People

`Conscious`

★

*Notable Track: After Existence*

1999　Rotten Soil Entertainment

郷愁あふれるエレピを配したトラックの"After Existence"は9分弱に及ぶリ
レーモノ。"生と死"をテーマに、MC陣が己の人生、家族、さらには神の理に
至るまでそれぞれの言葉で叙述している。同じく8分強のポッセ作でテーマ音
楽のようなコーラスとピアノが印象的な"Lonely People"もあくまでストリート
の住人を強調しつつ「知識よりも想像力が重要」と思慮深い世界観を魅せる。
90'sのシリアスなラップを堪能するならこのシカゴのコレクティヴは必聴だ。

## Saukrates
### The Underground Tapes

`Hardcore`

*Notable Track: Rollin (Remix) [feat. Masta Ace & O.C.]*

1999　Capitol Hill Music Inc.

90年代前半より活動するトロントのMCがWanerとの契約を解消後に自主レー
ベルより発表した作品。何よりもMasta AceとO.C.を客演に招いたシングル曲
"Rollin'（Remix）"の収録が嬉しい限り。Aceのキレキレのライムと安易な拝金
主義を批判したラップが堪能できる。ほかにも命を狙われた殺し屋の復讐劇
"Da Professional"、Da Grassrootsのアルバムにも収録の下ネタ曲"Body
Language"など、豊富なトピックの楽曲が続く。US版は内容が異なるので注意。

## Sixtoo
### The Psyche Continuum

`Conscious`

*Notable Track: Caukazoid Germ*

1999　Metaforensics

MC／プロデューサーSixtoo初のCD作品。99年という世紀末の作品で、ジャ
ケットもサイバーパンクのような世界観に。そんな本作を体現するのが、未知
の"白人ウィルス"に侵され人類が滅亡してゆく姿を描いた"Caukazoid Germ"。
タイトルとフックは400年の奴隷制に鉄槌をくらわすShabazz the Disciple
"Sunz of Man Court"のラインを拝借。白人への罵倒の言葉を白人のMCが
作品へと昇華した。ストーリーテラーとしての才能が開花した曲。

## Skeme Team
### Plan-B

`Battle`

★

*Notable Track: Keep Living*

1999　Not on Label

Block McCloudがヒップホップをハイジャックする曲で幕を開ける本作は、
その後のハードコアなNY地下シーンを象徴する内容になっている。凄惨なス
トリートを叙述しつつボーストする"Ghetto Life"、Jean Graeの独演でアル
コール／薬物中毒にまみれたストリートを悲観的に見つめる"Keep Living"な
ど、フッド色の強いライムが印象的だ。なお、全体的に音質は酷いものだが、
"Con Artists"だけ比較的まともなのは、シングル曲だからか。

※アートワークはデータ版

## Sonic Sum

Unique

### The Sanity Annex

*Notable Track: Downtown Maze*

1999　Ozone Music

MCのRob Sonic、DJ Jun（Preservation）、ミキシングからアートワークまでを手がけるFred Ones、ベーシストのErik M.O.によるグループ。バンド形式ではないものの楽器を効果的に取り入れた酩酊感のあるサウンドを志向。これはアクースティックとエレクトリックのギターが交差する"Velour 80 Grit"、Paul Horn "Guinnevere"のサンプルに違和感なく折り重なるベースの"Salad Fork"に顕著。目を閉じてヘッドフォンで聴きたくなる一枚。

## Street Reportas

Hardcore

### America Undercover

*Notable Track: Desert Sands*

1999　Rugged Legend Records

サンフランシスコとブルックリンのMCによるストリートジャーナリズムをコンセプトとした作品。Michael Cassidy "Sign of Surrender"のギターをサンプルし、ストリートの悲哀を多音節のライムで唄い上げた"Desert Sands"はPaul Niceがプロデュース。そのほかも、亡き人々へシャウトする"Only the Good Die Young"、映画『ゴッドファーザー』('72)のテーマを用いた"Long Hot Summer"など、ストリートらしさを示した曲が続く。

## Suspens

Hardcore

★

### Payin Dooz

*Notable Track: Millions in Suspens*

1999　Suspens Recording

フィラデルフィアのMC／プロデューサーが自身のレーベルから発表した唯一の作品。Commodores丸使いの"Me & Mr. Webb"、ミニマルだが緊張感のある"Airtight"、妖しい琴のサンプルと重いベースが特徴の"Freedom of Speech"、スリリングな1小節ループから上モノが転調してゆく"Millions in Suspens"などが印象的。ラップもトラックも至ってチープだが、一部の好事家の評価は高いようで、高値で取引されている。

## Various Blends

Hardcore

### Levitude

*Notable Track: To the Gut*

1999　Baraka Foundation

サンフランシスコの2人組によるオフィシャルデビュー作（元々はRascoを含めた3人組だった）。Peanut Butter Wolfプロデュースによる温かなシンセと派手なスネアのシングル曲"To the Gut"がトラックとしては頭一つ抜けているが、曲中彼らは執拗に地元の元仲間をディスしている。ほかの収録曲も、Redmanと同ネタでボーストモノの表題曲"Levitude"、コミカルなディス"You & Your Crew"など、とにかく攻撃的なラップが披露されている。

## The Visionaries

### Sophomore Jinx

*Notable Track: L.A. Fresh*

1999　Up Above Records

西海岸発の人種混合クルーによる2作目のアルバム。それこそ"2作目のジンクス"をタイトルにしている本作だが、少なくともビート面では非常にミニマルだった前作よりも大いに向上している。華やかなストリングスとギターを前面に配した"L.A. Fresh"では、MC陣が多様性溢れるLAらしいポジティヴなラップを披露。哀愁漂うビートの上で信仰心の深さをみせる"Tipping the Scales"のメッセージも悪くない。少なくとも"ジンクス"は払拭できただろう。

## Vision Quest

### Verbal Sights

*Notable Track: Road of Life (Jerry's Theme)*

1999　Fuzion Entertainment

NYのラップグループが発表した唯一の作品。1曲目の"Introducing..."から地元へのシャウト、ストリートへの思慮深いラインが散見されるし、硬質なドラムが印象的な"Educated Fools"では後輩のラッパーたちに知識を使って賢く生きるよう説いている。全体を通してコンシャスな内容だが、大胆に生ギターを使用し、快楽に溺れるのではなく前向きに自分の人生を歩むように語りかける"Road of Life (Jerry's Theme)"がとりわけ心地よい。

## Wu-Syndicate (Myalansky & Joe Mafia)

### Wu-Syndicate

*Notable Track: Where Was Heaven*

1999　Wu-Tang Records

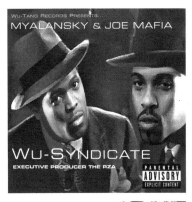

*Also recommended:*

Myalansky
Strait Razor

2000

RZAのレーベルと契約してデビュー作をリリースしたヴァージニアの2人組、Myalansky & Joe Mafia。当初はCrhyme Syndicateと名乗っており、どこまで本気かわからないが、1曲目の"Thug War"から「金が力だ。だからよこせ。ドラッグ密売所を開け。俺たちは法を犯すぜ。まだ捕まっていない犯罪者にピースを」と発言しているように、マフィオーソの世界観を追求するラップが主題となっている。おまけに現在のPCにあてはめると完全にアウトな単語が所々散見されるわけだが、それでもいわゆる通俗的な"犯罪礼賛"のギャングスタラップと異なるのは、「"天国"は何処にある? ストリートにいる限り死ぬまで拝めないのか?」という葛藤をみせる、96年のシングル"Where Was Heaven"のような"持たざる者"のメッセージがあるからだろう。ストリートで葛藤する後輩たちへ向けた"Young Brothas"のような曲からは5パーセント的な地域コミュニティへの献身もうかがえる。ゲットーの凍えるような経済事情とコケインの猛威を"氷河期"に喩えた"Ice Age"も、古典的だがマルチライムがキレキレだ。

## Various Artists

# Anticon Presents: Hip Hop Music for the Advanced Listener EP

*Notable Track: Divine Disappointment*

1999　Anticon

のちに北米を席巻するオルタナティヴレーベルAnticonのお披露目作。まず何より、前年にネットで公開済みだったSoleのEl-Pディス曲"Dear Elpee"の収録が嬉しい限り。そのほかもSlug、Eyedeaによる内省的バトルライム"Savior?"、Aliasが神の視点から人類を見つめる"Divine Disappointment"、Sole、Doseoneが太古の哺乳類の進化を詩的に整理する"Human Races the Tortoise"などテーマ性豊かな佳曲揃い。本作からAnticon旋風が巻き起こった。

## Various Artists

# The Blackbook Sessions

*Notable Track: Ketchup*

1999　Galapagos4

00年代のインディラップを代表するシカゴのレーベルGalapagos4の記念すべき第1作（コンピレーション）。東でも西でもない自分の出自を声高に叫ぶAnacron "Be Where?（Beware!）"で幕を開ける本作は、まだ荒削りながらも新たな時代の到来を予見させた。その後同レーベルからのリリースはなかったが、アジア系米国人の3人組Pacificsによる「俺たちのラップについて来い（Catch Up）」という意図のブースト曲"Ketchup"がハイライトの出来。

## Various Artists

# No More Prisons

*Notable Track: Rich Get Rich*

1999　Raptivism

*Also recommended:*
Various Artists
No More Prisons 2
2003

インド系米国人のAshok Kamalがボストン大学在学中に創業したRaptivism。のちに社会起業家として非営利活動に従事する彼が最初に選んだのは、ヒップホップの力で社会変革を目指すことだった。そんなRaptivism初の作品となったのが、豪華アーティストが参加したコンピレーション『No More Prisons』である。本作ではレーガン政権以降増加した薬物犯罪者の大量投獄と、刑務所の民営化による利益追及により、多くのマイノリティ、とりわけ黒人の逮捕者が急増した背景を踏まえ、これら"Prison-Industrial Complex（産獄複合体）"と呼ばれるシステムに対しNOを突きつける構図となっている。Def Squadの女性MC、Hurricane G.による表題曲では、ヘリコプターを伴う警察のハラスメントと薬物犯罪厳罰化のための不当逮捕に言及し、哀愁系ギターのトラックの"Rich Get Rich"では、Ed O.G.、Chubb Rock、Lil' Dap、Paw Dukeがそれぞれの視点から、コミュニティの団結と弱者を搾取し強者が肥え続けるアメリカ社会へ警鐘を投げかけている。

## Various Artists

Conscious

## Process of Elimination
*Notable Track: I Hate Hip Hop*

1999   Industry Records

Kool DJ E.Q.のレーベルより発表された豪華アーティストによるコンピ作品。安易な犯罪行為を煽るギャングスタラップを痛烈に批判するEd O.G.の"Can't Trust Nobody"や、銃やドラッグに汚染され商業化し、創造性を失った99年当時のヒップホップに対してOGのCraig Gが正直な思いの丈をぶつける"I Hate Hip Hop"など、まずラジオではかからないような曲が多数収録されている。同レーベルの『Beats & Lyrics』2部作と併せて堪能したい。

## Various Artists

Hardcore

## Street Life in Zoo York: Hip Hop
*Notable Track: They Wanna Know Why*

1999   Street Beat Sound Collective

90年代中後期に良質な12"を多数発表したNYのレーベルHydra Entertainmentの楽曲をまとめたコンピレーション作。Kamakazee "Snakes"、Godfather Don "Bomb Baby"、Triflicts "Genuine" などシングルのみだった当時の人気曲が手軽に利用できる。なかでもおすすめは、"Screwed Up" のB面曲でScewballのアルバムには未収録の"They Wanna Know Why"。プロジェクトで暮らす彼らの悲哀がここに詰まっている。

## Various Artists

Mixed Styles

## World of Fondle 'Em
*Notable Track: Make It Happen*

1999   Guntez Records

*Also recommended:*
Various Artists
Farewell Fondle 'Em
2001

96年ごろまでのNYにおけるインディラップは、その中心に12インチのシングルがあった。彼らはまず何よりシングルをリリースし、その曲をDJがミックステープに用いたり、ラジオやクラブでプレイすることでヒットするという構造だ。そんな当時のインディラップ市場を活気づけたレーベルのひとつにFondle 'Emがある。WKCRの人気番組のホストBobbitoが冗談半分で始めたというFondle 'Emのレーベルコンセプトは"完全独立"。人脈のみを頼りにプロモーションの類は一切せず、アーティストとは契約するのではなく、あくまで売り上げを折半する形にし、一部の例外を除き、販売するものは12"のレコードのみとした。本作はそんなNYを代表するインディレーベル選りすぐりの楽曲をコンパイルした日本企画盤である。どの曲ももちろん聴き応えがあるが、当時Co-Flowとともに絶大な人気を博したものの結局アルバム発表のなかったJ-Tredsのデビュー12" "Make It Happen"の収録がありがたい。ピアノメインのジャズトラックに、よりよい暮らしを求めて奮闘する青年のポジティヴなメッセージが絶妙に交わる。

## Anomos / Stealth

### From Here On...

*Notable Track: From Here On...*

Battle
★★

2000　NPO Records

スタテンアイランドのレーベルが発表した所属アーティスト2名によるジョイント作。メインのAnomosは「俺たち5％がヒップホップを生かしている。銃の代わりに"根に"持つ」という台詞にもあるように、コンシャスかつ複雑なライム構成とファストラップが特徴。Wu-Tang関連のプロデューサー Dainjamentalが担当したヴァイブとコーラスのサンプルが癖になる"Why Live"では、自分の人生について内省的に述懐。1枚で消えるべき才能ではなかった。

## Antipop Consortium

### Tragic Epilogue

*Notable Track: Laundry*

Unique

2000　75 Ark

"反ポップ"をアーティスト名に掲げ、物語性よりは意識の流れでライムされる散文的な歌詞世界、実験的なサウンドとともに登場したNYの新時代のグループによる記念すべきデビューアルバム。彼らのスタンスは1曲目の"Laundry"のフックですでにありありと表現されている。つまりは暴力を喧伝する安易なギャングスタ的価値観がNYを席巻しているが、それらに惑わされることなくリリックを重視した楽曲を作り続けていくということがここで唄われているのである。

## Athletic Mic League

### The Thrill Is Gone

*Notable Track: Hip Hop Quotables*

Conscious
★

2000　Lab Technicians Productions

のちにソロとしても活動を広げるHaircut（Mayer Hawthorne）や14KTも参加していたデトロイトのコレクティヴによる作品。98年に極少数のみ流通した自主制作盤にリミックス音源を追加し発表された。目玉はなんといってもThe Source Magazineの名物企画を自らタイトルに用いた"Hip Hop Quotables"。歌詞の重要性を語り、安易なギャングスタやドラッグ礼賛に乗るのではなく、コミュニティを大切にする必要性などを滔々と語っている。

## Atoms Family

### The Prequel

*Notable Track: Sexual Harassment (Casefile#050971)*

Battle

2000　Centrifugal Phorce

NYのフリースタイル集団Atoms Family名義としての初のアルバム作品（一部の曲は98年に発表されたレーベルコンピ『The Persecution of Hip Hop』から再録となっている）。Cannibal OxのVordulとVast Aireが参加したクルーお披露目のバトルライム"Atoms All Stars"では、すでにVordulがリリック中で"Cold Vein"という比喩を用いているので、翌年のアルバムの構想は本曲制作時にはあったのだろう。NY地下直系のハードコアラップ作。

## Bahamadia

Hardcore

### BB Queen EP
*Notable Track: Special Forces (feat. Chops, Planet Asia & Rasco)*

2000   Good Vibe Recordings

Gang Starr Foundationの一員として知られるフィリーの女性MCがインディ
で発表した2作目(ミニアルバム)。同郷のChopsがプロデュースし、DJ
Revolutionがスクラッチ参加した"Special Forces"にまずは注目。Planet
Asia、Rascoを加えた4人によるキレキレのライムが堪能できる。メディアに
騙されずポジティヴでいるように説く"Beautiful Things"ではメッセージ性も
発揮。ジャングルビートの"Pep Talk"という変わり種も収録されている。

## Big L

Hardcore

### The Big Picture 1974-1999
*Notable Track: Fall Back (feat. Kool G. Rap)*

2000   Rawkus

類いまれな多音節韻のパンチラインでヒップホップ界を席巻したハーレムの若
き才能Big Lの遺作。本作完成を待たずしてBig Lは亡くなってしまったため、
全ての収録曲が彼の構想通り発表されたわけではないが、98年のシングル
"Ebonics"など一部は生前に発表済みだ。本曲では流石のマルチライムを駆
使しつつラップのスラングを丁寧に解説するというコンセプチュアルな佳作。シ
ングル以外でも、多音節の元祖Kool G. Rapとの共演"Fall Back"が格別だ。

## Binary Star

Conscious

### Masters of the Universe
*Notable Track: Honest Expression*

★

2000   Subterranean Records

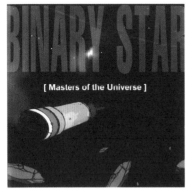

OneManArmyとSenim Sillaがミシガンの刑務所で結
成したグループ。本作は前年に制作した『Warterworld』
('99)の再編集版となる。目玉はなんといっても、追加
収録された"I Know Why the Caged Bird Sings"。哀
愁漂うHugh Lawsonのチェレスタ、Chick Coreaのピ
アノ使いのトラックに、己の罪を悔いながらも刑務所内
で葛藤する2人の心境が巧みに描写される。重要なの
は、彼らは過去の犯罪を礼賛しているわけではなく、しっ
かりと反省をみせているということ。コンセプトが生き
ている楽曲といえば、映画『ゼイリブ』('88)のダイアログ
をイントロに配し、メインストリームには与せず堅実な
活動を続けてゆくことを誓った"Indy 500"は、同名のス
ピードレースからそのタイトルを拝借しており、メジャー
に頼るのではなく、あくまで"インディ界"での勝利を誓っ
ている。そんな自分に正直な彼らの"正直さ"がもっとも
顕著な形で表れているのが、タイトルからして直球の
"Honest Expression"。ここでは犯罪行為を礼賛し、
商業主義にひた走るラップ界を痛烈に批判している。

*Also recommended:*

Binary Star
Waterworld
1999

## Bumpy Knuckles

### Industry Shakedown
*Notable Track: Part of My Life*

`Hardcore`

2000　KJAC Music

レコード産業に翻弄されたFreddie Foxxxが新たなリングネームで業界に殴り込みをかけた作品。"Inside Your Head"では当時"What, What"の掛け声で売れていたNoreagaに対し「ちゃんとライムを書くか辞めろ」と口撃、Pete Rockプロデュースの表題曲"Industry Shakedown"ではラップの各レーベル名を言葉遊びにしながらディスするなど、コワモテの本領発揮。ハイライトはPremierプロデュースの"Part of My Life"。ラップ愛溢れる一曲だ。

## Cali Agents

### How the West Was One
*Notable Track: Fuck What You Heard*

`Battle`

2000　Ground Control Records

RascoとPlanet Asiaのベイエリア出身コンビによるジョイントアルバム。ヒップホップなど何もわからずに"とにかく金になりそうだから"とラッパーと契約しようとするレーベルを揶揄したイントロで始まる本作は、ピアノのフリップが小気味よい自己紹介モノの"Cali Agents: The Anthem"、初心を忘れるなと語る"Neva Forget"、ワックMCディス"Fuck What You Heard"など、いかにも西海岸インディらしい実直でハードなバトルライムが堪能できる。

## D.I.T.C.

### All Love
*Notable Track: All Love (Remix)*

`Hardcore`
★

2000　Next Level Recordings

*Also recommended:*
D.I.T.C.
The Remix Project
2014

Tommy Boyから発表したクルーとして初のアルバム『D.I.T.C.』リリースからおよそ半年後、日本企画盤として発表されたコンピレーション作品。一部の曲は上述のデビュー作、またはアナログのみのリリースとなった自主制作盤『The Official Version』と重複しているものの、たとえばL.A. Boppers "You Did It Good"をフリップした表題曲"All Love"、A.G.独演のボーストライム"A Different World"などはTommy Boy版には収録されていない。また、本作の特徴として、D.I.T.C.本体以外のメンバーが94〜95年に録音していた楽曲も多く収録されており、たとえば、Pete Rock "Strange Fruit"と同じDavid Axelrod使いをしたThe LegionのMoleculesによる"Revenge"や、Big Noyd "Usual Suspect（Stretch Armstrong Remix）"と同じIsaac Hayes処理のGhetto Dwellas "Style Is Ill"、淡々としたヴァイブとサグラップを合わせたTerror Tongue "Lyrical Threat"などの曲は、当初本作でしか聴くことができなかった。

65

# Deltron 3030

## Deltron 3030
*Notable Track: Mastermind*

2000　75 Ark

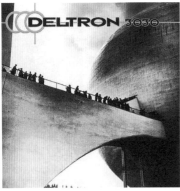

*Also recommended:*
Pep Love
Ascension
2001

HieroのDelがDan the Automator、DJのKid Koalaと発表したアフロフューチャリズム的世界観のコンセプト作。舞台は文明崩壊後となる3030年の未来で、世界の半分は荒廃した砂漠と化し、コンピューターが人々を支配していた。そんなディストピアン世界を変えるために立ち上がったのが、ライムを武器に戦うロボット戦士Deltron Zeroと相棒のビート職人The Automator。シネマティックなトラックに盛り立てられる"3030"では、命令に背き囚われの身となっていた元国軍兵士のDelがメカを奪い脱出する顛末が描かれ、瑞々しいビートの"Virus"では得意のプログラム力を駆使しウイルスによるコンピューターシステムの破壊を模索。そして彼らは大一番の"Battlesong"で、戦闘フォームにチェンジし、弾圧される人々、そしてヒップホップを救うため、惑星を股にかけたラップバトルに挑んでゆく…。これらが本作一連の筋書きだ。『Future Development』のアートワークでも示されていたロボットアニメ趣味がこんな形で化けるとは。Sci-Fiと終末思想をヒップホップに転化した00年を代表する作品。

# Encore

## Self Preservation
*Notable Track: Love & Hate (The Mellow Drama)*

2000　75 Ark

ストリートライフを見つめ直すように説いたシングル"Think Twice"('96)でデビューしたサンフランシスコのMCによる待望のデビュー作。本作ではかつてコンビを組んだPeanut Butter Wolfのもとを離れ、同郷のArchitectが全面プロデュースを担当している。時に優しく時に手厳しい自身の二面性のあるライムを表現した"Love & Hate"や、飲酒運転の体験をテーマにした".084"など、あくまで基本はライム重視ながら物語性もある楽曲が光る。

# Equipto

## Vintage Vol. II: Like There's No Tomorrow
*Notable Track: Woman of My Life*

2000　Solidarity Records

Bored Stiffの日系MCが自身のレーベルより発表した2作目のアルバム。まずは女手ひとつで育ててくれた母に捧げる"Woman of My Life"に惹かれる。女性蔑視蔓延るラップ界では数少ない女性賛歌モノだ。スムースなシンセとトランペットの求愛モノ"Baby Girl"、ワックな業界ディスの"Rhyme Paze"、ラップへの献身をみせる"No Manana"なども独特のポジティヴな世界観を構築している。なお、CDとLPでは収録内容が若干異なるので注意。

## Esau

# The Debut Album... The Farewell Tour

*Notable Track: First (feat. the Insidious One)*

`Conscious`

2000　Mends Recordings

ノースキャロライナのMCによる唯一の作品。そのアーティスト名にも表れている宗教的な内容として、1曲目の"First"が外せない。雰囲気のある荘厳なトラックの上で、聖書に登場する"最初の出来事"について、ユーモアを交えつつひたすら解説する曲だ。憂いのあるギターを重厚にフィルター処理した"I Hate"も上々で、不平等な世界状況を見つめるコンセプチュアルな内容に仕上がった。MCとしての活動期間は2年ほどだったらしく、その後続編が出なかったのが残念でならない。

## Foreign Legion

# Kidnapper Van: Beats to Rock While Bike-Stealin

*Notable Track: Full Time B-Boy*

`Hardcore`

2000　Insidious Urban Records

2 MC'sの対照的なラップが持ち味のクルー。「ドープなMCはいつも貧乏」と卑下しながらヒップホップ愛をみせる"Full Time B-Boy"や、女より音楽を取ると息巻く"You'll Never Be Number One"、安易なアンダーグラウンド思考を皮肉る"Underground"あたりを聴けば、彼らのBボーイとしての矜持が伝わってくる。ほかとは多少毛色の違う陰謀論ラップの"Nowhere to Hide"は、コミカルなコーラスのブリッジに思わず笑ってしまうはずだ。

## Jedi Mind Tricks

# Violent by Design

*Notable Track: I Against I (feat. Planetary)*

`Hardcore`

2000　Superegular Recordings

*Also recommended:*
Jedi Mind Tricks
The Psycho-Social, Chemical, Biological, and Electro-Magnetic Manipulation of Human Consciousness
1997

Vinnie PazがまだIkonの時代、旧友Jus Allahを迎え3人体制で発表された本作は、防音設備もマイクブースもないStoupeのベッドルームで作られ、同居する両親への配慮のため、彼らは毎週金曜日の夜にしか録音できなかったという。また、本作から地元以外の客演が増えているが、たとえばTragedyなどNYのMC陣のヴァースを録るためには、クイーンズの友人宅に機材を持ち込み、その即席スタジオで収録したそうだ。これらの制作上の制限により、本作発表は97年のデビュー作から約3年を要した。それでもタイトル通り"意図的に暴力的"なバトルライムで全編を構成する本作は、一部デビュー作を彷彿するスピリチュアルな歌詞も示しつつ、基本は多音節のバトルラップとロウなサウンドというヒップホップの原点を体現している。サウンド面では、詩的な節回しにCal Tjaderのヴァイブが絶妙な"I Against I"、Gilberto Valenzuelaの3拍子のヴォーカルとトラックをそれぞれチョップし、1拍分繰り返すことで4拍子への対応と独自のフリップ感を発揮した"Muerte"などに、Stoupeの手腕が光る。

## Living Legends
Conscious

### Angelz W.I.T Dirty Faces
*Notable Track: Vertigo*　　　　　　　　　2000　Outhouse / Revenge Entertainment

『The Underworld』('96)に続くLiving Legendsコレクティヴのショウケース作（コンピレーション）。通常コレクティヴモノはバトルライム一辺倒になりがちだが、本作では地域コミュニティで氾濫する犯罪を取り扱った"Loose Cannon"や、"白いイエスの偶像"といった現代社会に植え付けられた常識を疑う"One-Two"など、テーマもはっきりした曲が収録されている。Sunspot Jonz独演の表題曲"Dirty Faces"はミニマルなドープさがあり。

## The Lyricists
Hardcore

### Outta Nowhere
*Notable Track: Neva Mind That*　　　　　　2000　Beat Down Music Production

ミシガンはポートヒューロン出身の2人組によるデビュー作品。簡単に他人を殺せてしまうストリートの負の連鎖に押し潰されそうになる苦悩を吐露した"Neva Mind That"は物悲しいエレピとのバランスが抜群だし、一転して性をテーマにした"Lovely"では高揚感のあるエレピのフリップがよく、自分のライムをボーストした"Verbals"はストリングスのループが癖になる。ラップは至って平凡、ビートも玉石混交感が否めないが、一部の曲に光るものあり。

## Masterminds
Hardcore

### The Underground Railroad
*Notable Track: Day One*　　　　　　　　　2000　Ground Control Records

NYのラップトリオによるアルバム作品。この時代のMCらしくバトルライムが中心でありつつ、奴隷解放組織の"地下鉄道"を冠した表題でも示唆されているように、米国で暮らす黒人としての目線の曲が多く、たとえば「奴隷船に詰まったアフリカ人みたいに俺のラップはタイト」というパンチラインで締める"Liberty"や、常に警察の暴力に苛まれる黒人青年の心情を南部のリンチや公民権運動期に対比させて叙述する"Day One"は、BLMが再燃した今、特に強烈に響くことだろう。

## Missin' Linx
Hardcore

### Exhibit A
*Notable Track: Family Ties (feat. Freddy Foxxx)*　　　2000　Stimulated Records

Dante Ross主催のレーベルより、元BeatnutsのAl' Tariq、Smoked Out ProductionsのBlack Attack、Problemzの計3名が新ユニットで登場。Loudとの契約が想定されていたが、プロモーションがほとんどされず、アルバム発表の予定がEPに縮小となった。もっとも、98年に発表済みの先行曲で、Dr. Dreが翌年ビートを拝借する"M.I.A."、AlchemistプロデュースでFreddy Foxxx参加の"Family Ties"などは流石の出来。

## Mr. Complex

`Unique`

### The Complex Catalog
*Notable Track: I'm Rhymin'*

2000　Corecords

言葉遊びを得意とするクイーンズのアブストラクトMCが過去音源を中心にコンパイルした1枚目のフルレングス。彼のスタイルを如実に表しているのが、97年のDJ Spinnaプロデュースによる"Visualize"だろう。わがままな女の子に振り回されるストーリーを、時にライム中心に面白おかしく展開してゆく。表題からコンシャスな内容かと思えば、ただとにかくパンチラインで流れを作る"Divine Intervention"もよい意味で期待を裏切ってくれる。

## Mykill Miers

`Battle`

### It's Been a Long Time Coming
*Notable Track: Who Am I?*

2000　Ill Boogie Records / Blackberry Records

M-Boogieが主催するレーベルIll Boogie Records第1弾となるLAのMCのアルバム。たとえば5パーセンターのBorn AllahとEruleが客演している"Cut Throat"などを聴いても明らかだが、特にコンシャスに寄ることもなく、西海岸インディ勢に特徴的なバトルライムの世界観を踏襲している。ほかではシングルにもなったVoooduプロデュースの"Who Am I?"、Nasのラインを引用した"Best Friends Become Strangers"あたりが聴かせる。

## Necro

`Hardcore`

### I Need Drugs
*Notable Track: Underground*

2000　Psycho+Logical-Records

*Also recommended:*
**Necro**
**Gory Days**
2001

性病を擬人化し、完膚なきまでにボコボコにする"S.T.D."や、ゴキブリの生態について延々解説する"Cockroaches"、生々しい猟奇描写の"The Most Sadistic"など、振り切れた暴力表現やエログロ趣味でハードコアラップ市場に一時代を築いたNecroだが、たとえば表題曲はLL Cool Jの"I Need Love"をトラックから唄い方まで模倣しつつヤク中の曲へとパロディにし、"Hoe Blow"は"Criminal Minded"の替え歌と、そのラップを聴けば80'sラップへの引用に溢れているし、本作の終盤にフリースタイルが収録されていることからもわかるように、バトルMCとしての基本スキルには確かなものがある。しかも彼は自分で楽器も含めたトラックメイクもできてしまうわけで、意外に器用なアーティストだ。実はインディ映画の監督として96年に短編『187 Reasonz Y』を制作していたというシネフィルらしさがもっとも表れているのが"Underground"。まさかの『座頭市逆手斬り』('65)のサントラからヴァイオリンとヴァイブをフリップし、自身の出自を披瀝しながらブルータルなボーストを展開してゆく。

## The Netherworlds

### Pals
*Notable Track: Sonuvaguns*

2000　Galapagos4

Living Legends の Murs、それぞれソロで活動していた Anacron、Himself
による LA のユニットが、シカゴの Galapagos4 からリリースした唯一の作品。
ビートは大半が Anacron によるもので、彼が主導したことがわかる。メロディ
アスなギターの "Sonuvaguns" は、まさに夏の LA を満喫するような緩さで心
地よい。サックスを立たせた "Futura" では、黒人青年たちが差別なく自由に
暮らせる理想の世界を夢想する。楽しげななかにメッセージが隠れた逸品。

## Paradigm

### The Progress Report
*Notable Track: Leverage*

★

2000　FreshChest

NY はウエストチェスターの MC ／プロデューサーのデビュー作。メインストリー
ムのラップを口真似して馬鹿にする "Mainstream Garbage" からしてキープ
イットリアル系のアーティストであることがわかる。やはり地元をレップした
"Leverage"、精神的な内容からスキルを誇示する "42 Dimensional" などの
シングル曲が頭一つ抜けているが、Mystik Journeymen と同ネタの
"Vibrations" もポジティヴに聴かせてくれる。

## Phi-Life Cypher

### Millennium Metaphors
*Notable Track: The Racists*

2000　Jazz Fudge

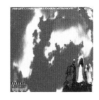

北ロンドンを拠点にする 2 MC's、1 DJ のグループのデビュー作。非常に政治
色が強く、"The Racists" は黒人や移民などのマイノリティを差別するレイシス
トを糾弾、"Crazy Balheads" はスキンヘッドを街から追い出すと息巻く曲だ。
けれどもその政治性は、本作全般で "イルミナティ" という単語が登場している
ように、いわゆる陰謀説とも密接につながっており、「FBI は俺を手術して脳に
チップを埋め込もうとしている」なんて語句が簡単に出ている。

## Planet Asia

### The Last Stand
*Notable Track: You Can't Miss*

2000　Mona Hip Hop

フレスノのバトル MC の 2 作目となる EP 作品。前作はそのスキルフルなラップ
に比してビートが物足りない印象だったが、プロデューサー／エンジニアの 427
と組んだ本作では、冒頭のボースト系 "Holdin' the Crown" に始まり、Amp
Live プロデュースの "You Can't Miss"、スムースなコーラスと向上心を示した
ライムが光る "You & Yours" など、Planet Asia のラップに引けを取らない良質
なトラックが並んだ。硬派なラップファンにこそ受ける一枚。

## Quasimoto

`Unique`

### The Unseen
*Notable Track: Astro Black*

2000　Stones Throw Records

Lootpack の Madlib が変名で発表した作品。本作でラップを担当するのは Lord Quas なる Madlib の別人格で、わざとヴォーカルのピッチを上げた声を作り出している。いかにも Madlib らしいチープでローファイなサウンドに耳が向くが、それでも"警察に追跡されるアートワーク"でも示唆されているように、"Low Class Conspiracy"では警察に不当に虐げられるストリートの住人像を表現するなど、意外にコンシャスな歌詞世界にも注目。

## Reflection Eternal

`Conscious`

### Trains of Thought
*Notable Track: Good Mourning*

2000　Rawkus

Talib Kweli と Hi-Tek のユニットの1枚目。黒人文化とヒップホップへの愛に溢れる本作、まずは"The Blast"に注目。Talib が自身の名前の読み方から丁寧に教えてくれる。そして"Memories Live"では、Talib と Tek の馴れ初めを解説。"Africa Dream"で遠くアフリカの地を見つめ、"Love"で愛の重要性を語り、最後"Good Mourning"では人類に等しく訪れる"死"へ真面目に向き合うように説く。コンシャスラップの代名詞である彼の思考の複雑さを堪能しよう。

## Scarub

`Conscious`

### Heavenbound
*Notable Track: Shadows*

2000　Heavenbound

Living Legends の MC／プロデューサーが発表した3作目のアルバム。まず何より郷愁あふれるエレピのループが美しいシングル曲"Shadows"に惹かれる。女性 MC の Amazon を客演に迎え展開される本作は、ヴァースを交差する2人のラップにより男女のすれ違いを見事に演出してゆく。そんな繊細で複雑な彼のアーティストとしての内面は、同じく憂いのあるピアノの"Complications"で丁寧に叙述。過去最高の完成度に仕上がった。

## Slum Village

`Hardcore`

### Fantastic Vol. 2
*Notable Track: I Don't Know*

2000　Good Vibe Recordings

Jay Dee、Baatin、T3というデトロイトの3人組が97年に制作していたデモテープの再構築版。Jay Dee というと特に J Dilla 名義以降はラップを立たせるよりも"ビートを聴かせるビート"に移行してゆくが、本作ではとにかく3人のラップが立っている。なかでもサンプルのヴォーカルの加え方が面白い"I Don't Know"、ボーストモノの"Fall in Love"などがヒットした。本作はのちに J88 名義など、別ヴァージョンが複数制作されている。

## Sole

### Bottle of Humans
*Notable Track: Suicide Song*

2000　Anticon

メイン州ポートランドでLive Poetsの一員として活動後、ベイエリアに移住し
Anticonを創設したMCの記念すべき初ソロ作。ナードラップの文脈で語られ
ることが多いが、それよりはむしろ自分がアーティストとして表現したいことと
世間の認識の違いに苦しむ"Sole Has Issues"や、鬱陶とした感情を明らかに
する"Suicide Song"にあるように、エモラップの市場を広げた功績が大きいだ
ろう。中絶をテーマにする"Save the Children"も早かった。

## Tes

### Take Home Tes
*Notable Track: Dualism*

2000　VF Prods

NYのアブストラクトMC／プロデューサーが発表した初の作品。それぞれ非
常に凝ったテーマの楽曲が収録されており、たとえばシングル化された"Acts
of Tragedy"はある日突然サイと熊が混成したような怪物に変貌してしまった
恐怖体験を描写しているし、"Mouth of the River"では「言葉」を擬人化し、
その発展の歴史を紐解いてゆくものに。ほかにも洗礼を受けた男の超自然的
体験を叙述する"Dualism"など、とにかくぶっ飛んだ歌詞世界をみせる。

## Ugly Duckling

### Journey to Anywhere
*Notable Track: Journey to Anywhere*

2000　1500 Records

ギャングスタのメッカであるロングビーチ出身ながらオールドスクール志向の2
MC's、1DJのグループ。冒頭いきなり80年代の黄金期に連れ戻してくれたか
と思えば、幼少期に親しんだ玩具やゲーム、80年代の太いゴールドチェーン
を懐かしむ曲まで登場。パーティチューン"Friday Night"での「俺はアスベス
トみたいにoff-the-wall（風変わり）」「テトリスよりラインを投下してやる」なん
て台詞を聴けば、わざとナンセンスを貫いているのがわかる。

## Unknown Prophets

### World Premier
*Notable Track: Take It There*

2000　Not on Label

ミネアポリスのMad SonとBig Jessによる1枚目。アクースティック調のトラッ
クが美しい"Take It There"では「ラップをする白人」として揶揄されながらも
ヒップホップ愛を貫く2人の姿が描かれており、"4 the Kidz"では「白人が皆
悪魔じゃないし、黒人が全てサグじゃない」と、ラップ界の偏見を指弾するなど、
自らのエスニシティと体験に基づいた実直な歌詞世界を得意としている。同郷
のSlugを客演に自然体の大切さを謳った"Never"は万人に通じる内容。

## Various Artists

Mixed Styles

## Game Over
*Notable Track: Hellbound (H&H Remix)*

2000    Yosumi Records

エンジニアの Filthy Rich が主催するレーベルより発表された "ゲーム" をテーマ
とするコンピレーション作品。本作には『スーパーマリオ』をサンプルした
Cocoa Brovaz "Super Brooklyn" や、格闘ゲーム『ソウルキャリバー』のテー
マを使用した "Hellbound (H&H Remix)" などが収録されている。特に後者
では当時メジャーデビューし勢いのあった Eminem、そして彼に多大なる影響
を与えた Masta Ace が初共演を果たしている。

## Various Artists

Conscious

## Hip Hop for Respect
*Notable Track: One Four Love Pt. 1*

2000    Rawkus

99年2月、4人の白人私服警官から銃撃を受け死亡したギニア系移民の少年
Amadou Diallo へのトリビュートとして発表されたコンピレーション作品。
Mos Def と Talib Kweli が呼びかけ人となり、警官隊が発砲した弾丸数にちな
み総勢41名ものアーティストを招集した本作は、"One Four Love" の2部作、
"Protective Custody"、"A Tree Never Grown" といった警察に対するプロテ
ストのメッセージソングのみで構成されている。

## Various Artists

Conscious

## The Unbound Project Volume 1
*Notable Track: Mumia 911*

2000    Ground Control Records

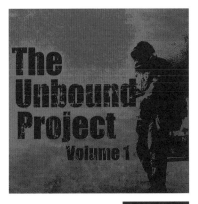

証拠不十分にもかかわらず白人警官殺害容疑で逮捕さ
れた Mumia Abu-Jamal 氏の支援のために制作された
コンピレーション作品。当時の緊迫した状況は、
Mumia 氏のために The Unbound Allstars の名で集
結した豪華 MC 陣によるポッセカット "Mumia 911" を
聴くことで、今でも追体験することができるだろう。オ
リジナルの12" ヴァージョンは99年の夏にはすでに発
表されており、当時死刑囚監房に囚われの身となって
いた彼の刑執行日は同年の12月に迫っていたのであ
る。そのほかの収録曲も上々で、Aceyalone が過去
に航空機内で経験した差別体験を基に完成させた "Ms
AmeriKKKa" は、祖国アメリカを差別主義者の白人女
性に擬人化したコンセプチュアルな曲に仕上がってい
るし、Wise Intelligent が迫害されるマイノリティの姿
を現代の奴隷制に喩えた "Slaves in America" のよう
な曲もある。また本作の特徴としては、ポエトリー調
の楽曲が多く収録されている点で、最終曲 "Feb. 4th
1999" は特に聴き応えあり。

*Also recommended:*

The Unbound Allstars
Mumia 911 (Rocks Tha
World Full Length Mix)
1999

## Acts 29

Conscious

### Under Exposed
*Notable Track: Family Life (feat. Othello, Joe Lander & Tiffany Simpson)*

2001　Syntax Records

オレゴン州ポートランドを拠点とするBraille、Ohmega Watts、Soul Plasma の3名で構成されるグループ唯一の作品。"Acts 29"とはカルヴァン派の信仰で「次の聖書を自ら作ってゆく」という思想に由来したもの。つまりはクリスチャンラップのグループなのだが、ヴァイブをフィーチュアしたラヴソング"Deja Vu"、高揚感のあるシンセの上で父親になる覚悟を語る"Family Life"など、完成度の高いトラックとポジティヴなメッセージの相性が抜群。

## Aesop Rock

Battle

### Labor Days
*Notable Track: Daylight*

2001　Def Jux

*Also recommended:*

**Aesop Rock**
**Music for Earthworms**
1997

ポストインターネット世代を象徴するNYのアブストラクトMCによるDef Juxデビュー作。「俺たち労働者は平凡な仕事が大嫌いだ。それより自分の好きなことをやってお金を稼ぎたい」と主張する"9-5ers Anthem"に顕著なように、"労働"をテーマとしたラップ界では比較的珍しいコンセプト作だが、歌詞自体は本人も自分の発言をちゃんと全部理解できていないのではないかとさえ思えてしまうバトルライムが中心で、詩的な言葉の並びによって紡がれる韻律が最大の持ち味（彼に言わせると、それらの散文的な詩句にもちゃんと意味があるらしいが）。なかでも盟友Blockheadプロデュースの"Daylight"は、彼の意識の流れを活用したラップとEric Gale "She Is My Lady"のシンセストリングスをサンプルしたスムースなトラックが抜群の相性を魅せている。もっとも、アーティストとしての夢を追い求め続ける少女の生涯を描いた"No Regrets"のように、起承転結の明解なストーリーも披露できる意外に器用なMCで、本作のプロダクションにおいても数曲自分で担当している。

## Akbar

Conscious

### Big Bang Boogie
*Notable Track: Driftin' Thru Space*

2001　Ill Boogie Records / Raptivism

90年代前半より活動しているシカゴのムスリムMCの初ソロ作。「ヒップホップとは何か」について具体例を挙げながら示してゆく"Hip Hop Is"に顕著なように、コンシャスかつ実直なMCとしての姿を志向している正統派。神秘的なエレピが美しいトラックの上で世界の始まりについて解説する"Driftin' Thru Space"は、5パーセントアンセムのRakim "The Mystery"の再構築的な歌詞世界で、ここで表題の"ビッグバン理論"の意図が明確になっている。

## Asheru & Blue Black of the Unspoken Heard

`Conscious`

### Soon Come
*Notable Track: Soon Come*

2001　Seven Heads

スムースでジャジーなビートとポジティヴな歌詞世界で知られるワシントンの
ヒップホップデュオが発表したデビュー作（特にMCのAsheruは教育者として
も知られる）。なかでもHerb Alpert "Interlude（For Erica）"のイントロの物
悲しいピアノをサンプルした表題曲"Soon Come"は、自身が所属するクルー
を紹介しつつ、教員としてのバックグラウンドを示しながら子供たちへの教育
の重要性を語りかける、ヒップホップ愛に溢れた名曲。

## Cannibal Ox

`Battle`

### The Cold Vein
*Notable Track: Iron Galaxy*

2001　Def Jux

*Also recommended:*
Cannibal Ox
Blade of the Ronin
2015

Sci-Fi的世界観でストリートを描写する"Iron Galaxy"
でデビューしたデュオの記念すべき1枚目。『冷たい血
管』というタイトルは"困難な状況"をメタファーにした
ものだそうで、5パーセンターとしての思想を楽曲に忍
ばせつつ、基軸はストリートのリリカル担当Vordulと、
勢いのあるパンチラインで押すVast Aireの好対照な
ラップと声色により、地元ハーレムの"冷たい世界"を詩
的に描写してゆく。本作はレーベルオーナーEl-Pが全
面プロデュースしており、その統一感のあるコズミック
なトラックも彼らの世界観構築に大いに貢献している。
ヒップホップの初期体験を婉曲的に述懐した"A
B-Boy's Alpha"、NYの凄惨なゲトーを淡々と叙述する
"Straight Off the D.I.C."など、やはりVordulのリリシ
ズムに惹かれるが、"鋼鉄の翼を持った鳩"に自身を喩
え、NYから世界に羽ばたいてゆく様をポエティックに
表現した"Pigeon"でVastは一味違う。友人と恋人と
の間の距離感をテーマにしたシングルの"The F Word"
は、12"に収録のRJD-2によるリミックス版もおすすめ。

## CunninLynguists

`Conscious`

★

### Will Rap for Food
*Notable Track: Mic Like a Memory (feat. Kory Calico)*

2001　Urban Acres Entertainment

のちにインディ市場でカルト的な人気を獲得するケンタッキーのラップグルー
プの記念すべき1枚目。この時はアートワークでもまだDeacon the Villainと
Knoの2人だったわけだが、総勢6人によるショウケース"616 Rewind"など
賑わいには事欠かない。物悲しいトランペットを前面に内省的な詩世界を展開
する"Mic Like a Memory"、憂いのあるシンセの上で客演のCashmere the
Proが失踪した父親を呪う"Family Ties"などが強力。00年代初頭の重要作。

## Ed O.G.

### The Truth Hurts

*Notable Track: Sayin' Somethin'*

2001　Ground Control Records

サグ色と知的さのバランスが巧みなボストンのOGの初ソロ作。本作のアートワークに目を通すと、そこにはリンチされ木に吊るされる黒人男性の姿がある。しかし、Premierとの"Sayin' Somethin'"、Pete Rockによる"Situations"など、とりわけトラック面で秀でている曲を取ってみても、曲中で表現されているのはあくまでストリート的リアルの実践とヒップホップへの献身だ。本作はただただ自身のスキルで『真実の辛さ』を示している。

## El-Fudge

### Chronic Irresponsibility

*Notable Track: Beware*

2001　SureShot Entertainments

Rawkusへの参加で知られるワシントンハイツのドミニカンMCのデビュー作。彼のスタイルはWade Marcus "Lost in a Pool of Red"のヴァイオリンをサンプルした荘厳な"Beware"に表れているが、ストリート色全開のラップが大勢を占める。1分以内に様々なことが起こるNY事情を語る"New York Minute"、持たざる者が犯罪に駆られる構造をつまびらかにする"Bad Habits"、The Last Emperor "Secret Wars" オマージュの"Star Wars"など良曲多し。

## Eyedea & Abilities

### First Born

*Notable Track: Music Music*

2001　Rhymesayers Entertainment

バトルの祭典Scribble Jamから登場したフリースタイルの鬼才Eyedeaのデビュー作。冒頭の反響するヴァイブの上で音楽へのあり余る愛情と感謝を語る"Music Music"でも表現されているように、本作はバトルライムに囚われない詩世界を魅せた。PTSDに悩まされるヴェトナム帰還兵の物語"A Murder of Memories"、母親の愛情を知らず父親の暴力に怯える、そんなアメリカの実情を描き出した"Read Wiped in Blue"には圧倒される。

## Gruf

### Druidry

*Notable Track: Payday*

2001　Peanuts & Corn Records

Frek ShoのMCのソロデビュー作で、自然と人との歩みをテーマにしたコンセプチュアルな曲が並ぶ。冒頭"Age of Ice"で氷河期の到来を知らせると、次曲で人類の歴史を振り返る構成に。幻想的なエレピの"Awakening"では白昼夢のような超自然体験を、メロディアスなギターの"Winning the Race"では動物の視点から消費される苦悩を吐露。なかでも琴のようなサンプルの上で労働に支配される現代社会を描写した"Payday"が美しい。

## Immortal Technique

### Revolutionary Vol. 1

*Notable Track: Dance with the Devil*

2001   Not on Label

*Also recommended:*
**Immortal Technique
The Martyr**
2011

ペルー出身ハーレム育ちのリリシストが、MCバトルの賞金を元手に自主制作したデビュー作。CNNの"L.A., L.A.（Kuwait Mix）"と同じビートでTragedyへのシャウトから始まる1曲目の"Creation & Destruction"を聴けば、バトルMCとしてのバックグラウンドが伝わってくるが、用いられる語彙が"ナチ"だの"ベルリンの壁"だの、とにかく普通のラッパーとは異なっている。続く"Dominant Species"では「俺は知識を披露する」「ブラックパンサーのメンタリティ」なんてラインが続くわけで、"あくまでハードコアに政治的"という、のちのImmortal Techの世界観は本作ですでに確立済みだったということだ。アルバム中もっとも扇動的な反体制曲となっているのは、シンプルなキーボードをフィーチュアした"Revolutionary"。コンセプチュアルな方向では、ストリートの名声に囚われた少年とその母親が最悪の最後を迎える"Dance with the Devil"が突出。Henry Mancini "Love Story"の物悲しいピアノが、悪魔へと変貌してゆく少年の内面を淡々と情景づけてゆく。

## J-Zone

### Pimps Don't Pay Taxes

*Notable Track: The Bum-B\*tch Ballad*

2001   Fat Beats / Old Maid Entertainment Inc.

NYのプロデューサー／ドラマーによる2作目。表題からも明らかなように、ラップは至って退廃的かつナンセンスなものになっている。くだらない質問をするインタヴュアーを懲らしめる"Q & A"や、ネット系ラッパーとは出自が違うことを嫌味ったらしくラップする"Zone for President"、NYの生活苦を赤裸々に解説する"I'm Fuckin Up the Money"など、どれも風変わり。なお、本人のお気に入りは下ネタサンプルの自慰スキット"Stroke Happy"らしい。

## K-Otix

### Universal

*Notable Track: Love Song*

2001   Bronx Science Recordings

『Spontaneity EP』のヒットで知られるヒューストンのグループのデビュー作。基本的にボーストが中心で、シングル曲の"World Renown"、"Legendary"、"Untitled"など、クルーのThe Areによる華やかなビートが盛り立てる。コンセプトが特徴的なのは、言葉の重みの必要性を語る"The Word"、温かみのあるシンセの上で、友人関係を崩したくない女性にアプローチしようとする彼の淡い失恋模様が展開される"Love Song"あたり。

## Kanser

### Quintessential
*Notable Track: Happens Everywhere*

2001　Interlock

ミネアポリスの高校で92年に結成されたInterlockより派生したグループの01年。本作からシングルも切るようになり、当時比較的珍しかったポスター付きの12"を憶えている向きもあるだろう。シングル曲は、哀愁系のエレピの上でミッドウエストでも変わらないストリートの苦境を述べる"Happens Everywhere"、ファストラップの真骨頂"Do the Math"など。ポジティヴな鼓舞モノ"Better than Yesterday"もメッセージ性が発揮されている。

## LMNO

Conscious

### Leave My Name Out
*Notable Track: Natural Beauty*

2001　Up Above Records

Blak ForestやVisionariesのメンバーとして活動するMCの初ソロ作。「創造主が第一。次に人生、3番目がヒップホップ」と謳う幻想的なピアノループが美しい"1st Thing First"を聴けば、すぐにクリスチャンとしての姿勢が明らかになるし、『創世記』の記述を引用しながら神へ忠誠を誓うように促す"Wise, Dumb（Wisdom）"や、最愛の彼女に主の加護があるように祈る"Natural Beauty"なんて、さながらラップ版の讃美歌だ。

## Lone Catalysts

Conscious

### Hip Hop
*Notable Track: 3 Yrs Ago*

2001　B.U.K.A. Entertainment

自分たちのデビュー作に『Hip Hop』なんて冠されたら、それだけで期待してしまう。内容はというと、簡単に"Q & A"で自己紹介をしてから始まる表題曲で確認しよう。確かにゲトーの若者文化であるヒップホップへの愛溢れる曲だ。"If Hip Hop Was a Crime"では「ヒップホップが違法なら俺は重罪人」と、婉曲的に文化への献身を披露。00年代にこの手の曲を出す連中は間違いなく"Lone"だろう。述懐モノ"3 Yrs Ago"なんてRun-DMCだ。

## The Lost Children of Babylon

Conscious

### Where Light Was Created: The Equidivium
*Notable Track: Where Light Was Created Chapter 1*

2001　Seventh Cathedral Recordings

Killah Priestの弟子であるRasul Allahを中心とし、Nation of Islamの分派であるNuwaubian Nationの信仰を基にしたラップをするフィリーのグループの1枚目。テーマは宇宙、宗教、アフリカなど、基本的に教義を基に発展してゆく形で、"The Pythagorean Theorum"では数式を用いた数学の授業を披露。DJ Man-Eによる妖しげなループのトラックが全体の雰囲気を構築している。スピリチュアルラップを代表する一枚。06年にBabygrandeより再発された。

# Masta Ace

## Disposable Arts
*Notable Track: No Regrets*

2001　JCOR Entertainment

① *The Release (Skit)*　② *Too Long (feat. Apocalypse)*
③ *Block Episode (feat. Punchline & Wordsworth)*
④ *IDA Commercial (Skit) [feat. Tonedeff]*
⑤ *Don't Understand (feat. Greg Nice)*
⑥ *Goodbye Lisa (Skit)*　⑦ *Hold U (feat. Jean Grae)*
⑧ *Every Other Day (feat. Mr. Lee Gee & S.A.S.)*
⑨ *Roommates Meet (Skit) [feat. MC Paul Barman]*
⑩ *Take a Walk (feat. Apocalypse)*
⑪ *Something's Wrong (feat. Strick [EMC] & Young Zee)*
⑫ *The Classes (Skit) [feat. MC Paul Barman]*
⑬ *Acknowledge*　⑭ *Enuff (feat. Mr. Lee Gee)*
⑮ *Watching the Game (Skit)*
⑯ *Unfriendly Game (feat. Strick [EMC])*
⑰ *Alphabet Soup*　⑱ *Dear Yvette (feat. Jane Doe)*
⑲ *I Like Dat (feat. Punchline & Wordsworth)*
⑳ *P.T.A. (Planes, Trains, Automobiles) [feat. J-Ro & King T]*
㉑ *Type I Hate (feat. Leschea & Rah Digga)*
㉒ *Dear Diary*　㉓ *Last Rights (Skit) [feat. MC Paul Barman]*
㉔ *No Regrets*

Masta Aceは00年に多発性硬化症（MS）と診断されている。様々な機能障害を引き起こす神経疾患で、日本では医療費助成の対象となる指定難病だ。足取りもおぼつかない中、当時レコード産業に嫌気が指していた彼は、MCとして第一線を退くつもりだったという。そんな折、彼はたまたまツアーでイギリスを訪れる機会があった。自分のことなど誰も憶えていないのではないかという不安をよそに、熱狂的に出迎える現地のファン。Aceは自信を取り戻すと、周囲の誰にも病状を告げることなく、ひとり新作のコンセプトを練り上げていった。これが生涯最後のアルバムのつもりで。物語はAceという架空のMCが出所するところから始まる。5年の刑務所生活ですっかり流行遅れとなった彼をあざ笑う門番の姿に"ラップ界での空白期間"を重ねると、その長かった鬱憤を晴らすかのような"Too Long"で、『Sittin' on Chrome』（'95）時代とは比較にならない多音節のライムが披露される。彼は荒んだ地元ストリートを横目に通り過ぎる（"Block Episode"）と、彼女のLisaへ別れを切り出し、当時レーベルにとっての"使い捨てのアート"と化したヒップホップを皮肉るThe Institute of Disposable Artsという名の専門学校へ進み、一からアートを学び直す決意をする。怪しいオタクのルームメイト（MC Paul Barman）と寮生活をスタートした彼は、舌

鋒鋭いバトルライムが錆びていないことを後輩ラッパー（"Acknowledge"）、音楽業界（"Enuff"）へ示してゆく。

以降も、Aceのラップ愛に"マイク"に扮したJean Graeが回答する"Hold U"や、Lisaにまつわるストリートの復讐劇をA～Zのアルファベットを順番に忍ばせてストーリーにしてゆく"Alphabet Soup"、"日記"の視点から自身の半生を振り返る"Dear Diary"などのコンセプチュアルな楽曲によって彩りを与えられたAceの物語は、その後無事学校を卒業し、ストリートを離れブルックリンの閑静な住宅街に居を構えるところまで描かれる。ささやかな成功を得たAceは、最後にインタヴューで「人生にやり残したことはないか？」と問われ、こう答える。"No Regrets"（悔いなし）と。メジャー時代とは異なり、本作は『Game Over』を指揮したFilthy Richのスタジオで気心の知れた仲間たちと自由に創作した手作りのアルバムだ。しかもリリース後、911テロの影響や配給会社の倒産により、CDはすぐに店頭から消えたという。それでもAceは本作に立ち戻ってもらうため、04年に時系列を前後する続編の『A Long Hot Summer』を発表したという。結果この2作はストリートヒットとなり、彼はその後も世界観を共有するコンセプチュアルなアルバム作品の発表を続けてゆくのである。

## MHZ

### Table Scraps
*Notable Track: Abosotively Posolutely*

2001　NCS Records

MCのCopywrite、Camu Tao、Tage Proto、DJ／プロデューサーのRJD2から構成されるコロンバスのグループが発表したコンピレーション作品。主にFondle 'Em時代の楽曲が中心で、ヒット作 "World Premier"、"Abosotively Posolutely" など、彼ら初期のキレキレのバトルライムが堪能できる一枚。基本的にフリースタイルの延長線上といった趣だが、インストモノ "Rain" では、のちのRJD2らしい独自の世界観も匂わせている。

## Mission

### One
*Notable Track: Disturbing Behavior (feat. Moe Pope)*

2001　Insiduous Urban Records

のちにCrown City Rockersと改名するボストンのヒップホップバンドによるデビュー作。何よりまずは99年のEPにも収録されていた "Disturbing Behavior" を推したい。MCのRaashan Ahmadと客演のMoe Popeが拝金・物質主義に支配され、自尊心を失いつつあるラップ界に向けた手厳しいメッセージを展開する本曲は、当時多くのヘッズの溜飲を下げたことだろう。今振り返るとコーラスに出てくるブランドの名前がなんとも懐かしい。

## Molemen

### Chicago City Limits Vol. 1
*Notable Track: Onion Rings (feat. O Type Star)*

2001　Molemen

Panik、Memo、PNSで構成されるプロダクションチームが地元シカゴのMC陣を招集し発表したコンピレーション作品。Premier的チョップ＆フリップに振れがちな彼らのトラックだが、シンプルにラップを立たせた時には抜群の効果を発揮する。たとえば、Capital Dがムスリムとして神への献身を示した "Redmeption" や、O Type Starによる自然体の言葉遊びモノ "Onion Rings" などでPanikが提供しているピアノ系フリップでは、彼らのプロダクションはあくまでラップが主役にあるということを意識的に実践しているように思えてならない。そのほかも、Family Tree が "T.R.O.Y." のラインを引用し、父親の不在を支えてくれた母や家族への感謝を曲にしたためた "Family Ties" や、Seelが上手くいかない女性との恋愛を語る "Fallin'" など、あくまでビートはミニマルに物語を盛り上げてゆく。バトルライムファンにとって嬉しいのはJuiceとVakillがハードなパンチラインを執拗に重ねてゆく "Urban Legend" の収録だろう。ラップの基本であるボーストが堪能できる一枚。

*Also recommended:*
**Molemen**
Ritual of the...
2001

## Nomad

### Art of Da Griot

Conscious
★★

*Notable Track: Blessed 2 Mic Check*

2001   300 60 Degree Entertainment

まずはヴァイオリンをフィーチュアしたブースト系"Feel the Fire"でほかのラッパーとは違うところをみせて、華やかなシンセが印象的な"Blessed 2 Mic Check"、教育の重要性を謳う"Sedated Thoughts"、思慮深いブースト"Divine Rhymer"などのシングル曲につながってゆく。シングル以外も、黒人の暮らしを現代の奴隷制に喩える"Nuff Said"、奴隷制の補償に言及する"When We Waz Gods"などどれも上々。地元シアトル愛に溢れる一枚。

## Qwel

### If It Ain't Been in a Pawn Shop, Then It Can't Play the Blues

Unique

*Notable Track: $19.99 A.D. (feat. Robust)*

2001   Galapagos4

Typical CatsのMCによるソロデビュー作。主に宗教的な内容から多岐にわたるテーマを用いている本作だが、なかでもとりわけ同郷シカゴのRobustを客演に招集している"Art of War"と"$19.99A.D."の完成度が高い。前者は『創世記』の引用から人類と戦争の歴史に言及した内容となっており、後者では堕胎される胎児の視点から、望まない妊娠中絶について語ったコンセプチュアルなものに。特に後者はビートとリリックのバランスが絶妙。

## Self Scientific

### The Self Science

Conscious

*Notable Track: Return*

2001   S.O.L. Music Works

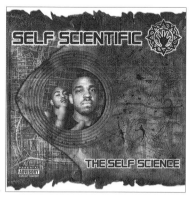

*Also recommended:*
**Self Scientific
Change**
2005

Chace InfiniteとDJ Khalilのコンビのデビュー作。本作に込められた意図を端的に示すために、98年発表の名曲"Return"のアウトロを抄訳する。「「リターン」とは、マネーゲーム以前のヒップホップの姿に戻ること。俺たちは金に魂は売らない。ラップはヒップホップカルチャーのヴォーカルの側面にすぎない。今やヒップホップは別物になってしまった。だから俺たちはそれを取り戻そうとしている」。つまり彼らはドラッグや金が流入する前のピュアでポジティヴなヒップホップにリスナーを連れ戻そうとしてくれているわけだ。たとえばそれは、Rakimの語彙を引用しながらヒップホップへの愛を誓った"The Covenant"や、「俺がコンシャスラップだ」と強弁する"Best Part"、同士討ちという負の連鎖を乗り越え、前進が必要だと訴える"We All Need"、黒人として白人社会で生まれた苦悩を吐露する"Dead Honest"などにおいても濃厚に描写されている。このChaceの世界観を彩っているのが、サンプル使いとシンセが絶妙に交錯するKhalilのビートだった。

81

## Square One

### Walk of Life

*Notable Track: Nuttin' Changed*　　　　　　　　　　2001　Showdown

DJ Premier的フリップの手法のシングル"State of the Art"('00)のヒットで知られるラップグループ初のLP作品。ドイツのアーティストだが、歌詞は全編英語になっている。メロディアスなギターの郷愁あふれる"Nuttin' Changed"、憂いのあるヴィオラのボーストモノ"Loose Cannons"などトラック面が目立つ曲が多いが、ストリートの住人により変えられてしまった幼い少女の物語"Cry"ではメッセージ性も発揮している。16年にCD、LPともに再発された。

## Street Platoon

### The Steel Storm

*Notable Track: Great Downfall*　　　　　　　　　2001　Sick Symphonies

Psycho Realmのレーベルより登場したLAの2人組のデビュー作(前年発表のPsycho Realmのアルバムにその原型がある)。ストリートに根ざしたサグラップを得意としており、聴きどころはそのラップよりも、妖しい琴のループが光る"Drug Lab"、哀愁系ピアノループ"Street Revolution"などに象徴されるPsycho Realm直系のトラックだろう。もっとも、ドラッグによる凋落を解説する"Great Downfall"では教訓めいたリリックも披露している。

## Tragedy Khadafi

### Against All Odds

*Notable Track: Permanently Scarred (I Don't Wanna Wait) [feat. Joya & B-Minor]*　　2001　Gee Street

クイーンズブリッジのレジェンドIntelligent Hoodlumが名義をTragedy Khadafiに変更して発表した1枚目のアルバム。90年代に自身のレーベル25 to Lifeからリリースした楽曲は今回収録せず、基本的には新録中心となっている。嫌が応なく犯罪に巻き込まれるストリートを叙述したCormegaとの"They Force My Hand"、感傷的なストリングスの上で亡き母への想いを語る"Permanently Scarred"など、郷愁あふれるQBスタイルを踏襲した名曲揃い。

## Typical Cats

### Typical Cats

*Notable Track: Reinventing the Wheel*　　　　　　2001　Galapagos4

MCのQwel、Qwazaar、Denizen Kane、プロデューサーのDJ Naturalから構成されるシカゴのグループのデビュー作。まずはイントロで各々のメンバーが自己紹介を済ませつつ、ヒップホップの定義を再確認する"Reinventing the Wheel"でクルーのスキルを誇示。Qwelソロ曲の"Cliche"では皮肉たっぷりにあえて"在り来たり"なパンチラインのみで曲を構成。Typical Cats=典型的な奴らを名乗っているが、決して凡百のラップグループではない。

# Alias

## The Other Side of the Looking Glass

*Notable Track: Angel of Solitude*

Unique

2002　Anticon

*Also recommended:*
Jel
10 Seconds
2002

Soleの Live Poets への合流後、Deep Puddle Dynamics 参加やAnticon 創設など、00年代初頭のインディラップブームを支えたMC／ビートメイカーのAliasによるデビュー作。レーベル運営のためメインからオークランドへの移住に同行してくれた妻への愛と地元への郷愁あふれるイントロで幕を開ける本作は、盟友 Doseone 参加の1曲を除き全編自身のラップとトラックによって構成されている。彼の作風が端的に表れているのは、前年レーベルコンピに提供していた"Watching Water"。ドラマーとしての出自が活きた躍動的な打ち込みに、エレピの幻想的な上モノ、そして窓を伝う雨粒を比喩に用いた詩的なラインが絶妙にマッチしている。そのほかも穏やかに反復される美しいピアノの上、天使の視点で叙情的な詩世界を魅せる"Angel of Solitude"、深淵なシンセと破壊的なスネアがライムを盛り立てる"Dying to Stay"など、どの曲も独自の世界観を構築。のちにAliasは妻 Jenn との間に2児をもうけ、さらなる活躍が期待されていたが、18年3月心臓麻痺により急逝。多くのファンが涙した。

# Busdriver

## Temporary Forever

*Notable Track: Imaginary Places*

Unique

2002　Temporary Whatever

ティーンの頃から父親に連れられGood Lifeに通っていたというBusdriverは、その後Project Blowed、Afterlifeへ参加し、Good Liferらしい変幻自在のフローを磨き上げてきた。そんな彼の研ぎ澄まされたファストラップがもっとも活きているのが、バッハの"管弦楽組曲第2番"のフルートパートをサンプルした"Imaginary Places"。軽快なトラックの上、ヴォーカルをひとつの楽器として見事にメロディに合わせている。ラップの可能性を感じさせる一枚。

# Cage

## Movies for the Blind

*Notable Track: Agent Orange*

Hardcore

2002　Eastern Conference

『時計仕掛けのオレンジ』('71)の主人公に成りきり傍若無人の限りを尽くす"Agent Orange"でデビューしたMCの初となるアルバム。映画『ゼイリブ』を模したアートワークからも明らかだが、本作は劇画調のストーリーモノが大勢を占めている。精神病棟での体験を物語る"In Stoney Lodge"、失恋から自殺を図る"Suicidal Failure"、夢か妄想かの区別もつかない猟奇殺人劇"Among the Sleep"など豊富なトピックで病んだ世界観を構築。

## Capital D & the Molemen

Conscious

### Writer's Block (The Movie)
*Notable Track: Du'a (The Deen's List)*

2002　All Natural Inc. / Molemen

All Natural の MC と、 プロダクションチーム Molemen による地元シカゴつながりのコラボ作品。 副題に "The Movie" とあるように、本作は全体的にストーリーテリングモノの曲で構成されている。 たとえば、96 年のデビュー作の続編 "Writer's Block Pt.II" では地元のストリートを俯瞰し、"Du'a (The Deen's List)" では公害に侵された母親代わりの隣人の物語を描き、"Crossfire" では銃撃の犠牲になるストリートの者たちを叙述した内容になっている。

## Copywrite

Hardcore

### The High Exhaulted
*Notable Track: June*

2002　Eastern Conference

MHz のハードコア MC によるソロデビュー作。 もっとも大半の曲を盟友 RJD2 がプロデュースし、Camu Tao、Jakki Da Motamouth も頻繁に登場するので、実質 MHz のアルバムという趣だ。 ハイライトはやはり先行シングルの "June" だろう。 特に今は亡き父に対する愛憎相半ばする感情をしたためた 2 ヴァース目は、RJD2 プロデュースのビート、そしてその感傷的なインタールードの盛り上がりと併せて、00 年代初頭を代表する好ヴァースとなっている。

## DJ JS-1 & Dub-L

Hardcore

### Ground Original
*Notable Track: Take a Loss (feat. Kool G. Rap)*

2002　Yosumi Records

NY を拠点にする DJ コンビが地元の豪華 MC 陣を招集して発表した初のアルバム。 JS-One のスクラッチと Rahzel のビートボックスに盛り立てられる KRS-One がスピットする "Essentials"、 スムースなエレピの上で Kool G. Rap がキレキレの多音節ポースト決める "Take a Loss" といった先行シングルはもちろん素晴らしいが、C-Rayz Walz がヒップホップをドラッグに喩えてラップ愛を語る "Drugs in My Vein" も忘れずに。 本作はシリーズ化され、計 4 作発表された。

## El-P

Battle

### Fantastic Damage
*Notable Track: Stepfather Factory*

2002　Definitive Jux

Co-Flow のフロントマンが自身のレーベルより発表した 1 枚目。 911 テロのあとに作られたという本作は、愛国化・均一化するディストピアン社会アメリカを表題曲で表現しつつ、レーベル名変更の原因となった Def Jam への牽制も伴う "Dead Disnee" では大企業による洗脳をテーマとし、"暴力継父" が量産されるアメリカ社会の闇は "Stepfather Factory" で表現している。 El-P 独自の Sci-Fi 趣味と反体制思想が結実した作品に仕上がった。

## Genelec & Memphis Reigns

### Scorpion Circles

*Notable Track: Sakura*

Unique
★★★

2002   HHI Recordings

サンタクルーズを拠点に活動するMC2人組のデビュー作。複雑かつ思慮深い詩世界を得意としている彼ら、まずは何より、和モノサンプルにさながら"花吹雪"のようにフロウを飛ばす"Sakura"が特徴的だ。2ヴァース目以降のトラックの転調も面白い。そのほかも独特の比喩と入り組んだライムでボーストする"Sunwheel"、Paul Kelly "Peace"の泣きのギターに前向きなラップが合わさる"Chicken Soup"など、創意工夫に富むユニークな良曲が収録されている。

## Insight

### Updated Software V. 2.5

*Notable Track: True to the Game*

Conscious

2002   Brick Records / Landspeed Records

Electric CompanyやY Societyの一員として知られるボストンのMC／プロデューサー初のラップアルバム（CDは2枚組でビート集付きとなっている）。独特の温かみのあるトラックの上でポジティヴなライムを披露することを誓ったシングル曲"True to the Game"が突出しているが、心地よいヴァイブを用いたボーストライム"The Oracle"、コミュニティ団結の重要性を語る"Humanity"など、そのほかも理性的な内容の曲が続く。

## Josh Martinez

### Buck Up Princess

*Notable Track: Nightmares*

Unique

2002   Good Luck Records

Anticonへの参加で知られるカナダのアブストラクトMCの3作目。本作は当初ツアー限定で流通していたが、04年に再発されている。アルバムの内容は"Rainy Day"で仕事に対する堪え性のなさを語っている通り、基本的に日常の葛藤や怠惰な自分を表現した曲が多く、ラップよりはトラックを聴くべき作品といえるだろう。Sichuanプロデュースの淡々としたピアノとスクラッチが雰囲気を醸し出す"Nightmares"がいぶし銀の輝き。

## Light Headed

### Pure Thoughts

*Notable Track: The Top*

Conscious

2002   Day By Day Entertainment

オレゴンはポートランドのBraille、Omega Watts、Othello、Muneshineによるクリスチャンコレクティヴの1枚目。そのタイトルにもあるように、純粋で楽しげなヒップホップの魅力が詰まった作品。クルーのメンバーはそれぞれ自らプロデュースもするが、今回は全曲Muneshineが担当。ほどよくファンキーなギターストラミングの入る表題曲"Pure Thoughts"、透明感のあるヴァイブが印象的な"The Top"など、独自のスタイルを表現できている。

## MF Grimm

### The Downfall of Ibliys: A Ghetto Opera

*Notable Track: Time and Space*                    2002    Day By Day Entertainment

*Also recommended:*

**Count Bass D**
**Dwight Spitz**
2002

ドラッグ売買をめぐる抗争で生死を彷徨い、再起を期していた矢先に薬物犯罪で終身刑に。そんな壮絶な体験を経てもへこたれなかった彼は、獄中で書き溜めたライムを24時間というわずかな保釈期間にレコーディングした。80年代から活動するMC待望のデビュー作はこうして誕生したのである。タイトルの『イブリースの没落』とは、コーランに登場する悪魔のことで、冒頭の幻想的なピアノの"Time and Space"でも叙述されているように、彼は半身不随となった自身を"羽根をもがれて楽園を追放された堕天使"に重ね合わせている。本作ではその後も、94年の銃撃事件を引用し、自分を生かした神を呪い赦しを請う"Words"、生と死をそれぞれ女性に擬人化した"Life and Death"、Audio Two "Top Billin'"のラインを引用し、獄中から最愛の女性を想いつつも同時に彼女を失う恐怖を描いた"I.B.'S"、シリアスなキーボードの上、ストリートの餌食となった仲間たちへ捧ぐ"To All My Comrades"など、ポエティックで思慮深い曲が続く。極限の状況で生み出されたストリートアートをぜひ体験してほしい。

## Mr. Lif

### I Phantom

*Notable Track: Return of the B-Boy*                    2002    Definitive Jux

*Also recommended:*

**The Perceptionists**
**Black Dialogue**
2005

『I Phantom』という表題は、資本主義社会アメリカで幻影のように個を失ってゆく現代の人々を表現したものだという。地元ボストンとDef Jux勢の双方にサポートされた本作は、そんな彷徨える人々に巻き起こる困難や葛藤を表現したコンセプトアルバムだ。イントロでVast Aireから拳銃を手に入れると、貧しさからその銃により強盗を犯してしまう"A Glimpse of the Struggle"にて彼の死が描かれ、続く"Return of the B-Boy"にて、ヒップホップによって生き返り、またヒップホップのため自身の幻影と戦う顛末が描かれる。その後も労働を現代の奴隷制に対比した"Live from the Plantation"、そこから解放され新たな仕事を始める"New Man Theme"、仕事に燃えた先に離婚が訪れる"Success"、新しい家庭で巻き起こる子供の問題"The Now"など、アルバム全体を通して重層的に物語が紡がれていくのが特徴だ。そしてしまいには、核戦争による世界の滅亡"Earthcrusher"と、4人のMC陣が終焉の瞬間を描いた"Post Mortem"までテーマは敷衍してゆく。

# Non Phixion

## The Future Is Now
*Notable Track: Say Goodbye to Yesterday*

2002　Uncle Howie Records / Fat Beats

① *Futurama*
② *Drug Music*
③ *The C.I.A. Is Trying to Kill Me*
④ *If You Got Love*
⑤ *There Is No Future (feat. Necro)*
⑥ *Uncle Howie*　⑦ *Rock Stars*
⑧ *Say Goodbye to Yesterday*　⑨ *Black Helicopters*
⑩ *Strange Universe (feat. MF Doom)*
⑪ *Cult Leader*　⑫ *It's Us*
⑬ *Suicide Bomb (feat. Al' Tariq, Juju, Marly Metal, Moonshine & Psycho Les)*
⑭ *Where You Wanna Go (feat. Uncle Howie)*
⑮ *We Are the Future*
⑯ *The C.I.A. Is Still Trying to Kill Me*

94年にWild Pitchの副社長兼A&RだったMC Serch（ユダヤ系白人）が主導し、レーベルの店頭PR部門担当のDJ Eclipse（アイルランド系白人）、同じくラジオPR部門担当のSabac Red（イタリアン／プエルトリカンのミックス）と、当時カレッジ系ラジオのフリースタイルバトルを荒らしていたIll Bill、Necro兄弟（ユダヤ系白人）により結成されたNon Phixion。すぐにSerchがA&Rに専念し、Ill Billの幼馴染のGoretex（メキシコ系のミックス）が合流、Necroが脱退したため、現在では3 MC's 1 DJのグループというイメージが強いと思われる。彼らはのちにメジャーのGeffenと契約を結ぶが、Serchと揉め、Serchを解雇し、その後Matadorなどとの契約を経て、Necroが創設し兄Billに譲渡した自主レーベルUncle Howie Recordsより、02年に本作『The Future Is Now』を自主発表している。

以上の経歴を振り返っただけでも、彼らの下積み時代の苦労と、アフリカンアメリカンが大勢を占めるラップ界における"マイノリティ"っぷりが露わになってくるわけだが、まずは本作の収録曲にフォーカスしてみよう。たとえば、なんと喜多郎がサンプルされた哀愁漂うトラックの"Say Goodbye to Yesterday"で、「白人と黒人は分断されているけど、俺たちはラップという文化を通して団結している」とSabacが謳っているように、

彼らはよい意味で"カラーブラインド"だし、実際"Futurama"や"There Is No Future"あたりのバトルライムでは、人種という偏見を軽く払拭してしまうラップの技量を示してくれている。その一方で、近江俊郎の"湯の町エレジー"（正確には李雅芳によるカヴァー版）というこれまた和モノ使いの"Black Helicopters"では、Bill、GoretexがそれぞれCIA、FBIの諜報員に扮してSci-Fiめいた陰謀説ラップを展開しており、かつてブラックパワームーヴメント界隈で席巻されていた危うい政治性をも吸収し、再構築している。そのタイトルからして直球の"The C.I.A. Is Trying to Kill Me"なんて、しょっぱなからBillの「ノンフィクションはリアルヒップホップ。警官殺しがしたくなるだろ」「俺がエルヴィスを殺し、シークレットサーヴィスの助けでレーガンを撃った」「イエスはギャングスタラッパーだった。奴は殺されたが、生き返り、プラチナムアルバムを生み出した」なんて強烈なパンチライン全開だし…。ちなみに、これまで例示した曲たちは、全てNecroによるプロデュース作品なのだが、後年彼自身がブログで語った言葉によると、これらの初期Non Phixサンプルソースの大方は、StretchとBobbitoがラジオを放送していたWKCRのスタジオから盗んできたものだそうだ。確かにNYの普通のレコード屋には置いてなさそうだけど…。

## Oliver Hart (Eyedea)

### The Many Faces of Oliver Hart
*Notable Track: Bottle Dreams*

2002　Rhymesayers Entertainment

*Also recommended:*
Sadistik
Other Songs
2012

薬物の過剰摂取によりわずか28歳でこの世を去った希代のリリシスト、Eyedeaが変名で発表した通算2枚目。前作はDJ Abilitiesとの共作だったが、今回はなんとプロデュースからミキシング（！）までを独力で行なっている。しかもそのリリックは、高校卒業までに書き溜めた詩が基になっているというのだから驚きだ（デビュー作はなんと16歳の時のものだった）。Eyedeaというと、Scribble JamやBlaze Battleなど、名だたるMCバトルで栄光を掴んできた完全即興のイメージだが、本作は大半がなんらかの"テーマ"を持っている。"How Much Do You Pay"では路上演奏家の男との出会いから"成功とは何か"を見つめ直す。Fleetwood Mac "Safe Harbour"のイントロのギターを丸使いした哀愁漂う"Bottle Dreams"は、誰もがうらやむような才能あふれる少女が、人知れず受けていた性的虐待に耐えかね、最後は自ら命を絶つという深淵なストーリーに。Oliverが天国の門の前で2人の天使と悶着する"Step by Step"なんて、完全にイソップ童話の世界だ。

## Supastition

### 7 Years of Bad Luck
*Notable Track: Celebration of Life*

★

2002　FreshChest

実直で地に足のついた作風で知られるノースキャロライナのMCのデビュー作。まずなんといっても"Celebration of Life"が素晴らしい。Scott La RockやBig Lなどヒップホップの故人たちへ言及しつつ、それでも「ヒップホップに生きていれば死ぬことはない」という台詞で幕を閉じる本曲に感動した向きも多いことだろう。また、作中で度々言及があるように、15歳で父親となってしまった葛藤は"Mixed Emotionz"で丁寧に整理されている。

## Will Vill

### The Arrival
*Notable Track: Wishes*

★

2002　DPI Music

ワシントンハイツのMCによる初のアルバム作品。ストリート色の強い彼のラップは重く響く。ドラッグディーラーに成らざるをえない、同じ黒人同士で殺し合うストリートに生まれたことを悔いる"Wishes"、ストリートで殺害される妄想に囚われた自身を描写する"Dreams of Getting Murdered"、困難な状況の中でも歩んでゆくことを誓う"It's Only Right Rap"、体制批判のメッセージをみせた"Behave Like a Slave"など、どれも力強い歌詞世界となっている。

## 9th Wonder & Nas

Hardcore

### God's Stepson (Unofficial)
*Notable Track: Ether (9th Wonder Remix)*
★

2003  HipHopsite.com Recordings

『Illmatic』以来プロダクションへの不満が多かったNasだが、さて、彼以外が勝手にビートを主導したらどうなるのか。そんな疑問に当時気鋭の9th Wonderが応えてくれた。まずなんといっても"Ether"のリミックスが素晴らしい出来。オリジナルは完全にラップ負けしていたが、ホーンとベースのミニマルながら深みのあるトラックに生まれ変わった。"The Cross"もシンセとコーラスが賑やかなソウルフル仕様に。惜しむらくはクリーンエディットとなっていることか。

## Blame One

Unique

### Chemically Imbalanced
*Notable Track: Sticky Situations*

2003  Blame One Music

Mystery's Extinction所属のサンディエゴのMCが自主制作した作品。特にアルバム最後に収録されているストーリーモノ"Sticky Situations"が面白い。ドラッグディーリングをしようと取引先のアジトに乗り込んだ彼はストリッパーに拷問され、気づくと救急車に乗っていたというオチで終わる。DJ Shagのシンプルながらラップを映えさせるトラックとの相性抜群だ。白人MCとしての彼の出自は"Take a Sec to Think Back"で確認できる。

## Bleubird

Unique

### Sloppy Doctor
*Notable Track: Living Through Others*

2003  Endemik Music

フロリダ出身のMCがカナダはハリファックス発のレーベルから発表したデビュー作。N.W.A.などの引用を含めつつ、当時流行のクランクを皮肉たっぷりに料理した"Crybaby Crunk"を聴いてもわかるように、Anticonのフォロワー的立ち位置のアーティストといえるだろう。実際本作には同レーベルからSoleとAliasがそれぞれラップとプロデュースで参加している。続く"Living Through Others"では一転してシリアスなバトルライムを披露。

## Brooklyn Academy

Battle

### Academy Awards
*Notable Track: Language Barriers*
★

2003  Brooklyn Academy Records Inc.

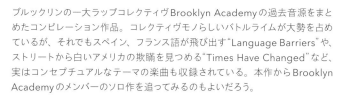

ブルックリンの一大ラップコレクティヴBrooklyn Academyの過去音源をまとめたコンピレーション作品。コレクティヴモノらしいバトルライムが大勢を占めているが、それでもスペイン、フランス語が飛び出す"Language Barriers"や、ストリートから白いアメリカの欺瞞を見つめる"Times Have Changed"など、実はコンセプチュアルなテーマの楽曲も収録されている。本作からBrooklyn Academyのメンバーのソロ作を追ってみるのもよいだろう。

## C-Rayz Walz

### Ravipops (The Substance)
*Notable Track: We Live*

2003   Definitive Jux

バトルラップ集団Strongholdクルーより、5パーセント的歌詞世界と独特の
パンチラインが持ち味のMCがDef Juxより発表した作品。リミックス版がシ
ングル化された"We Live"は、身近な者たちがいとも簡単に亡くなってゆくフッ
ドの様子を描写しながら、時にナンセンスともいえるパンチライン重視の言葉
遊びでヴァースを紡いでゆくスタイル。ちなみに12"はクリーンエディットされ
ているので、リミックスはEPの『The Black Samurai』('04)で聴こう。

## Cadence

### Poisons the Minds of the Children
*Notable Track: Intellectual Property*

2003   Day By Day Entertainment

ボストンのヒップホップデュオRaw ProduceからCadenceのソロデビュー作。
クルー名義と同じく、全編にわたりポジティヴで思慮深いラップ、スムースな
サンプリングサウンドが展開される。高揚感のあるストリングスで盛り上げる
"The Odds"、幻想的なエレピとフルートの"An Ounce of Prevention"など
はトラックが上々。周囲に流されず自分を貫くことを語ったシングル曲"I Am
Myself"のリミックス版が最後に収録されているのでこちらも是非。

## Canibus

### Rip the Jacker
*Notable Track: Levitibus*

2003   Babygrande

LL Cool Lとのビーフに敗れてインディ落ちしたMCがBabygrandeよりリリー
スした作品。複雑なライムと難解な学術用語を多用しつつも、これまでビート
に恵まれなかった彼が、Jedi Mind TricksのStoupeという実力派と合わさる
ことで素晴らしい化学反応をみせた。本作ではより一層、宇宙的・哲学的な
用語(と相変わらずのLLディス)、目まぐるしく置き所の変わるライムが展開さ
れ、Stoupeの妖艶なサウンドと抜群の相性を魅みせている。

## Children of the Corn

### Collector's Edition
*Notable Track: American Dream*

2003 (1995-96)   Six Figga Entertainment

Big L、Cam'ron、Mase、McGruff、Bloodshedによるハーレムのグループ
の未発表音源集(Bloodshedの死をきっかけにほかの4人はソロで活躍する
ことに)。まずは96年のシングル"American Dream"を聴いてほしい。勿論
Big Lが全てをかっさらってゆくが、ほかの4名も及第点のラップを披露してい
る。Cam'ronとBloodshedが交互に地元のストリートを振り返る97年のシン
グル"A Star Is Born"の収録も嬉しい限り。

## Choclair

### My Demo
*Notable Track: What It Takes*

Hardcore

★

2003 (1995-98)    Sextant Records / Greenhouse Music

『Rap Essentials』('96)への参加やVirginからの作品発表で知られるジャマイカ系カナダ人MCの初期音源をまとめたコンピレーション作品。女モテ自慢の"Just a Second"、重厚なベースにスムースなトラックのボーストモノ"What It Takes"など12"のみだった曲がまとめてチェックできる。基本的にボースト調のラップが大勢を占めるが、デビューアルバムにも収録されていた"Situation 9"では、銃による暴力とその教訓をテーマに扱っている。

## Cyne

Conscious

### Cyne (Collection 1999 - 2003)
*Notable Track: Midas*

2003    P-Vine Records / Botanica Del Jibaro

フロリダのヒップホップバンドCyneの初期音源をまとめた日本企画盤。強欲に支配されたアメリカ社会を痛烈に批判した寓話調の"Midas"や、400年に及ぶ奴隷制の歴史をパーソナルに整理した"African Elephants"、"400 Years"などの初期シングル曲は、メロディアスなギターとオーセンティックなドラムに、"革命派"を謳うMC陣の啓発的なメッセージが踊った00年代初頭の傑作。同年発表の1stアルバム『Time Being』と併せて聴いてほしい。

## Eligh

Unique

### Poltergeist
*Notable Track: Universe Will Provide*

2003    G & E Music

Living Legends随一のファストスピッターによる通算5作目のラップアルバム。自らミックスまでこなしてしまう多芸な彼だが、本作からは本格的にLLクルーの代名詞である"4トラックのロウなサウンド"から、いわゆる打ち込み系のシンセサウンドへと変貌を遂げており、往年のブーンバップを期待すると面食らうかもしれない。しかし、未来での成功を夢想するポジティヴな"Universe Will Provide"や、相棒のマイクを女性に喩えたラップ賛歌モノの"M.I.C.helle"あたりで披露されている幻想的なキーボードのループは、おそらく上述の硬質なシンセドラムの方が相性がよいだろうし、軽快に刻まれるスネアに、相変わらず詩的なラップをリズミカルに歌い上げた"To Angela"は、これまでの彼らにはない新機軸だろう。古くからのファンにとって嬉しいのは、LLクルーの面々を客演に招集し、彼らがかつて拠点としていたイーストオークランドの倉庫、通称"Outhouse"での共同生活を振り返る"Outhouse"。満足に食事も摂れない過酷な状況下にもかかわらずラップ愛を貫くその姿勢に、心動かされるものがある。

*Also recommended:*

**The Grouch, Eligh & CunninLynguists The WinterFire EP**

2014

## Immortal Technique

### Revolutionary Vol. 2

*Notable Track: Peruvian Cocaine*

2003　Viper Records

① *Revolutionary Intro (feat. Mumia Abu-Jamal)*
② *The Point of No Return*
③ *Peruvian Cocaine (feat. C-Rayz Walz, Diabolic, Loucipher, Poison Pen, Pumpkinhead & Tonedeff)*
④ *Harlem Streets*　⑤ *Obnoxious*
⑥ *The Message & the Money*
⑦ *Industrial Revolution*　⑧ *Crossing the Boundary*
⑨ *Sierra Maestra*　⑩ *The 4th Branch*
⑪ *Internally Bleeding*
⑫ *Homeland and Hip Hop (feat. Mumia Abu-Jamal)*
⑬ *The Cause of Death*　⑭ *Freedom of Speech*
⑮ *Leaving the Past*　⑯ *Truth's Razors*
⑰ *You Never Know (feat. Jean Grae)*
⑱ *One (Remix) [feat. Akir]*

03年当時の混迷する米国政治を如実に表している
のが"The Cause of Death"。本曲では米国
企業の支援により興隆したナチス第三帝国や、
89年のアフガン内戦時にCIAから資金提供を受
けていたアルカイダなどの史実を紐解きながら、
911テロに隠された陰謀に迫っている。続く
"Freedom of Speech"では『ピノキオ』の台詞を
サンプルし、ブッシュ政権に加担するメディアを
批判、自身はレーベルに一切の"言論の自由"を
縛られていないと強調している。これらの政治的
な作風を突き動かしているものはいったい何か。
それはやはり"独立性"という言葉に集約されるだ
ろう。
"Obnoxious"ではDef JamやSonyのオファーを
蹴った過去を披歴しているし、"The Message &
the Money"は中間搾取批判、シングル曲の
"Industrial Revolution"を聴けば完膚なきまでの
コマーシャルラップディスが展開されている。つま
り彼は真の意味で人々が自由となるために、率先
して自身の独立性を誇っているというわけである。
そんな正直な彼に比べ、世の中には絶大な発信
力を持ちつつも時に真実を包み隠す存在がある。
そんな"第4の権力"メディアの欺瞞を突いた"The
4th Branch"では、中東戦争に加担し莫大な利
益を上げる大資本メディアの姿をつまびらかに
し、テレビを消して本を読み学ぶことを若者たち

に説いている。さらに、報道の手が伸びづらい"第
三世界"の状況に対しても、彼は手を緩めること
はない。「スペイン人は黒人とインディアンの女性
たちをレイプし、ラティーノを造った」という強烈
なラインが登場する"The Point of No Return"に
て、彼は舌鋒鋭く人類の征服と抑圧の歴史に切り
込んでいる。また、ドラッグ産業によって搾取
される南米の過酷な現状を丁寧に叙述した次曲
の"Peruvian Cocaine"においては、イントロで
映画『スカーフェイス』のダイアログを流用し、ま
ずここでドラッグの"消費地アメリカ"と"生産国ペ
ルー"の姿を対比させてから、同映画中で主人公
のトニー・モンタナがコケインの生産地ボリヴィ
アへと移動する際のBGMが登場する構成となっ
ている。その後は各々の参加MCが、コケイン
農場の作業員(Tech)、コケイン農場の領主(PH)、
ペルーの指導者(Diabolic)、取引相手のCIA諜
報員(Tonedeff)、米国の売人(Poison Pen)、
おとり捜査官(Loucipher)、囚人(C-Rayz)を演
じるというコンセプトとなっており、最後には映
画『ニュー・ジャック・シティ』('91)より主人公ニ
ノ・ブラウンの「俺は無実。お前ら政治家や麻薬
組織こそが犯罪者だ」という意見陳述をサンプル
して、本曲の幕を閉じているのだ。おそらくここ
まで精緻で理路整然としたポッセカットのストー
リーモノはほかにないだろう。

## The Invisible

`Hardcore`

### Invisible

*Notable Track: Concrete Jungle*

2003　Tableturns

タイトルさながら、まるでジャングルから飛び出したかのようなパーカッションとシンセサイザー、コーラスによる高揚感のある"Concrete Jungle"では、慌ただしい大都会NYでとにかく生き抜こうとする若者の心の叫びがこだましているし、ゲットーの犯罪について語る"Petro"、劣悪な環境でも自身を忘れない"A Journey"など、彼のラップはブルックリンのストリートで苦労しながらもポジティヴに生きていく姿勢が表現されたものとなっている。

## King Geedorah

`Battle`

### Take Me to Your Leader

*Notable Track: Take Me to Your Leader*

2003　Big Dada Recordings

Monsta Island CzarsよりMF Doomの変名名義のソロ作が登場。といってもDoomのラップ曲は少なく、大半は客演のメンバーによるラップとインストとなっている。ビート集『Special Herbs』から流用の"Next Levels"ではLil' Sciが流石のヴァースを投下、ドラマ『ダーク・シャドウズ』のテーマをより妖しく仕上げた表題曲"Take Me to Your Leader"ではアニメのヴォーカルで台詞を構成。Doomのプロダクション面が強調された一枚。

## Little Brother

`Conscious`

### The Listening

*Notable Track: The Way You Do It*

2003　ABB Records

一作を架空のラジオ放送に見立てたコンセプト作。グループ結成前に制作していた"Speed"は、ビーフで混乱する業界に対し落ち着きを取り戻すよう牽制した曲で、ギャングスタ最盛の03年における一服の清涼剤だった。Tony Rice Unitのギターが美しい"The Way You Do It"も、自然体でいるよう謳ったポジティヴな内容。彼らの主張は歌詞の内容を無視する者たちへ向けた表題曲で結実しており、3ヴァース目はあえて意味のない内容で皮肉を強めている。

## Longshot

`Conscious`

### Open Mouths Fed

*Notable Track: Locked Behind (feat. Claudia)*

2003　EV Productions

Molemen関連作への参加で知られるシカゴのMCによるソロデビュー作。ポジティヴな歌詞世界を得意としており、監獄の中で正気を保つためにライムを綴り、妻を想った心境を整理する"Locked Behind"、シンプルなエレピの上、地元のストリートの後輩たちに銃を置くように説いた"Grow with Me"、ラップがストリートで生きる糧だという"Motivation"などが聴きどころ。ちなみに"No Wins"には地元のレジェンドJuiceが参加している。

# The Last Emperor

Conscious

## Music, Magic, Myth
*Notable Track: One Life (feat. Esthero & Poetic)*

2003　Red Planet Music / Raptivism

1-① *Intro*　1-② *Who's That?*
1-③ *Some Love, Some Hate*　1-④ *Tiger Trail*
1-⑤ *Prisoner*　1-⑥ *Karma*
1-⑦ *One Life (feat. Esthero & Poetic)*
1-⑧ *Meditation*　1-⑨ *Animalistics*
1-⑩ *The Underground*　1-⑪ *The Block Party*
1-⑫ *Do You Care?*　1-⑬ *Shine*
1-⑭ *The Incredible Man*　1-⑮ *Let's Ride*
1-⑯ *Hold On*　1-⑰ *Single Mother*
1-⑱ *The Great Pretender*　1-⑲ *Outro*

2-① *Secret Wars I*　2-② *Secret Wars II*
2-③ *Here We Are*

"ラップ界のスーパースターたちがマーベルヒーロー軍と対決したらどちらが勝つだろう？"そんなヘッズとしての愛に溢れたシングル"Secret Wars"でラップ界に鮮烈な印象を残した、フィラデルフィアのリリシストによる"待望"のデビュー作。Aftermathと契約をしたものの音楽産業の闇に翻弄されたLast Emperorだが、インディに移行し約5年もの歳月を費やして作られた本作は、その詩的なライム、ユニークなトピック、ストーリー構成力がいかんなく発揮されている。まずは何より、96年のデモテープ収録曲である"Meditation"の再録（別ヴァージョン）が嬉しい限りだ。ヒップホップという"瞑想"の力で持たざる者たちの団結を謳ったその思慮深くもスキルフルなリリックは、当時Unsigned Hypeでも大々的に取り上げられた。「大企業アメリカが俺を打ち負かそうとしているなんて、誰も教えてくれなかった」なんて台詞は、今聴くと皮肉でしかない。社会政治的なメッセージでいうと、凄惨なゲットーを"監獄"に喩えた"Prisoner"のような曲もあるし、子育てに奮闘する全てのシングルマザーに捧げた"Single Mother"では、詩の書き方に始まり、大学まで進学させてくれた母親への感謝と、創造主への信仰心がつぶさに描写されている。こういうポジティヴな内容の曲はおそらく当時のAftermathからは出せなかっただろう。ストー

リーモノでは、1、2ヴァースで図らずもストリートにとらわれた男女の物語を披露してから、第二次大戦中に離れ離れとなりながらも純愛を貫いた老夫婦の姿を描写し、上手くテーマである"因果"の対比にしている"Karma"のような曲調もあり。そのほかも"Do You Care"、"Shine"あたりはお得意のポエティックなラヴソングで、"Tiger Trail"、"Animalistics"、"Hold On"などではかつてフリースタイルで磨いた代名詞のバトルライムが堪能できる。

さて、本作はLast Emperor渾身の多様性豊かな楽曲が軒を連ねた03年を代表するアルバムであったが、実はまだ言及していない曲の中で、アルバム中もっとも重要なタイトルがある。それはGravediggazの故Poeticを客演に招いた"One Life"だ。本作発表の約2年前となる2001年7月に大腸ガンでこの世を去ったロングアイランドを代表するMCの壮絶な闘病体験と家族への痛切な思いが込められた2ヴァース目を聴けば、自ずと熱いものがこみ上げてくるのではないだろうか。彼は文字通り"命を削って"病床を抜け出し、本曲のレコーディングに立ち会った。そして力を振り絞って、わずか1テイクで20小節を唄い上げたのである。Last Emperorのアルバム契約が順当に行っていれば、おそらくもっと早く日の目を見たであろうそのメッセージ。もはや多くは語るまい。

## Louis Logic

### Sin-A-Matic

Unique

*Notable Track: Dust to Dust*

2003　Solid Records

元The Demigodzのメンバーで、複雑なライムを駆使したスタイルで知られる
MCの初ソロ作。"シネマティック"と"罪"を混成した表題からも明らかなように、
本作はあえてキツイ表現を用いた曲が多い。軽快なキーボードの"The Ugly
Truth"では白人至上主義の人種差別者に扮し、黒人やユダヤ人、アジア人へ
の憎悪をぶちまけているし、浮気性の妻の殺害を決意した男が、逆に死体で
発見され自殺として処理されるという"Dust to Dust"など、ストーリーも巧み。

## MC Juice

### Tip of the Iceberg

Conscious
★

*Notable Track: Real Hip Hop*

2003　Molemen

97年のScribble Jam MC Battle覇者として知られるシカゴのリリシストが、
地元のプロダクションチームMolemenと発表したアルバム。プロデューサー
Panikの代名詞であるシンプルながら美しいエレピ使いの"Real Hip Hop"にお
いて、彼は自身のMCとしての経歴を披歴し、「真のヒップホップの姿を守り抜
く」と誓っている。どの曲を聴いたって、必ずといっていいほど地元シカゴへの
シャウトに溢れているし、多音節のライムがキレキレ。いかにも正統派だ。

## Monsta Island Czars

### Escape from Monsta Island!

Battle

*Notable Track: Became a Monsta*

2003　Metal Face / Rhymesayers Entertainment

*Also recommended:*

Megalon
A Penny for Your Thoughts
2004

DoomとGrimmのMFコンビが主導となり、地元NY
のアーティストと結成したコレクティヴの作品。参加
MC陣は特撮映画の怪獣の名をオルターエゴに用いて
おり、宇宙から飛来したモンスターが大都市を侵攻する
というテーマからボーストラップを展開してゆく。発起
人であるGrimmことJet Jaguarは制作当時収監され
ていたため、クレジットのみ登場。プロダクションは
Darc MindのX-Rayがメインで担当しており、Amon
Düül II "Kismet"使いの"Became a Monsta"に代表
されるように、物悲しいキーボード系のビートでSci-Fi
終末的世界観の構築に貢献。一部Doomもプロデュー
スしているが、ビートは相変わらず『Special Herbs』の
流用だ。それでも拍子を無視した独特のつんのめるシ
ンセの"Make It Squash"や、映画から引用したナレー
ションを上手くつなげてゆく"Escape from Monsta
Isle"は、得意のコミック趣味が活きている。同年の
King Geedorah名義の続編、翌年にMegalonと
RodanがDay By Dayより発表した各ソロ作も併せて。

## Non-Prophets

### Hope

*Notable Track: New Word Order*

Unique

2003   Lex Records

Sage FrancisとJoe Beatsによるユニットの03年作。Sageというと内省的かつ婉曲な歌詞の印象が強いが、本作はヒップホップの"原点"である実直なバトルライムに満ちている。なかでも相性のよい単語同士をつなげて（e.g. "shoot from the HIP, HOP upon another BAND, WAGON, TALES..."）言葉遊びを展開してゆく"New Word Order"は、その表題通りラップにおける新たな表現を模索したコンセプチュアルな佳曲。

## Oddities

### The Scenic Route

*Notable Track: Weak Days*

Battle

2003   Underworld Inc.

カナダのヒップホップバンドによる初のオフィシャルアルバム。彼らの特徴はプロダクションを担当するBookwormによる楽器とキーボードを組み合わせたサウンドで、たとえばそれはSting風のキーボードにベース、スクラッチが絶妙にマッチするビートの上、ヒップホップに取り憑かれた自身を描写する"Weak Days"、ファンキーなギターストラミングの"Revolving"、軽快なパーカッションとギターの"Late Again"など、カラフルなトラック群に際立っている。

## Pase Rock

### Bullshit as Usual

*Notable Track: Grey Matter*

Battle

2003   Dimid Recordings

シンシナティのラップグループ Five DeezのMC／プロデューサーによるソロデビュー作。故 Nujabes が主催していた Hydeout Productions より発表したシングル曲の"It's About Time"や、"Grey Matter"、そして本作の表題曲である"Bullshit as Usual"など、彼とのコラボ曲が多数収録された Nujabes ファン向けの隠れた良作。また、終末後の崩壊してゆく世界を俯瞰的に眺めた"Post World"ではストーリーテリングも披露している。

## Pete Rock & Ini, Deda

### Lost & Found: Hip Hop Underground Soul Classics

*Notable Track: Fakin' Jax*

Conscious

2003 (1995)   BBE Records

Pete Rock が95年に自身のグループ Ini、MC の Deda 用に制作していたアルバムの正規リリース版。当時 Elektra との配給契約の関係でお蔵入りとなったが、唯一流通したシングル"Fakin' Jax"（'96）で証明していたように、Pete Rock 全盛期のサウンドはやはり捨てがたい。ヴォーカル面では Ini は思慮深くポジティヴな楽曲が大勢を占め、Deda はバトルライム主体となっている。なお、Haile Selassie をジャケットに用いたブート CD はクリーン版なので注意。

## The Procussions
### ...As Iron Sharpens Iron
*Notable Track: WeGotta*

`Conscious`

2003　Basementalism / Traffic Entertainment Group

コロラド出身のStro、Mr. J. Medeiros、Resonantを中心とするジャズヒップ
ホップバンドのデビュー作。サウンド面にフォーカスされがちなグループだが、
アブストラクトに「今こそ立ち上がるんだ」と繰り返すシングル曲の"WeGotta"
をはじめ、タイトルからして示唆的な"Move Yer Self"、"Make It Happen"な
どでも表現されているように、ポジティヴかつ"変革"を促すクリスチャンらしい
メッセージが多く披露されている点にも注目したい。

## Shabazz the Disciple
### The Book of Shabazz (Hidden Scrollz)
*Notable Track: The Lamb & Blood*

`Conscious`

2003 (1997-2002)　Battle Axe Records

Sunz of Manの一員として活動したMCの初ソロ作。90年代より活躍している
彼だが、95年のシングル"Death Be the Penalty"でも表現しているように、
その過激な反体制思想、アフロセントリズムのためか、本作までフルレングス
が出なかったのが悔やまれる。収録曲の大半は既発だが、黒人教会と5パー
センターのどちらの影響も感じさせる"The Lamb & Blood"、"Blasphemy"な
ど、彼の信仰が端的に表れた楽曲の収録がありがたい。

## Vakill
### The Darkest Cloud
*Notable Track: Fallen*

`Battle`

2003　Molemen

シカゴのMolemenクルーのリリシストによる作品。"The Creed"での「LA暴
動で人々が略奪していた頃、俺は己の想像力という壁からブロックを抜いて、
チャンスという窓に投げ込んでいた」なんて独特のパンチラインが強烈だし、
シナトラのサンプルが秀逸な"Fallen"はレコード契約を打ち切られ、自暴自棄
になってレーベルのオフィスに立てこもり、最後は自ら命を絶ってしまうMC
の物語。A&Rを簡単に見捨ててしまう客演のSlug扮する交渉人がユニーク。

## Viktor Vaughn
### Vaudeville Villain
*Notable Track: Let Me Watch (feat. Apani B)*

`Battle`

2003　Sound-Ink / Traffic Entertainment Group

03年はDoomの年といえるぐらい作品が乱立されたが、本作もまた彼の変名
プロジェクト。ビートは主にSound-Inkの面々が担当し、今回本人はラップに
集中している。なぜなら本作、90年代初頭にタイムスリップしたViktor
Vaughnなる人物が、どうにか未来に帰るため模索するというコンセプト作に
なっているのだ。ハイライトはApani B扮するNikkiという少女と恋に落ちた
Viktorが繰り広げる愛憎劇"Let Me Watch"。最後に曲名の意図がわかる。

## Azeem with Variable Unit: Mayhemystics

### Mayhem Mystics
*Notable Track: Rebel Music*

2004　Wide Hive Records

MC／詩人のAzeemとDJ Zephが主導するライヴバンドVariable Unitによるコレクティヴ作品。疑うことの重要性を説く"Rebel Music"や、"種"という言葉から意識の流れが展開されてゆく"Seals"、音楽という化学から思考実験を披露する"Break It on Down"など、詩的な言葉使いでヴァースを叙述してゆくAzeemのラップと、楽器、コーラス、そしてスクラッチをフィーチュアした独特のエレクトリックファンクサウンドが抜群の相性を魅みせる。

## Cam the Wizzard

### For the Rest of My Life
*Notable Track: Scared Sacred*

2004　Side Road Records

プロデューサーFactorの主催するSide Road所属のMCがソロ名義で発表したアルバム。全曲Factorがプロデュースしており、大胆なピアノ使いの"Scared Sacred"、メロディアスなギターの"Moving On"など、絶妙なポップさと音色の豊かさが魅力のトラック群と、Camのディープな声質と思慮深い歌詞世界が程よくマッチしている。保守的な南部の社会を受け入れられない苦悩を表現した"Legal Alien"では政治性も発揮。彩り豊かな作品だ。

## Gift of Gab

### 4th Dimensional Rocketships Going Up
*Notable Track: The Ride of Your Life*

2004　Quannum Projects

Blackaliciousのリリシストが自身名義で発表した初のアルバム。"Alphabet Aerobics"に代表されるように、創造的なライムの技法で知られる彼だが、本作も1曲目の"The Ride of Your Life"からそのスキルを誇示。1拍目、3拍目に"i"の音を畳みかけるという頭韻的手法を駆使し、複雑な多音節のライムスキームに。Joe Pass "A Time for Us"の哀愁系ギターをアルバムのテーマの宇宙的なものに変化させたJake Oneの手腕にも注目。

## Goretex

### The Art of Dying
*Notable Track: The Art of Dying*

2004　Psycho+Logical-Records

Non PhixionのハードコアMCがNecroのレーベルより発表した唯一の作品。プロデュースも全てそのNecroによるもので、Psycho+Logical一派独特のホラー趣味を歌詞の面からもサウンドの面からも見事に体現。物悲しいストリングスと幼少期のトラウマが折り重なる表題曲や、いかにもNecro趣味の妖しげなギターのトラックで著名人の名前を引用しながらボーストを展開してゆく"Celebrity Roast"など、ほかにはない魅力が詰まっている。

## Illogic

### Celestial Clockwork

*Notable Track: Stand (feat. Slug [of Atmosphere])*

Conscious
★

2004    Weightless Recordings / Raptivism

① *Intro*　② *The Only Constant (feat. Blueprint)*
③ *Birthright*　④ *1,000 Whispers*
⑤ *Time Capsule (feat. Aesop Rock & Vast Aire)*
⑥ *Celestial Clockwork*
⑦ *Hollow Shell (Cash Clutch)*　⑧ *Lesson in Love*
⑨ *First Trimester*　⑩ *Live to Die*
⑪ *Stand (feat. Slug)*　⑫ *My World*
⑬ *I Wish He Would Make Me*

詩的表現の宝庫であったデビュー作の
『Unforeseen Shadows』('99)。対してこれでも
かとバトルライムで全体を覆った『Got Lyrics?』
('02)。これらの過去作ですでにその類いまれな
ライムの技量を示していたIllogicが次に送り出し
たのは、"時"をテーマとしたコンセプトアルバム
であった。
　まずは1曲目の"The Only Constant"からこん
な言葉が踊っている。「今日のヒップホップ界は、
皆おなじ古いライムやビート、コンセプトに留まっ
ていて、楽しみがない」「全ては変わる。我々は
予測可能なものとは違う。独創性に根差した、
己の運命に向かうのだ」。ここでIllogicがリスナー
に語りかけているのは、神によって創造されたこ
の世界では、天文時計の針が一刻一刻と時を刻
み続けるように、どの人間も例外なく日々努力を
惜しまずに進歩してゆかなければならないという
ことである。以上の彼のスタンスは、非常にポエ
ティックな節回しを活用し、メインストリームへ
迎合せずインディでの実直な活動を続けてゆくこ
とを謳った表題曲の"Celestial Clockwork"でも
はっきりと示されているし、Illogicを懐柔しよう
としてくる様々な外圧に対して自分のスタイルを貫
くことを誓った"My World"で、より顕著に表現
されている。さらに加えるなら、最終曲"I Wish
He Would Make Me"にて展開される神への贖

罪意識は、裏を返せば彼の信仰心の深さの表れ
でもあるし、人生の選択に葛藤しながらも結局
自分という殻を破れるのは自分しかないと奮起
し、最初に信じた道(インディでの活動)を続け
てゆくということを終盤で表明してさえいる。
　自身の信仰にまつわるトピック以外でも、"時"と
いうテーマをコンセプチュアルに消化した曲は多
く、たとえばAesop RockとVast Aireのニュー
ヨーク勢を客演に招いた"Time Capsule"では
各々が"未来の自分へ送るライム"を披露している
し、逆に"10代での妊娠と中絶"という体験を懺
悔した"First Trimester"のような曲もある。
"Birthright"はそのタイトル通り、誕生から現在
に至るまでのMCとしての姿を述懐したパーソナ
ルかつスポークンワード調の楽曲に。極めつきは
AtmosphereのSlugに自身の"父親役"を演じさ
せ、酒に溺れ、浮気を重ねるようになった父と、
それをいさめる息子の会話を曲にした"Stand"
で、母の涙も省みない甲斐性なし男に扮した
Slugは相変わらず言い回しが独特だ。
　今回ビートは全てWeightlessのボスBlueprint
が提供しているわけなのだが、Illogicはビートに
合わせてライムを書いたのではなく、彼が用意し
たラップに合うビートをBlueprintが適宜チョイ
スしたのだという。細部に至るまで妥協なく丁寧
に作られたアルバムだ。

## Jean Grae

### This Week
*Notable Track: P.S.*

2004 Babygrande

Natural Resource の What? What? としてデビューし、その後は NY のバトル
コミュニティで実直な活動を続けた MC のコンセプトアルバム。彼女の人生の
とある1週間の間に起こった様々な出来事を叙述してゆく本作では、夜道を歩
く際のふとした恐怖（"Going Crazy"）や、パーティの席で言い寄ってくる男の
やり口（"Supa Luv"）、生々しい男女の三角関係を描いたメールのやりとり（"P.
S."）など、女性ならではの目線で丁寧に自分の日常をライムしている。

## Jedi Mind Tricks

### Legacy of Blood
*Notable Track: On the Eve of War (Meldrick Taylor Mix)*

2004 Babygrande

*Also recommended:*
Outerspace
Jedi Mind Tricks Presents:
Outerspace
2004

Kool G. Rap の息子が Big Pun だとしたら、Vinnie Paz は
孫だろう。それぐらい Vin は多音節の韻にこだわりを持って
いた。まずは "On the Eve of War" の彼のヴァースを
聴いてみてほしい。冒頭から母音 "ɔ" と "ə" の畳みかけで、
これでもかと高度なライムを決めている。最近の彼は末
尾を "motherfucker" や "shit" にして誤魔化すことが多く
なったけれど、この頃のラップはまさに完璧だった。…
いやいや、そんなことはなくて、たとえば "祖父" の G.
Rap が、かつてマッチョを気取って同性愛蔑視なヴァー
スを入れてしまった "Truly Yours" で人権団体に抗議され
たように、ハードコアラップを志向する彼の歌詞には批
判も多い。それは4作目となる本作においても「お前はゲ
イのゴミ虫。R&B を聴いて、レイヴパーティに行くファゴッ
ト」「もうゲイでいられなくなるまでファゴットを殴る」なん
て台詞が登場していることに表れている。そんな物騒な
バトルライムばかりの彼だけれども、アルバムの最後は
一転して "弱気な自分" もみせていて、人生に疲れた Vin
が母親に向けて "遺書" を読み上げるという構成に。

## Leak Bros

### Waterworld
*Notable Track: Got Wet*

2004 Eastern Conference Records

NY を拠点に活動するハードコア MC を集めたコレクティヴ The Weathermen
の創設メンバー Cage と Tame One によるスペシャルユニットのデビュー作。
エンジェルダストの隠語である Leak を冠していることからも明らかなように、
ドラッグをテーマとした歌詞世界が展開される。なかでもインディロック調の
"Got Wet" や、舟木版 "チャペルの鐘" をサンプルした "Gimmesumdeath" な
どのトラックは、陰惨な本作の空気感を絶妙に演出。

## Madvillain

**Battle**

### Madvillainy
*Notable Track: Money Folder*

2004　Stones Throw Records

Madlibによるトラックは、大半がポータブルターンテーブルとSP-303、モバイルカセットデッキを用い滞在先のホテルで組んだものだという。そのビートにDoomがラップを乗せて完成したのが本作。だから音質が悪いのは当たり前だし、ヴァース構成もバラバラで全く聴きやすいアルバムではない。それでも彼らのミニマルかつ刹那的なアイデアにヒップホップをみた向きも多いだろう。なにせ"All Caps"の発表後すぐに"MF DOOM"表記が主流になったのだから。

## Maylay Sparks

**Battle**

### Graymatter
*Notable Track: 5034*

2004　Rapster Records

Rahsheedという名で活動していたフィリーのMCが名義を新たに発表した通算3枚目の作品。日本企画盤のデビュー作『Wasabi』('97)からの縁なのか、本作にも"Konnichiwa"という曲が収録されていて、ここでは琴を模したビートの上、日本に関連する単語を用いながらボーストをする構成に。ハイライトは地元の番地を用い、ヒップホップの初期体験を振り返る"5034"。美麗なエレピのトラック、スクラッチ主導のフックも郷愁を誘う。

## MF Doom

**Battle**

### MM.. Food
*Notable Track: Vomitspit*

2004　Rhymesayers Entertainment

*Also recommended:*

MF Doom / MF Grimm
Special Herbs & Spices
Volume 1
2004

03年から04年にかけて様々な変名プロジェクトで活動していたDoom。04年の暮れにRhymesayersより発表した自身名義の2枚目が本作。"MF Doom"をアナグラムにした表題やアートワークからも明らかだが、各曲が"食べ物"に関するキーワードになっているというコンセプト作。1曲目の"Beef Rapp"はその名の通り"ビーフ"全開のバトルライム、南部の伝統的パンケーキを表題にした"Hoe Cakes"では"売女(Hoe)"を扱うピンプ目線のラップ、Count Bass D参加の"Potholders"は「俺たちが用意する熱い料理＝曲のために"なべ敷き"を用意しとけ」ということが言いたくてこの曲名、という具合に、各タイトルから連想できる言葉遊びが展開されてゆく。まあそれでも、"Rapp Snitch Knishes"なんてナンセンスすぎる気がしないでもないが。終盤ではさらに"食"から着想が展開され、Doomは客を呼べる＝酒が売れる＝どんどん吐く、という過程をボーストする"Vomitspit"(嘔吐)のような曲も登場。重層的なライムにより紡がれる言葉遊びというラップの基本が堪能できる一枚。

## Murs

Hardcore

### 3:16 the 9th Edition
*Notable Track: Walk Like a Man*

2004　Definitive Jux

LLーの人気者と当時気鋭の9thによるコラボ作品。 表題の"3:16"とはMursが度々用いるもので、彼の誕生日である3月16日のこと。 そんな自身の出自にこだわりがある彼がLAのゲトー出身であることは、 表題曲や"H-U-S-T-L-E"などで明らかになるが、 彼自身はギャングではなくあくまでストリートの住人に徹している。 それでもフッドから足を洗おうとしていた男が仲間の死を受け復讐を果たす"Walk Like a Man"のように、 想像力を働かせた物語も披露。

## Nac One

Hardcore

### Natural Reaction
*Notable Track: Feel Me (feat. Vince Wallace)*

2004　Bomb Hip Hop Records

ベイエリアのプロデューサー Fanatik 全面バックアップのもとデビューしたMC唯一の作品。Bomb Hip Hopからの発表とあってか、DJをフィーチュアしたスクラッチが全編にわたって展開される。 彼がどのように音楽にのめり込んで、 技術を磨いたのかは表題曲で披露。 目玉は地元のジャズレジェンド Vince Wallace のテナーサックスをフィーチュアした"Feel Me"。 幼少期に父と離別した経験や、 ゲトーの劣悪な環境、 成長し父親を連想する現在の自分を丁寧に描写。

## The Nobs

Unique

### Workin'
*Notable Track: Work*

★

2004　Fingerprint Records

NYの Fingerprint コレクティヴのMCによる3作目。 難解で詩的な歌詞で知られる彼だが、 本作ではプロダクションも主に自身で担当。 なかでもストリングスで物悲しさを演出した"Work"と"Plug Pull The"が歌詞との相性抜群。 前者は低賃金労働の搾取を描写し、 後者は最初にガンで苦しむ最愛の人を看取ってから、 次のヴァースでは故人の視点から死にゆく人々を俯瞰するというコンセプトに。 死の淵で生命維持装置の電源を抜くように懇願するフックに心打たれる。

## Oktober

Hardcore

### Projekt: Building
*Notable Track: NYC*

2004　FreshChest

Bobbitoに発掘されたブロンクスのMCのデビュー作。 シングル曲の"NYC"、 EP からの再録となる"Four Korners"などに象徴的だが、 基本的に警察による差別や犯罪と隣り合わせの状況など、 自身のストリートにおける体験を基にNYの情景を叙述するラップが中心となっている。 多少毛色が違うのはアルバム終盤の"Murder Me in My Sleep"で、 ここではそれぞれのヴァースで最愛の家族、 友人に語りかけるメッセージを披露している。

## O Type Star (Jeff Baraka)

### Urban Myth
*Notable Track: Author Rise (Remix)*

★

2004　Frontline Entertainment

あくまでポジティヴに自身のスキルがどれほど "病んでいるか" を表現したシングル "A Different Type of Cancer" で知られるシカゴのMCが発表したレア音源集。Czar、Qwazaarとのスキルボースト "Author Rise（Remix）"、同郷 S.U.N.名義の12"として発表されたシカゴ地下シーンレップの "Radiate"、Vector Sigmaとの "University of Hard Knocks" など、本作で地元シカゴつながりの重要作を一気に振り返ることができる。

## Raw Produce

### The Feeling of Now LP
*Notable Track: Grey Skies*

2004　Female Fun Records

*Also recommended:*
**Alternate Reality**
**Alternate Reality**
2011

ポジティヴで思慮深い詩世界とジャズサウンドを前面に打ち出したプロダクションで90年代より地元ボストンで活動していたCadenceとPitchのデュオによる待望のデビューアルバム。本作発表までには長い歳月を要したが、それは2人とも両親の介護に追われ、楽曲制作の時間が取れなかったからだそうだ。リリシストCadenceが末期ガンで苦しむ母の最後を描写した "Metastasis" を聴けば、その苦労が偲ばれるとともに、彼もまた2013年にわずか42歳で夭逝してしまったことが思い起こされる。いかにも彼ららしいサックスを立てた "Decomposure" で我々に "落ち着きを取り戻す" よう諭していたCadenceは、慌ただしくもこの世を去ってしまったが、冥府から現世のラップ界をどう見つめているのだろう。本作には彼らの初期12"で、ヒップホップの衰退と再興を "河の流れ" に喩えポエティックに描写した名曲 "Cycles" もしっかり収録されている。水が際限なくこの世界を循環し続けるように、たとえ肉体が潰えても彼の魂の言葉は本作で生き続けている。

## Robust

### Potholes in Our Molecules
*Notable Track: Artificially Bittersweet (Hidden Treasures in a Pothole)*

2004　Galapagos4

シカゴのGalapagos4より、複雑に織り込まれた韻律と詩的な歌詞世界で知られるRobustのソロデビュー作。牧歌的なコーラスとトラックの上、意識の流れから内省的なライムを重ねてゆく "Beats Me" や、憂いあるヴァイオリンをフィーチュアし、労働と賃金に対する苦悩を叙述した "Born Again Agathist"、度重なる転調の中ライムを展開してゆく "Artificially Bittersweet" など、音楽的な多様性に富んだ彩り豊かな作品に仕上がった。

## Sabac

### Sabacolypse

*Notable Track: I Have a Dream (feat. Dash Mishok & Cenophia Mitchell)*   2004   Psycho+Logical-Records

Non Phixionは"政治的なグループ"だといわれるけれども、実際に市民運動などとも連携し行動しているのがこのSabac。彼のソロデビューとなる本作は、"I Have a Dream"というキング牧師のトリビュート曲に始まり、客演のImmortal Techniqueとともに警察の銃による弾圧へ抗議した"Fight Until the End"、ネイティヴアメリカン虐殺の歴史に言及する"Urban Gorillas"など、"完全にポリティカル"な作品に世界観が統一された。

## The UN

### UN or U Out

*Notable Track: What They Want*   2004   Fourfivesix Entertainment / .W.O.R.L.D Records

Pete RockがA&Rとして携わったユニオンデールのグループの1枚目。すでにFlipmode Squadの一員としてデビュー済みだったRoc Marcianoの所属先としても知られる。とにかく重層的にライムを構成するNYの伝統的スタイルを継承したストリート色の強いサグラップが特徴で、Large Professorによる"What They Want"や、Pete Rockプロデュースの"Ain't No Thang"など、シングル曲はトラックの厚みも十分発揮されている。

## Virtuoso

### World War II: Evolution of the Torturer

*Notable Track: Fahrenheit 911 (feat. Slaine)*   2004   Omnipotent Records

理性的かつハードコアなラップで知られるボストンのMCが政治色を増して発表した2作目。本作の最大の目玉は、シングル化された"Fahrenheit 911"と"Military Intelligence"の2曲だろう。前者はメンデルスゾーンをサンプルした荘厳なビートの上、911テロのあと軍国化するアメリカに対する痛烈な批判を込めたハードなラップが踊り、後者では政府不信からの武装蜂起をブーストするなど、混乱する米国を反映したような扇動的な内容に終始している。

## Various Artists

### Another Side of Counterflow

*Notable Track: Faceless*   2004   Handcuts Records

マイアミのヒップホップレーベルが12"で発表していた曲をコンパイルした音源集。何より嬉しいのはFive Deezのデビュー作『Koolmotor』('01)には未収録だった"Faceless"の収録だろう。ジャズ色が強いと思われていた彼らだがこの曲は強烈なドラム、重厚にフィルター処理された上モノで、Fat Jon渾身のハードなトラックに仕上がった。ほかにもLast Poets、Dead Prez、Commonのコラボ曲やSlug & El-Pの共作など、聴きどころ満載。

# ヒップホップと5パーセンターズ

## ～地元ニューヨークはハーレムで 今も息づくコミュニティの姿

ラップミュージックというジャンルに親しんでいると、どうしても突き当たるのがネイション・オヴ・イズラム（Nation of Islam、 以下NOI）というイスラームを元にした思想だ。たとえば最初期のポリティカルラップグループとして知られるBrother D with Collective Effortが80年に発表した"How We Gonna Make the Black Nation Rise"において、彼らは「イライジャが富の集め方を示してくれたように／俺たちは団結して自分たちのために努めなきゃならない」と、NOI全盛期の指導者であるイライジャ・モハメド（Elijah Muhammad）の名を引用しているし、最初にポリティカルラップとして商業的成功を収めたPublic Enemyは、87年の代表曲"Bring the Noise"において、「ファラカンは預言者／彼の言うことを聴かなきゃならない」と現代表のルイス・ファラカン（Louis Farrakhan）に言及している。この80年代はとりわけクラックコケインが黒人コ

NYはハーレムのAllah School in Mecca外観（19年12月著者撮影、以下同）

Allah School in Mecca内に展示されているファザー・アラーことクラレンス13Xの肖像画

ミュニティの間で蔓延し、地元地域への貢献として自治を担っていたNOIは黒人青年層の間で高い支持を集めていたのである。また、Public Enemyと同時代にデビューを飾ったRakimは、86年にEric B.の客演名義で発表した"My Melody"の冒頭で"knowledge be born（知識の誕生）"や"drop science（科学の投下）"といった独特な語彙を駆使していた。これらはNOIから派生した5パーセント・ネイション（Five Percent Nation）という宗派の影響を受けた言葉であり、本曲は5パーセントの思想を初めて活用したラップ曲として知られている。

この5パーセント・ネイションは、NOIよりさらに土着的な性質を持ち、主に90年代以降、東海岸のヒップホップ文化を中心に多大なる影響を及ぼしていった。彼らは各地に"Allah School"という地域のコミュニティセンターを持っており、特に有名なのが、ニューヨークはハーレムに現存するAllah School in Meccaと呼ばれる施設だ。19年12月に筆者が取材した際には、ハーレムの老紳士たちが地元の団欒の場として活用しており、管理者と思わしき男性に話しかけると、気さくに館内を案内してくれた。通路には5パーセント・ネイションの創設者であるファザー・アラー（Father Allah）ことクラレンス13X（Clarence 13X）の肖像画や、5パーセントの格言、コミュニティの人々の写真などが掲げられ、地域に根ざしていることがよくわかる。男性はファザー・アラーの活動に感銘を受けた当時のニューヨーク市長ジョン・リンヅィー（John Lindsay）の協力を以ってこのAllah School in Meccaが建設されたこと、以降この施設は地域コミュニティのために教育の場を提供していることなどを解説してくれた。同施設は、再開発が進む2019年のハーレムの地にあっても、依然変らぬ佇まいで異彩を放っていた。

ところで、この5パーセント・ネイションとは一体なにか。一般的に5パーセント・ネイションないし5パーセンターズ（Five Percenters）とは、60

年代半ばにNOIから分派独立した集団を指す。創設者のクラレンス13XはNOIの警護部隊フルート・オヴ・イズラム（Fruit of Islam）出身で、彼はNOI脱退後に名をアラーに改め、NOIの教理の一部は引き継いだものの、独自の数秘術により思想を発展させ、主に弱年齢の黒人低所得者層救済のため布教活動に従事していった。

彼らが「5パーセントの者たち」を自称しているのは、前身のNOIの"Lost-Found Muslim Lesson Vol 1-2"という指導書の記述に基づく。この問答集の中で、NOIの指導者イライジャは地上に住む85パーセントの人間は「"文明化されていない人々（Uncivilized People）"で、害獣を喰らい、精神的な死と力の下に屈した奴隷であり、生きる神（Living God）やこの世界の起源も知らずに、簡単にも間違った方向へと導かれ、正体もわからないモノを崇拝する人々」であるとし、10パーセントは、「金を持った、貧しい人々を支配する奴隷調教人であり、貧者に嘘を教え、全能で真なる生きる神は幽霊に過ぎず、肉眼では見ることができないと信じ込ませる、貧者の生き血を啜る者たち（Blood-suckers of the Poor）」であるとした。そして残りの5パーセントとは「貧しくも清らかな教師（Poor, Righteous Teachers）であり、10パーセントが語ることを信じず、聡明であり、"生きる神"とは誰なのかを理解している」とし、「生きる神とは即ち、神の子（Son of Man）であり、至高の存在（Supreme Being）であり、アジアの黒人（Black Man of Asia）である」と定義付けた。この記述から着想を得たクラレンス13Xは、「黒人は最初の人類（Original Man）であり、我らは皆、神なのである」という5パーセンターズ独自の思想の根幹を構築するに至ったという。

このクラレンス13Xという黒人青年は1963年にNOIを脱退後、上述の"Lost-Found Muslim Lesson Vol 1-2"の所収されたNOIの教書である『Supreme Wisdom Lessons』を手に、ニューヨークはハーレムの若者たちを救うため、教えを説くこととなった。5パーセンターズはこの"Lost-Found Muslim Lesson Vol 1-2"の記述を受け、「黒人男性は神（God）である」と定めたが、黒人女性は神ではなく、黒人男性が種（Seed）を蒔く大地（Earth）であるとし、「地球の共同所有者」にして「文明の母」、「宇宙の女王」などと定義付けてゆくこととなった。これが現在の正式名称である

「ネイション・オヴ・ゴッズ・アンド・アーツ（Nation of Gods and Earths）」の由来にもなっている。

さて、NOIと5パーセンターズの違いはいくつかあるが、大枠では後者は個々の神性を肯定しているため、自身を"神"とみなしている。また、スーツを常用するNOIと異なり、服装の戒律が厳しくない。そして、"Supreme Mathematics"や"Supreme Alphabet"と呼ばれる独自の数秘術を基に自分たちの人生に意味づけを行なっている。彼らの思想はヒップホップに多大なる影響を与え、"cipher"や"peace"といった多くの定番スラングを生んだ。5パーセンターズは口述での説法を基本としているため、一般的にテキストなどは公開されていないが、関係者以外がその活動を知る場合、91年2月に発刊された『Spin』第6巻11号のCharlie Ahearnによる特集記事「The Five Percent Solution」や、Felicia Miyakawa『Five Percenter Rap』（'05）、Michael Muhammad Knight『The Five Percenters』（'07）などが比較的詳しい。

Allah School in Mecca内に展示されているSupreme MathematicsとSupreme Alphabetのハンドライティング

107

リリックの読み解き方を考える
# Part 2　多音節ライムと映像性

　多音節かつ映像的なライムで知られる Kool G. Rap。80年代から活躍する彼だが、特に
2000年代以降の押韻構成は別次元になっている。なかでも Rawkus からのヒットとなった
"My Life"の2ヴァース目が印象的だ。冒頭から平均3音節以上の重層的な脚韻と小気味よ
い中間韻（Internal Rhyme）を畳みかけ、お得意のマフィオーソ的詩世界を展開する。

## ストーリーライン

　本ヴァースは、G. Rap がさながらギャングのボスのように大勢の警護人に迎えられ、自宅である
大豪邸へ足を踏み入れる場面からスタートする。その豪邸では月夜の光のもと、盛大なパーティが
行われ、女たちは半裸で狂乱、ギャングたちは豪華な設備や嗜好品に酔っているという構図だ。
このように G. Rap は多音節のライムに加え、映像的な情景を鮮明に描きながら、サグのラグジュア
リーな生活をブーストしてゆく。この多音節ライムと映像性の両立が彼を特別たらしめる。

## Kool G. Rap – "My Life" 2nd Verse (2001)

| | |
|---|---|
| Bar 1 | Nigga into warm mansion rooms, wall to wall with handsome goons |
| Bar 2 | Half-naked bitches dancin' to tunes |
| Bar 3 | Marble floor to the terrace, nigga, glance at the moon |
| Bar 4 | Play the jacuzzi 'til your hands get prune |
| Bar 5 | Rugs tight, bright as the white sands of Cancun |
| Bar 6 | Skylights up in the ceilings for the plants to bloom |
| Bar 7 | Nigga, we crop grams in dunes, Cuban cigar brand of grandest fumes |
| Bar 8 | Prison niggas that ran balloons |
| Bar 9 | Shut down shop from Jan. to June, and still cop land in the boons |
| Bar 10 | Fuck women in tannin' rooms |
| Bar 11 | Every last fingernail on their hand groomed, self-built duke |
| Bar 12 | Down to the mink pelts, gator belts and silk suit |
| Bar 13 | If I can't stack a nigga cap get peeled loose |
| Bar 14 | Word to them cats that died on the street, it's spilled juice |
| Bar 15 | So where that Don be? (right here) In the calm breeze |
| Bar 16 | In the palm trees, Bomb G under the armpiece |
| Bar 17 | Livin' in harmony, coke farm pharmacy |
| Bar 18 | Bulletproof armory, school of the hard knock |
| Bar 19 | Honory, washin' the jackpot like laundry |
| Bar 20 | Fuckin' Don of the year nominee, honestly |

※歌詞はアーティスト支給ではなく、筆
者、翻訳協力者による聴き取り、文字起
こしの上、筆者による対訳を併記。
※主要な押韻箇所を対になる色別でハイ
ライト。ラップは必ずしも完全韻であると
は限らないため、一部完全韻ではないが
聴感的に揃っている箇所もハイライト、
またはアンダーラインを引いている。

## ライムの特徴と発音

　本ヴァースは末尾の脚韻だけを取ると、20小節中3つのライムパターンしか使用していない。つまりは、多音節かつ同じ押韻構成の連続となっているわけで、文脈を揃える上ではより作詞難易度の高いヴァースとなっている。その一方で、Bar 5からBar 6にかけては/ai/の音を意識的に畳みかけることで、同じ脚韻は保ちつつも、押韻構成の変化も示している。ちなみに、Bar 19に登場する"honory（hon・o・ry）"という語は、本来"honor（hon・or）"または"honorary（hon・or・ar・y）"だったものをライムのため発音を変え、さながら人称名詞化している（元々"honory"という言葉はない）。

## オンビートとオフビート

　ラップの脚韻箇所は基本的に4拍子の4拍目に拍を合わせる。これをオンビートという。ところがBar 2やBar 10に顕著だが、本曲のG. Rapの脚韻はほとんど4拍前に前のめりしている。このように小節内で押韻箇所をずらすのはオフビートというテクニークの一種であり、機械的なリズムのオンビートラップとは異なる聴感やリズムを生む。

Bar 1　ハンサムなギャングたちに迎えられ、暖かな豪邸に足を進める
Bar 2　半裸の女たちが曲に合わせてダンス
Bar 3　床からテラスまで大理石　月を見てみろ
Bar 4　手がふやけるまでジャクジーを楽しんでくれ
Bar 5　絨毯は均一に敷かれ、カンクーンの白浜のように輝きを放つ
Bar 6　植物用の明かり窓は天井まで届かんばかり
Bar 7　俺たちは砂丘のコケインを掴む　最高の香りを出すキューバ産の葉巻
Bar 8　刑務所で風船を飛ばす連中
Bar 9　1月から6月までは店じまい　それでも多くの土地を買えるぜ
Bar 10　日焼けサロン部屋で女共とヤる
Bar 11　連中の爪は完璧に手入れ済み　自力で富を築いた男
Bar 12　ミンクの毛皮、ワニ皮のベルト、シルクのスーツに至るまで
Bar 13　もし金を稼げなければ、脳天を撃ち抜かれて死ぬだろう
Bar 14　ストリートで散っていった男たちに哀悼を　連中は戻ってこない
Bar 15　そのドンはどこにいる？（ここにいるぜ）　穏やかな風の吹く
Bar 16　椰子の木の下　このGは美女の下
Bar 17　平和に暮らし、コケイン農場の精製所
Bar 18　防弾の武器庫、この世の荒波の中に生きている
Bar 19　ランドリーのように成功を洗いざらい奪っていく
Bar 20　最優秀ギャング賞ノミネート　マジで

— 過渡期 —

　　G-Unitやダーティサウスがメインストリームを席巻していた
頃、インディラップは徐々に勢いが失われていた。90年代末の
インディラップブームに乗る形で登場したネットサイトは相次い
で廃業し、かつて一斉を風靡したインディレーベルの多くも、事
業を撤退するか、生き残りをかけメジャーレーベルと配給契約
を結ぶようになっていた。しかし、メジャーレーベルとの配給契
約は諸刃の剣であり、いっときの売り上げは見込めるかもしれな
いが、同時にこれまで比較的規制の少ないインディ市場で自由
に制作してきたアーティストの創造性を縛る要因にもなったので
ある。

　　また04年には、Kanye Westがソウルフルなサンプリングの
『The College Dropout』を発表し、メインストリームに往年の
東海岸的サウンドを取り戻していた。彼はかつてのインディ像の
代表的存在であったDilated PeoplesやTalib Kweliとも共演を
果たしており、もはやインディに優位性はなくなりつつあった。
なかでも05年にAtlanticから発表されたLittle Brotherの2作
目のアルバム『The Minstrel Show』が、メジャーの潤沢な資金
力で豊富にサンプリングを駆使して作られた上、そのトータルコ
ンセプトとあいまって好評を以って迎えられたことに、インディ
市場の限界をみたファンも多かったことだろう。

　　おまけに00年台前半よりミックステープがDJミックスとして
ではなくストリートアルバムとして機能するようになると、多くの
ラッパーがメジャーリリース作品と並行してミックステープを発表
するようになった。今までインディアーティストが担っていたラ
フで自由な作風を、このミックステープというショウケースを活用
して取り込みだしたメジャーアーティストの復権により、05〜
06年頃はインディの新奇性が発揮されづらくなった過渡期だっ
たといえるだろう。

　　そんなインディラップにとっては困難な時代が到来したが、作
品としては良質なリリースが続いている。レーベルでは
BabygrandeやNature Soundsなどがこの2年間に多数の作品
を発表し健闘していた。

## Away Team

### National Anthem
*Notable Track: Come on Down (feat. Smif-N-Wessun)*

2005　6 Hole Records

ノースキャロライナのJustus Leagueより、MCのSean Boogとプロデューサー
Khrysisのデュオによるデビュー作。基本的には同輩のLittle Brotherと同様、
自然体な歌詞世界とソウルフルなビートが持ち味で、民謡"コンドルは飛んでい
く"をサンプルした "Come on Down"ではSmif-N-Wessunを招きボースト
ラップを披露。日々研鑽を積んでいくことを誓う"On the Line"、ラヴソング
"One-N-Only"ではポジティヴさも発揮している。

## Black Market Militia

### The Black Market Militia
*Notable Track: Audobon Ballroom (feat. Dead Prez)*

2005　Nature Sounds

Wu-Tangのスピリチュアル部門を担うKillah Priestが主導し、Timbo King、
Hell Razah、William Cooper、そしてレジェンド Tragedy Khadafiを加えて
結成されたスーパーグループによる作品。反体制の革命派を謳うストリート仕
込みのハードなラップが最大の特徴でありつつ、Diana Rossの歌声をフリッ
プした"Mayday!"や、チョップしたシャウトを重ねる"Gem Star's"など、上手
くヴォーカルを活用したトラックにも耳が向く。

## Cormega

### Testament
*Notable Track: Montana Diary*

2005 (1998)　Legal Hustle Entertainment

Def Jamからリリースが予定されていたもののお蔵入りとなった作品。05年に
Cormegaが自身のレーベルより正規発表した。後年ストリートの賢人へと変
化をみせる彼だが、本作ではハードコアな姿勢を強調し、ギャング映画の登場
人物に自分を重ねる"Montana Diary"、ドラッグディールをボーストする"Angel
Dust"、ギャングの復讐劇"Dead Man Walking"などのクライムラップが続く。
本作にはNas "One Love"と同名のアンサー曲も収録されている。

## DJ Muggs vs. GZA

### Grandmasters
*Notable Track: Exploitation of Mistakes*

2005　Angeles Records

The Soul Assassinsの主催などで外部仕事を増やしていたMuggsがのちに続
く"ジョイントモノ"の走りとしてWu随一の頭脳派と発表した一枚。これまで
"Labels"や"Fame"などの楽曲で示した巧みな二重表現は、NFLのチーム名
をラインに忍ばせた"Queen's Gambit"で堪能できる。そのほかもお得意の
チェスをラップに喩えた世界観が続くが、とある殺人事件の細部を1ヴァース
で叙述してゆく"Exploitation of Mistakes"には脱帽。

## Edan

### Beauty and the Beat

*Notable Track: I See Colours*

2005　Lewis Recordings

前作『Primitive Plus』('02)はオールドスクール趣味とシニカルさが絶妙に合わさったラップアルバムという様相だったが、本作ではさらに自身のプロデューサーとしての才能を発揮し、バークリー音楽大学出身らしく音色豊かなトラックで、アルバム1枚を見事なコラージュアートに仕上げている。 ぜひとも頭から最後まで聴いてもらいたい作品だが、なかでもヒップホップの歴史を Coke La Rock から振り返る"Over Words that Rhyme"はエデュテイメントとしても外せない。

## Felt (Slug & Murs)

### Felt 2: A Tribute to Lisa Bonet

*Notable Track: The Biggest Lie*

2005　Rhymesayers Entertainment

Slug と Murs が自分たちの好きな女優を勝手にトリビュートする企画の第2作（毎回プロデューサーが変わるが今回は全曲 Ant が担当）。とはいいつつ、実際の歌詞はいつもの2人であって何も変わらない。 シングル曲の"Dirty Girl"では自動車エンジニアやハンバーガー屋のシェフなど、いわゆるブルーカラーの女性にみた"美しさ"をアイロニカルに表現。本作のベストカット"The Biggest Lie"では嘘や欺瞞にまみれた人生についての問題を内省的に述懐してゆく。

## Glue

### Sunset Lodge

*Notable Track: Early Morning Silence*

2005　Shake It! Records

*Also recommended:*

Adeem
Sweet Talking Your Brain

2001

ヒップホップの祭典 Scribble Jam を2度制したニューハンプシャーのバトルMC、Adeem、シカゴのプロデューサー Maker、オハイオのDJ DQ によるスペシャルグループの2作目。冒頭から「俺たちはいつも従うように言われてきたけど、今こそ奴らの言葉に立ち向かう時だ」と謳う"Steal the Crown"や、「政府は支配できないものを恐れる。 だから無実の者が収監される」と、30年以上にわたり投獄され続けるネイティヴアメリカンの活動家 Leonard Peltier 氏へ言及した"We Need AIM"などの反体制的な曲が続くが、このグループは単なるメッセージにとどまらないコンセプチュアルなストーリーモノにも長けている。「目を閉じないで。 起きたままでいて」という意味深な台詞で幕を開ける"Early Morning Silence"では、ある最愛の女性を失った男の視点から数奇な物語が展開され、最後に衝撃の結末を迎えるという構成に仕上がった。 美麗なサンプルと繊細なスクラッチ、ヴォーカルの技量といった諸要素に至るまで、高レヴェルにまとまった傑作。

## J-Love

Hardcore

### J-Love Presents: Better Your Life
*Notable Track: The Nicest*

2005　Let It Fly Records

エクスクルーシヴ音源を取り上げたミックステープ作品のリリースで知られる
J-Loveが、豪華客演陣を招集したアルバム。故Big Punによるキレキレのボー
ストライム"The Nicest"、Slick Rickがハイウェイで繰り広げられる間抜けな
物語を披露する"Trouble"、Masta Aceによるストリートの嫉妬によって無残
に殺されるハスラーの物語"N.F.L."、Tragedy Khadafi & Imam Thugが刑務
所の仲間に捧げる"T.H.U.G."などどれも強力。

## MF Grimm

Hardcore
★

### Scars & Memories
*Notable Track: Scars & Memories*

2005 (circa 1993-2000)　Day By Day Entertainment

初期にThe Grimm Reaper名義で発表した"So Whatcha Want Nigga!"をは
じめ、DoloやFondle 'Emからのリリースや客演仕事をまとめたベスト盤。なお、
マスターを紛失したらしく、収録曲はオリジナルではなく、ほぼ再録となってお
り、たとえばそのタイトルに反して"ハードな大人のライム"を披露するMontara
ネタの"Do It for the Kids"を聴けば、子供の声のアレンジが追加されたことに
気づくだろう。彼が車椅子生活となった事件の顛末は表題曲で述懐。

## One Be Lo

Conscious

### S.o.n.o.g.r.a.m.
*Notable Track: The Underground*

2005　Fat Beats

Binary Starの片割れが発表したソロ2作目。本作から初めてレーベルの配給
が入ったが、そのポジティヴなラップは変わらず、名曲"Honest Expression"
の続編の"Enecs eht no kcab"ではメジャー契約がなくても地元の仲間と活
躍することを表明しているし、"The Ghetto"では過酷なゲトー事情を披瀝、
"Deceptacons"では黒人コミュニティ内の裏切りを題材に、負の連鎖を断ち
切るように語りかけるなど、思慮深いメッセージを披露している。

## Percee P

Battle

### Legendary Status
*Notable Track: Don't Come Strapped*

2005 (1988-2004)　Not on Label

80年代より活躍するフリースタイルの達人が自主発表した過去音源集。今は
亡きFat Beats前でミックステープを手売りする彼を憶えている向きもあるだろ
う。本作はPercee P & Ekim名義の12"や、客演仕事、フリースタイルが1枚
に凝縮されている。ラップファンに嬉しいのは「銃ではなくスキル」を謳った96
年のシングル曲"Don't Come Strapped"や、Lord Finesseとの伝説のバト
ルの再演"Rematch in the Patterson Projects"あたりか。

# Pumpkinhead

## Orange Moon Over Brooklyn
*Notable Track: Jukebox*

2005　Soulspazm Records

2015年にこの世を去ったBrooklyn AcademyのリリシストがMarco Poloを
メインプロデューサーに迎えて発表した作品。冒頭から息子にラップをさせる
演出でなんとも悲しくなるが、ただよい音楽が作りたいという"I Just Wanna
Rhyme"、反戦・政府批判のメッセージが光る"Grenades"、インディラップ
賛歌"Rock On"、ライム愛の炸裂する"Emcee"、クラシックを延々引用する
"Jukebox"、そして自身の家族に捧げる最終曲まで一切隙なし。

# Royal Fam

## Black Castle
*Notable Track: I Declare War*

2005 (circa 1995)　Nature Sounds

Spark 950との共作で知られるTimbo Kingが率いたWu関連グループのお蔵
入り作品。95年にCapitolから12"を発表したもののアルバム発表は見送られ
た。それでもシングルB面の"I Declare War"はハードで妖しいWuらしい魅
力に溢れているし、"Rules 101"ではメジャーレーベルの影の部分を説明、表
題曲"Black Castle"ではアフロセントリックの思想も覗かせ、"Once Upon"
ではストリートに染まる子供たちを叙述している。

# The Sound Providers

## Looking Backwards: 1998-2001
*Notable Track: The Field*

2005　ABB Records

ジャズ色の強いプロダクションで知られるサンディエゴのグループの過去音源
集。まず何より嬉しいのは、98年に12"として発表された、初期メンバー
Profileのラップが聴ける"Dope Transmission"と"The Field"の再録だ。特
にProfileのソロで展開される後者は「金のためではなくスキルのため」にMC
たちがしのぎを削っていた頃のラップに連れ戻すと謳うポジティヴな歌詞世
界、温かみのあるシンプルループが時代を超越している。

# Zion I

## True & Livin'
*Notable Track: Bird's Eye View*

2005　Live Up Records

オークランドを拠点に活動するMCのZumbiとプロデューサー Amp Liveの
デュオが発表した3作目のアルバム（なお現在 Amp Liveはグループを離れ、
Zion IはZumbiの個人名義になっている）。本作一番の聴きどころはシングル
も切られた"Bird's Eye View"だろう。ヒップホップを女性に擬人化した上で、
出逢いから成長し美しくなってゆく過程を叙述し、永遠の愛を誓ったコンセプ
チュアルな名曲。"Hip Hop Is Life"とはまさにその通り。

# Army of the Pharaohs

Hardcore

## The Torture Papers

*Notable Track: Battle Cry*

2006　Babygrande

*Also recommended:*

Army of the Pharaohs
The Five Perfect Exertions /
War Ensemble

1998

98年にJedi Mind TricksのVinnie Pazが主導となり地元フィリーを中心とする北東部のアーティストと結成したコレクティヴがArmy of the Pharaohs。本作は彼ら名義初のフルレングス作となる。Celph Titledの「俺は法は変えられない。それは政府のissue（問題）だ。だから法を破るぜ。政府issue（発行）の銃で」というパンチラインが光る、いかにも00年代後半といったハードコアなシンセストリングスの導入曲"Battle Cry"で、本作参加MC陣9名の紹介を済ませると、以降ショウケース作らしく攻撃的なバトルライムが展開されてゆき、表題曲では98年のシングル"5 Perfect Exerters"を引用しながら、当時から数も勢いも増した現在のクルーをブーストしている。もっとも、本作は単なるバトル調のみならず、各々が内省的なヴァースを展開する"Into the Arms of Angels"では、Vinnie Pazが88年に亡くなった父親のこと、またそれにより苦労した母と自身、それも顧みずに薬物に溺れた兄のことを述懐するという思慮深さもみせた。

# Blue Sky Black Death & the Holocaust

Hardcore

## The Holocaust

*Notable Track: No Image*

2006　Babygrande

*Also recommended:*

Blue Sky Black Death
A Heap of Broken Images

2006

RZAのレーベルと契約した西海岸初のグループBlack Knights of the North Starの一員として、Bobby Digitalのアルバムやコンピレーション『The Swarm』に参加していたHolocaustが、サンフランシスコのプロダクションチームと発表した作品。聖書から神話、歴史絵巻、フィクションまでを引用しながら（読書家なのがうかがえる）、独特の語彙でブーストしてゆくバトルライムと、自奏のシンセやギターを多用したシネマティックなトラックが全体を構築してゆく。Blue Sky Black Deathのふたりは同年発表したMushからのデビュー作『A Heap of Broken Images』において、多様なMC陣を客演に起用していたが、本作では終始Holocaustのみがラップし、まるで中世暗黒時代のファンタジー然とした質感へ全体が統一された。なかでも、伝記映画のテーマ音楽然とした"God Be with You"や、まるでそこにあったかのようにNina Simoneのサンプルへ絶妙に交差するシンセストリングスの"No Image"など、楽曲としての構成力が光る。

## Bronze Nazareth

`Hardcore`

### The Great Migration
*Notable Track: The Pain*

2006　Babygrande / Think Differently Music

RZAによって発掘されたデトロイトのプロデューサー初となるLP作品。1ヴァースで己の葛藤を唄い上げる"The Pain"や、はかなく散る黒人の命とストリートライフを叙述する"Good Morning（A Nice Hell）"あたりを聴く限り、MCとしても言いたいことが溜まっているようだ。基本はWu-Tang周辺のアーティストが客演参加しているが、"Detroit"では地元WisemenのPhillieと故Kevlaar 7を招集。翌年のクルーアルバムにつなげている。

## Chino XL

`Battle`

### Poison Pen
*Notable Track: Wordsmith*

2006　Activate Entertainment

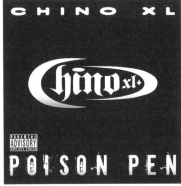

*Also recommended:*

Art of Origin
No Slow Rollin'
1992

キレのよいパンチラインで知られるChino XL。デビュー以来自身の出自をラップで披露してきた彼だが、本作ではなぜその舌鋒鋭い"Poison Pen"が磨かれたのか、よりパーソナルに解説されている。叔父であるParliament-FunkadelicのBernie Worrellの名を引き合いに、音楽に没頭し成績を落とす彼を叱責する母親のイントロから始まる"Wordsmith"では、二重表現や直喩、メタファーをこれでもかと織り交ぜたボーストを披露しつつ、過酷な幼少期を述懐。かつて"What Am I?"で披露していたプエルトリカンと黒人のミックスである葛藤は、セラピストとの会話調"Skin"でさらに丁寧に整理され、母親から受けた虐待、子供に会えない葛藤を吐露してゆく。そして夫と妻がそれぞれ弁護士の前で不満をぶちまけるイントロの"Can't Change Me"にて、彼は「俺たちの関係はIKEAの家具よりガタガタだ」というパンチラインで妻への別れを切り出す。ライム愛を誓う"Even If It Kills Me"や、故Proofとの"Our Time"など真骨頂のバトルモノもよいが、本作はコンセプトがより鮮明となった。

## Common Market

`Conscious`

### Common Market
*Notable Track: Doors*

2006　Massline

Blue Scholarsのメンバーとしても知られるプロデューサーSabziがMCのRA Scionと組んだシアトルのユニット。本作は彼らが前年に自主制作していた同名アルバムをリマスターして再発したもの。というのも、そのコンシャスかつオールドスクールへの愛に満ちた作風からKRS-Oneの目に留まり、フックアップされたという。たとえばシングル化された曲だけでも、"Doors"は黄金期ヒップホップへの引用に溢れているし、"Connect For"はポジティヴなメッセージの地元賛歌に。

# CunninLynguists

## A Piece of Strange
*Notable Track: The Gates (feat. Tonedeff)*

★
2006   The LA Underground / QN5 Music

① *Where Will You Be?*   ② *Since When*
③ *Nothing to Give*   ④ *Caved In (feat. CeeLo Green)*
⑤ *Hourglass*   ⑥ *Beautiful Girl*   ⑦ *Inhale (Interlude)*
⑧ *Brain Cell*
⑨ *America Loves Gangsters (feat. Tim Means)*
⑩ *Never Know Why (feat. Immortal Technique)*
⑪ *The Gates (feat. Tonedeff)*
⑫ *Damnation (Interlude)*   ⑬ *Hellfire*
⑭ *Remember Me (Abstract / Reality)*
⑮ *What'll You Do?*   ⑯ *The Light (feat. Club Dub)*

"A Piece of Strange"とは彼らの地元ケンタッキーの言葉で"一夜限りの遊び"を意味するという。つまり現地の者にこそ通じるキーワードをあえて表題に用いているということだ。Mr. SOSの代わりにNattiを新たなメンバーに迎えて発表された本作は、"南部を彷彿とするサウンド"と、バイブルベルトである南部に根付く"キリスト教"を基に、前作『SouthernUnderground』('03)よりさらに複雑かつハイコンテクストな世界観を構築した。
彼らの地元愛は特に冒頭の"Since When?"に凝縮されている。フックで南部のラップの誇りを示しつつ、トラックもギターを用い南部のサウンドのイメージを演出。プロダクションを司るKnoは本作から初めてビートに楽器を取り入れており、このソウルフルなギターはアルバム全体の鍵となっている。
本作の前半はDeacon、Nattiが交互に"人の罪"についてラップを披露してゆく。夜になると現れる人間の醜さ("Nothing to Give")や、過酷な世の中("Caved In")、心の監獄に囚われた人々("Brain Cell")、退廃的なギャングスタ信仰が支配する社会("America Loves Gangsters")など、それぞれのテーマに合わせてストーリーは進む。そしてImmortal Technique参加の"Never Know Why"から物語はさらに加速し、何やら1歳半の子供を持った女性とそれを快く思わない

男の話が登場する。続く"The Gates"では、高速フローで知られる盟友Tonedeff が珍しく囁くようなラップで、突然暗闇の中に囚われた男の心情を吐露してゆく。まるで走馬灯のような意識の世界を経て門の前へと到達した彼は、Deacon扮する門番に声をかけられる。最初は丁寧に返答していたTonedeffだったが、だんだん苛立ちを隠せなくなり、徐々に彼は自分の娘が混血児を産んだことを許せなかったこと、そして消防士だった彼は火災現場で有色人種の子供を置き去りにしたため、ここにたどり着いたということが明らかになる。そして彼は次曲の"Hellfire"で永遠に地獄の業火に対峙することになるのである。これらの連続した物語が多層的に描かれてゆくというところが本作の特徴となっている。
もっとも連続しているのは物語だけではない。忌み数である"13"曲目が地獄を舞台とする"Hellfire"となり、己の不完全さを表す"6"が女性を擬人化したマリワナ賛歌の"Beautiful Girl"であるなど、キリスト教的数秘術が随所に登場し、現世の罪を背負い彷徨える彼らは最後に「光("The Light")」に到達するという全体の流れだったりと、サウンドから歌詞世界まで全ての要素が"南部らしさ"を表現するために練り上げられた曲構成。これは牧師の息子であり"助祭"を名乗るDeacon the Villainの発案だったという。

## Darc Mind

Unique

### Symptomatic of a Greater Ill
*Notable Track: Outside Looking In*

2006 (circa 1995-97)　Anticon

Legion of D.U.M.E.としてシングルを発表後、Loudと契約中の95〜97年に制作していたアルバム。お蔵入りとなっていたが、06年にようやくAnticonから正規リリースされた。Nick Wizによる哀愁系のヴァイブが印象的なアブストラクトライムの"Outside Looking In"や、思慮深さをみせる"Visions of a Blur"など、Loud時代に発表済みの曲も再録されている。ちなみにプロデューサーのX-RayはのちにMonsta Island Czarsにも参加した。

## Eibol

Conscious

### Karma Kingdom
*Notable Track: A Song for Jake*

2006　Fingerprint Records

Hand Held AspectsやNeanderthal Youthのメンバーとして知られるウエストチェスターのMC唯一の作品。ほぼ全てのプロデュースを自身で手がけているが、パーティを邪魔しようとする警察へ向けたプロテストソング"A Song for Jake"や、NYCの過酷な現実を披瀝する"No Love Lost"では客演のRich Bertaによるギターをフィーチュアするなど、サンプルと楽器使いのバランスが絶妙なトラックが思慮深いライムを情景づけている。

## The Good People

Conscious

### The Good People
*Notable Track: Layin' the Law*

2006　Goon Trax

ラジオDJとして活躍していたEmskeeが若手プロデューサーのThe Saintと結成したラップグループ。オールドスクールをこよなく愛するポジティヴなライムと、スムースなサンプルを基調としたサウンドが特徴。往年のPete Rockを彷彿するホーンのフリップに、暴力ではなくスキルで勝負することを誓う"Layin' the Law"、困難な人生を前向きに見つめる"Chances"、シンセとスクラッチに高揚されるセルアウト批判"Keep on Moovin'"など佳曲揃い。

## Kollabo Brothers

Conscious

### For My People
*Notable Track: My Flows to Blow (feat. Diamond D)*

2006　Kool Kat Records

フィンランドのプロデューサーデュオKool SkiとStaffroが"オールドスクールのヒップホップ回帰"をテーマに発表した作品。05年にGrandmaster CazやDonald Dに曲単位でラップを任せてしまうのもすごいが、両者とも往年のスタイルは維持したまま現代の押韻構成に挑戦している。Cazによる「電話を発明したのはひとりだ」の弁、ごもっとも。同時代人へのシャウトも熱い。ビート面はPremier的手法のシングルDiamond D "My Flows to Blow"が突出。

# Lord Jamar

## The 5% Album

*Notable Track: The Corner, the Streets*

2006　Babygrande

Also recommended:

Jus Allah
All Fates Have Changed
2005

Supreme Mathematics の数字を"1から0まで"順番通り忍ばせ、ネイション・オヴ・ゴッズ・アンド・アーツの教義を盛り込んだRakim "Mystery（Who Is God）"の最終ヴァースを聴いた時、同様の構想があったJamarはたいそう悔しがったという。そんな彼がBrand Nubianではなく、自身名義で発表した初のアルバムが、全体を5パーセントの思想で覆った"5パーセント・ネイションの指南書"ともいえる作品に仕上がったのも不思議はないだろう。Rakimほど洗練はされていないが、本作でJamarも"Supreme Mathematics"という曲でその特異な数秘術の説明を果たしており、"Greatest Story Never Told"においては、NGE関係者以外には謎多き5パーセント・ネイションの創設者Father AllahことClarence 13Xの生い立ちについて丁寧に解説。資料的価値も高い一曲に仕上がった。古くからのファンには、相棒Grand Pubaを客演に招き、ストリートで犠牲になる子供たちの姿を描いた"The Corner, the Streets"が特に響くことだろう。

# Rob-O

## Rhyme Pro

*Notable Track: World Premier*

2006　Sound of Dissent Records

Iniのメンバーによるソロ曲をまとめた未発表音源集。『Center of Attention』制作時の曲が中心で、一部はブートの12"としても出回っていた。Pete Rockプロデュースの"So Many Rappers"や"Wunderlust"などもあるが、Spunk BiggaによるDeniece Williams "I Believe in Miracles"のシンセ使いの"World Premier"が特に人気だった。地元マウントヴァーノンから世界に羽ばたく姿を5パーセンター的語彙でブーストしてゆく。

# Substance Abuse

## Overproof

*Notable Track: Collateral Damage (feat. Kut Masta Kurt)*

2006　Threshold Recordings

90年代より活躍するLAの2人組が発表した待望のデビュー作。MF Doomや西海岸の豪華なMC陣が客演参加しているが、聴きどころはむしろ彼ら自身の味が出ている曲で、98年のデモ版からトラックを差し替えた、周りが邪魔しても自分たちの"焦点"は定まっているとブーストする"Fake Contacts"や、移民排斥、人種的対立を煽るメディアを批判したKut Masta Kurtプロデュースの"Collateral Damage"など、思慮深いテーマの曲が並んでいる。

リリックの読み解き方を考える

# Part 3　修辞語とパンチライン

　Chino XL が2006年に発表した"Wordsmith"は言葉遊びとパンチラインの宝庫だ。た
とえば下記の4ラインは「punctuate（句読点を打つ）」という単語から、文章の構成要素で
ある「約物（punctuation）」を使ってパンチラインを展開している。まるでボクシングのワン
ツーのように「ハイフン」、「ドット」を繰り、「セミコロン」のアッパーカットを決めて相手を腫
れものにしてから、最後は「ピリオド」の2つの意味である、「終わり」と「月経」を二重表現
（double entendre）にしているというわけだ。

> Who dissin' us? Yo, punks, you wait; I punctuate
> 誰が俺たちをディスするって？　おいパンクども、息の根止めてやる
> My karma's the comma that put you inside of a coma
> 俺のカルマはお前を意識不明にするコンマだ
> Hyphen, dot dot, semi-colon, leave you semi-swollen
> ハイフン、ドット、ドット、セミコロン　腫れものにしてやるぜ
> Question mark, you pregnant? Oh, you're not, I love you, period
> クエスチョン　お前妊娠してる？　ああ違うの　愛してるぜ、ピリオド

　また、下記の4ラインでは、修辞技法である「antonyms（反意語）」、「homonyms（同
音異義語）」、「synonyms（同意語）」などのキーワードを用い、かつ同じ音の響きのライム
を重ねることで、自分がどれほど文学的な才能に富んでいるのかブーストしている。

> I wrote anthems from antonyms, harmonies from homonyms
> 「反意語」でアンセムを、「同音異義語」でハーモニーを書き、
> Created cinema from synonyms, livid to eliminate that illustrious
> 「同意語」で映画を作り、お前の華々しい暮らしを
> Life you're livin' in, wrote rhetoricals in rhythms
> 怒りに任せて消し、リズムで「修辞語」を書く
> I could paralyze with a parable, make rhymes out of religion
> 「比喩」で半身不随にし、宗教からライムを作れるのさ

　このように多様な修辞表現を駆使して作られている本曲。なかでも同音異義語が巧みに
活用された1stヴァースは、冒頭から小刻みに押韻構成を変え、Bar 4では1小節内で押韻
している。そしてBar 9の"hood"や、Bar 11の"whine"→"wine"、Bar 12の"parent"、
Bar 13の"ran some"→"ransom"のように、ヴァース全体にわたりあえて同音異義語を活
用することで、その多様なレトリックを印象付けているのである。

## Chino XL – "Wordsmith" 1st Verse (2006)

Bar 1   Since born in my mama vaginal sauna
Bar 2   As a sonogram, I been fond of phonics
Bar 3   It's ironic, even as an embryonic
Bar 4   Fed through an ambiblical (umbilical), don't that sound biblical?
Bar 5   I've been a terror since I teareth out of that uterus
Bar 6   Evil plans were made to defeat us as a fetus
Bar 7   Though now I walk in infamy, as a child they had it in for me
Bar 8   Was raised with guns in infantry in diapers at an infancy
Bar 9   The childhood of a hood that was raised in the hood
Bar 10   Cops said put your hands in the hot sky, threw my hands down on the hot hood
Bar 11   I can't whine or drink wine, nine planets planned it
Bar 12   'Til it became apparent, my parents shouldn't have been a parent
Bar 13   State to state we ran some, I wasn't worth no ransom
Bar 14   Money, won't you hand some? A nigga wasn't handsome
Bar 15   Raised the mind like Charles Manson's, knew I was some man's son
Bar 16   But which one? That made me strong, created my poison tongue


Bar 1   ママの「ヴァギナのサウナ」に誕生して
Bar 2   産まれる前から、俺は言葉に親しんでいた
Bar 3   不思議だよな　たとえ胎児の身でも
Bar 4   へその緒を通じて学んでいたんだ　聖書の話みたいだろ？
Bar 5   子宮から出てからは、俺はクソガキだった
Bar 6   胎児の頃から悪の計画は俺たちを打ち負かすためにあった
Bar 7   今は悪名で知られるけど、子供の頃から世界は俺の成功を妬んだ
Bar 8   おむつに包まれた幼児が、銃に囲まれた環境に育った
Bar 9   フッドに育てられた不良の少年時代
Bar 10   サツは言う"灼熱の空に両手を上げろ"　焼け付くボンネットに両手を置いた
Bar 11   すすり泣く年じゃないがワインも飲めない　9つの惑星が企んだこと
Bar 12   それが明らかになるまで、俺の両親は保護者になるべきじゃなかった
Bar 13   州から州へ俺たちは逃げ回った　俺に身代金の価値はない
Bar 14   少し金を渡してくれないか？　俺は可愛くなかった
Bar 15   チャールズ・マンソンのような人格になった　誰かの子だってのは知っていた
Bar 16   でも誰の子だ？　この状況が俺を強くした　この「毒舌」を創り出したんだ

※歌詞はアーティスト支給ではなく、筆者、翻訳協力者による聴き取り、文字起こしの上、筆者による対訳を併記。
※主要な押韻箇所を対になる色別でハイライト。ラップは必ずしも完全韻であるとは限らないため、一部完全韻ではないが聴感的に揃っている箇所もハイライト、またはアンダーラインを引いている。

— 停滞期 —

## 2007 - 2010
### Chapter 4:
### The Struggle

07年1月、サウスの大御所DJ Dramaが著作権侵害の疑い
で逮捕されると、07年後半にはインターネットでミックステープ
が公式に無料配布されるようになった。根本的にパッケージが
売れない時代、違法に販売するよりは、無料で配布して宣伝効
果を狙ったというわけである。名目上は非営利の音源なので表
向きのサンプル権利処理が必要なくなり、他人のビートを拝借し
た「ビートジャック」と呼ばれる行為がこれまで以上に横行した。
上記を以って、ある意味でサンプリングにまつわる二律背反の
ディレンマが解消され、ミックステープの宣伝に多くの広告費を
投入できるメジャーレーベルは俄然有利になった。

これまでインディの優位性だった、狭い商圏を対象に潤沢に
サンプリングができるというグレーゾーンは、このミックステープ
無料化によって崩壊し、広告費や制作費に制限のあるインディ
レーベルはますます戦略の転換を余儀なくされた。特に影響を
受けたのはサンプルの権利処理から逃れられない中堅どころの
インディレーベルで、たとえばMF DoomやMursなど、地元ミ
ネソタ以外のアーティストの作品を手がけることで拡大をみせて
いたRhymesayersは、07年にWarnerと配給契約を結んだ結果、
以降しばらく極力サンプルを排したサウンドに作風を変化させて
いる。この時代の特徴として、メジャー／インディを問わず、大
胆なサンプリングを駆使したアルバムは以前より少なくなった。
また、かつてのようにプロモーションの主体がラジオ局ではなく、
オンラインになったため、ラジオ用にプレスされていたプロモ12
インチシングルの価値が低下し、結果としてラップのプロモーショ
ンツールとしての12インチシングルという文化自体が終焉を迎え
ている。

本章は05〜06年に続きインディラップとしては不遇の時代
だが、もちろん作品単位では良質なアルバムが多々存在する。
また、07年以降はNo SleepやDiggers with Gratitudeなど
の発掘音源を専門とするレーベルが続々と登場したのも特徴の
ひとつで、本章ではそれらの作品も90年代の12インチシングル
時代を補完する意味で多めに掲載している。

# Blu & Exile

Conscious

## Below the Heavens
*Notable Track: So(Ul) Amazin' (Steel Blazin')*　　　2007　Sound in Color

*Also recommended:*
Exile
Dirty Science
2006

『天国の下』と冠された本作は、22歳の青年Bluによるストリートの葛藤と信仰心が凝縮された作品だ。母に暴力を振るう父親の姿と荒んだ幼少期を述懐し、それでもヒップホップが救いとなったことを説明する"Cold Hearted"や、人生の早さに戸惑いつつ18歳でストリートに飛び出した過去を披露する"In Remembrance"などで、バプティスト教会の牧師である継父に厳格な躾を受けた過去や崩壊した家庭環境が示唆され、9時5時仕事で奮闘する自身を描写した"Dancing in the Rain"、志半ばで父親になる想いを披瀝する"Good Life"にて、今もフッドでもがく気鋭のMCの姿が鮮明になってゆく。彼は最後にNasの同名曲を用いた表題曲"The World Is...（Below the Heavens)"にて、同胞たちに対し"天国の下＝地上"にとどまるのではなく"それぞれの天国"を見つけようと問いかけるが、本作はあくまで等身大の黒人青年の目線で物語が構成されていることに注目したい。そんな彼の詩世界を完全バックアップするのがプロデューサーExileのソウルフルなトラック群。全体の統合力が活きた一枚だ。

# Blue Scholars

Conscious

## Bayani
*Notable Track: The Distance*　　　2007　Rawkus / Massline

シアトルのSabziとMCのGeologicのデュオが発表した2作目。アルバムの表題はペルシャ語で"言葉"、タガログ語で"英雄"を意味するそうで、ペルシャ系、フィリピン系米国人である2人の出自がここで表現されている。彼らの葛藤は、重厚なベースと哀愁系のキーボードにより盛り立てられる、故郷を離れた移民の視点の物語"The Distance"や、米国移住間もない頃の心境を披瀝する"Morning of America"などでより具体化してゆく。

# Brothaz Bent

Hardcore

## Up from the Desert
*Notable Track: Feast of the Fortress*　　　2007　Blunt Boogie Records

のちに外部プロデュースで頭角を現すAnimossとDon Chalantが所属していたLAのグループ唯一のアルバム。MC 2人のラップはストリート色を打ち出したポスト系のバトルライム、トラックはサンプリング主体と、いわゆる東海岸のスタイルの影響が色濃い（曲中では度々LAをレップしているが）。哀愁系キーボードの"Feast of the Fortress"、フックのスクラッチとコーラスの転調が印象的な"Knockturne"など、聴きどころ多し。

## Decompoze

### Decomposition
★
*Notable Track: Lap2 (feat. One Be Lo)*

2007　The LA Underground / Subterraneous Records

Binary Star関連作で知られるミシガンはポンティアックのMC／プロデューサーによるデビュー作。本作には彼の名を一躍知らしめた『Waterworld』('99)収録曲"Indy 500"はもちろん、その続編の"Lap 2"も収録されている。盟友One Be Loをフィーチュアし、爽やかなギターとキーボードの上、レコード契約に惑わされずインディでの真摯なペンゲームを誓った佳曲だ。そのほかも、柔らかなヴァイブ使いの"Freakin Flo's"、哀愁系キーボードの"Take a Stand"といったボーストライムや、Bob James "Blue Lick"を使ったラヴソング"Chocolate Shake"、Elzhi、Invincible、Juice、Magestik Legend、One Be Loというミシガン、イリノイの豪華アーティストを招集し、Sergio Mendesの荘厳なチェロをサンプルしたポッセカット"All Out"など良質なバトルライムの佳曲が揃っている。さすががプロダクションにはこだわりがあるのか、本作にはボーナスとしてインスト版CDも付いているので、そちらも併せて堪能してほしい。

*Also recommended:*
Frontline
Overlooked
2001

## Funky DL

### The 4th Quarter
*Notable Track: The 3 Minute Preview*

2007　Washington Classics

90年代より活躍するロンドンのMCによるコンセプト作。本作は"Soul"、"New Age"、"Jazz"、"Authentic"というそれぞれのセクションでサウンドのテーマを変えている。なかでも4番目の"Authentic"に登場する"The 3 Minute Preview"が珠玉の出来で、未来からやってきた老人のDLと、若いDLが邂逅し、2人がこれからの人生についてタイムトラヴェルの制限時間である"3分以内"に語り合う格好になっている（よって曲尺も3分きっかり）。

## Killa Sha

### God Walk on Water
★
*Notable Track: Nourishment*

2007　Traffic Entertainment Group

DJ Hot DayによるキッズラップグループSuper Kidsのメンバーとして地元クイーンズブリッジで活躍していたDJのPrince A.D.が、MC名義で発表した初のアルバム。盟友のTragedyが客演した"One Hand Wash the Other"でも明らかなように、"コンシャスでありながらサグ"といったストリート色の強いラップが特徴。また、Large Pro、Havoc、Ayatollahなど、豪華なプロデューサー陣が参加している。2010年糖尿病の合併症により夭逝。

## Marco Polo

`Hardcore`

### Port Authority

*Notable Track: Nostalgia (feat. Masta Ace)*

2007　Rawkus / Soulspazm Records

トロントの青年がスーパープロデューサーとして羽ばたくきっかけとなったアルバム。まず何より映像も制作されたMasta Ace "Nostalgia" が外せない。単音にチョップしたギターをMPCで再構築し、Juice Crewのメンバーの声をフックに配置、88年からライムに傾倒するAceのヒップホップ愛が炸裂するヴァースを乗せた名曲。そのほかでは哀愁系ストリングスにキーボードのアクセントが絶妙なCopywrite "Get Busy" も出色の出来。

## Matlock

`Battle`

### Moonshine

*Notable Track: Don't Sleep*

2007　Gravel Records

シカゴのMCが発表した3作目。R.A. the Rugged Man が客演の "Pignose"などダーティさを強調したバトル調の曲が多いが、目玉はやはり表題曲の"Moonshine"。重層的に多音節のライムを駆使し、自身のグループFamily Jewelsを結成した経緯やデビュー作『Crazy Artist Type』('99)へ言及しながらキャリアを述懐してゆく。自分以外の何人たりとも信じないという猜疑心の強さをライムした "Don't Sleep" は幻想的なヴァイブのトラックに仕上がった。

## Strong Arm Steady

`Battle`

### Deep Hearted

*Notable Track: Streetlights (feat. Talib Kweli)*

2007　Nature Sounds

それぞれソロで活躍していたPhil Da Agony、Krondon、Mitchy SlickのMC陣によるカリフォルニアのスペシャルグループが発表したデビューアルバム。まずば自己紹介代わりのボーストライム "The Movement" で温めてから、Dilated Peoplesと送る地元LAレップ "Co-Operation"、Black Thought がバトルライムを飛ばす "Clean Up"、Talib Kweliを招集した "Streetlights" など、強力な客演陣で全体を構成してゆく。

## Y Society

`Conscious`

### Travel at Your Own Pace

*Notable Track: Scientist*

2007　Tres Records

MC／プロデューサーのInsightとPanaceaの作品参加で知られるDJ／プロデューサーのDamu the FudgemunkによるスペシャルユニットT。ジャズ色の強いサンプリングサウンドが最大の特徴だが、問題多き社会について叙述する"How Many of Us"、複雑な人生をパズルに見立てた "Puzzles" など、Insightらしいポジティヴかつコンシャスなリリックにも注目。小気味よいトランペットとピアノがスクラッチに彩られる "Scientist" はボーストライムがキレキレだ。

## Akrobatik

### Absolute Value

*Notable Track: Kindred (feat. Chuck D & Brenna Gathers)*

2008　Fat Beats

The Perceptionists のメンバーとして活動するボストンのMCが発表した3作目。デビュー作から米国の社会問題についてラップし続けている彼だが、本作でもその姿勢は変わらない。Chuck D が参加した"Kindred"では黒人奴隷の視点から彼らの苦痛を真摯に叙述しており、哀愁系のフルートをフィーチュアしたトラックも効果的に響く、想像力を掻き立てられる曲だ。最終曲"Back Home to You"では改めてラップへの愛を示し幕を閉じている。

## Alucard

### Watch Them Fall

*Notable Track: Rainy Soul (feat. Destruments)*

2008　Creative Juices Music

NYのプロデューサー Ide が主催するコレクティヴ Creative Juices 所属のMCによるデビュー作。客演のライヴバンド Destruments が奏でる Moog のシンセサウンド、硬質なスクラッチが効果的な"Rainy Soul"がトラック面のハイライトだろう。お得意のバトルライムはポリティカリーコレクト的に今だとかなり厳しいが、多音節で攻めようとする意図は明確。良くも悪くも08年では数少ない伝統的NY産ハードコアヒップホップが詰まった一枚。

## Bored Stiff

### Explainin / Timeless

*Notable Track: The Soil*

2008 (1995 / 97)　Hella Records

CLASSIC BORED STIFF MATERIAL

*Also recommended:*
**Bored Stiff
Ghetto Research**
2001

総勢12名のアーティストにより結成されたサンフランシスコのコレクティヴ Bored Stiff。彼らの初期EP作品2枚をまとめてCD化したのが本作。それぞれ作風が異なり、元々4トラックに録音していたデモを再編したという95年のデビュー盤はジャズのサウンドを基にボーストからメッセージを紡いでゆく曲が多い。たとえばフルートをフィーチュアした"Peaceful Rotation"ではよい妻を娶りよい生活を送ることを望んでおり、トランペットを立たせた"Perfect Opportunity"では自分の絶対的な力で人々を完全な道に導けると謳い、ウッドベースの軽快なリズムの"Gettin' Signed"では自分たちのアートに敬意のないレーベルをこき下ろしている。その一方、97年の2作目はソウルフルなサウンドとより思慮深い歌詞世界が並ぶ。Bobby Caldwell 使いの"Next Sunlight"ではとにかく持続してゆくことを語りかけているし、Anita Baker "Mystery"のキーボードのピッチを下げた"The Soil"では、まるで"土"が芽を育てるようにポジティヴな音楽でフッドの仲間を支えてゆく心境を披露している。

## Dela

`Conscious`

### Changes of Atmosphere

*Notable Track: Chill (feat. Large Professor & Meemee Nelzy)*

2008　Drink Water Music

フランスのプロデューサーが米国の豪華アーティストを招集して発表したアルバム。90年代の煙たいフィルターを彷彿するLarge Professor "Chill"や、ポジティヴなラップにホーンが反響するJ-Live "I Say Peace"など、翌年シングル化された曲だけをとっても過日のローファイなヒップホップの魅力溢れるサウンドになっている。シングル以外もNaledgeがMCになるまでの過程を述懐する"It Is What It Is"など佳曲揃いの一枚だ。

## eMC

`Conscious`

### The Show

*Notable Track: Winds of Change*

2008　M3 Macmil Music / Traffic Entertainment Group

Masta Aceが旧友のMCであるWordsworth、Punchline、Stricklinの3名とともに結成したコレクティヴの1枚目。Ace関連作ということで本作もお得意のスキットを用いたコンセプト作となっており、eMCの面々が空港に降り立ち、ショウへと向かう1日の流れを面白おかしく構成してゆく。ラップ界の変化を受け入れつつ変わらぬヒップホップ愛を示した"Winds of Change"、母へ感謝を送る"U Let Me Grow"に目頭が熱くなるはずだ。

## Jazz Liberatorz

`Conscious`

### Clin d'oeil

*Notable Track: The Return (feat. Sadat X)*

2008　Kif Recordings

パリのプロダクションチームによる初のアルバム。表題やイントロの語りからも明らかなように、ヒップホップとジャズの混成をテーマとした作品で、サンプルを多用したビートとポジティヴなラップが全体を構成している。客演陣は米国のMCが中心で、Hubert Laws使いの"I'm Hip Hop"ではAsheruが人生を述懐し、Eric Gale "Forecast"のヴァイブとギターを巧みにチョップした"The Return"ではSadat Xが自然体のライムを披露。

## John Robinson

`Conscious`

### Who Is This Man?

*Notable Track: Invisible Man (feat. 20/20)*

2008　Project: Mooncircle

元Scienz of LifeのメインMCがMF Doom全面プロデュースで発表した自伝的コンセプトアルバム。とはいいつつ、そこはDoomなので、やはり一部のビートは『Special Herbs』シリーズからの流用だったりする。コンセプトが活きているのは、インディアーティストとして失敗しないためのノウハウを後輩ラッパーたちに伝授する"Indy 102"や、自分がどれほど"底が見えないすごい男"なのか客演の20/20にリポートさせる"Invisible Man"あたり。

## Pacewon & Mr. Green

### The Only Color That Matters Is Green

*Notable Track: Hip Hop*　　　　　　　　　　　2008　Raw Poetix Records

元OutsidazのMCが地元NJのプロデューサーと組んだアルバム。映画『ラストゲーム(He Got Game)』('98)から「肌の色が黒でも白でも重要なのはグリーン(金)だけだ」と謳う台詞をサンプルした"Four Quarters"で始まる本作は、確かに2人の人種の違いなど超越したヒップホップらしさに溢れている。得意のバトルライムをヘブライ語の子供の唄をチョップしたトラックで絶妙に盛り上げる"Children Sing"や、79年の自身のヒップホップ原体験からオールドスクールに連れ戻してくれる"Who I Am"、MC Shan "The Bridge"を引用しMCとしてのリアルを提示した"Hip Hop"など、ラップ愛溢れる曲が並ぶ。ちなみに本作には、もはやお馴染みとなった旧友Eminemへのディス曲"The Joker"が収録されているが、その後Emが14年に"Fine Line"という曲の中でOutsidazのYoung ZeeとPacewonへの感謝をラップしたため、Paceも翌15年にThe Shady Corps名義の"He Said It"の中でEmにもう一度会いたい気持ちを吐露するなど、ほっこりする展開をみせた。

*Also recommended:*
Young Zee & Mr. Green
One Crazy Weekend
2012

## Prolyphic & Reanimator

### The Ugly Truth

*Notable Track: Survive Another Winter (feat. B. Dolan, Alias & Sage Francis)*　2008　Strange Famous Records

Sage Francisに見出だされたMCがシカゴのプロデューサーと発表した3作目。表題曲の「俺が最初に学んだのは、富と名声が全てだということ。けれどこの世はお前を必要としてない。だからたとえ真実がどんなに醜くても直視しなきゃならない。その真実ってのは全く価値がないが税金はきっちり取る。俺は真顔でなんの価値もない言葉をぶつけてやる」という台詞にも表れているように、全編にわたり悲壮感が漂い、Reanimatorのビートも全体を通して陰惨で、"リアニメーション(蘇生)"しようとしているというよりは、深い闇へと引きずり込もうとしているようだ。きらびやかなスポットライトとその下にできる"影"を対比させた"Artist Goes Pop"では黄金期のフレーズを引用しながら音楽業界を一刀両断。"Flashlight"においてはすさまじい押韻構成で三大宗教批判を伴う厭世的リリックを展開し、"Sleeping Dogs Lie"では延々とイエスという偶像に対する批判を展開するなど、批評性も併せ持つ。地元ニューイングランドの凍える冬をインディ市場と対比した"Survive Another Winter"はテーマも上々。

*Also recommended:*
Prolyphic
An Alarm Clock Set for 9:01
2003

## Siah & Yeshua dapoED

### The Visualz Anthology
*Notable Track: Untitled*

2008 (circa 1996-98)　Traffic Entertainment Group / Head Bop Music

Fondle 'Emから登場したユダヤ系、コロンビア系米国人MCコンビのレア・未発表音源をまとめたコンピレーション。寓話調の長編ストーリーモノ"A Day Like Any Other"を聴けばわかるように、文学的な表現とジャズ色の強いトラックが最大の特徴。まるでブラックホールのように"空虚"に引き込まれるラップ界の法則を重力に喩えた"Gravity"、Luiz Bonfa "Dream Girl"サンプルの牧歌的トラックにポジティヴなラップが乗る"Untitled"などが光る。

## Top Choice Clique

### Reel Chemistry: The Anthology
*Notable Track: Future Day Relic (feat. Esoteric)*

2008 (1987-95)　Brick Records

80年代に登場したボストンのパイオニア的グループの過去音源をまとめた作品。サグになるのではなく自分であることを誇った90年のクラシック"Peace of Mind"はもちろん、映画『黒豹のバラード(Posse)』('93)のサントラ曲で、生楽器の上アフリカという自分のルーツを見つめる"I Think to Myself"など、これまで12"でリリースしていた曲をまとめて聴くことができる。目玉は同郷のEsotericとともにクルーの歴史を振り返るボーナス曲の"Future Day Relic"。

## Triple Darkness

### Anathema
*Notable Track: Anathema*

2008　Higher Heights Records

ロンドンのハードコアラップコレクティヴによるデビューアルバム。クルー随一のライム巧者Melanin9がスピットする"Politikin"、"Pyramid Warz"あたりで顕著なように、アフリカ回帰思想と5パーセントの世界観に影響されたコンシャスかつハードなラップ、エンジニアのChemoによるサンプリング主体の重厚なトラックが光る。かつてNYで萌芽したラップミュージックのスタイルが遠くUKの地で脈々と受け継がれているという事実に驚かされる。

## Vordul Mega

### Megagraphitti
*Notable Track: Stay Conscious*

2008　Green Streets Entertainment / Backwoodz Studioz

端正なストリート描写に定評のあるCannibal OxのMCによるソロ2作目。まず、Nature Soundsから発表した前作に比べ、格段にトラック面が向上。代名詞の詩的な言葉使いが光る表題曲では物悲しいキーボードがフィーチュアされ、ストリートの賢人らしいラップ愛のメッセージを高度な押韻構成で示した"Stay Conscious"では逆にシンプルなベースがライムを最大限に引き立てる。あくまでラップが主役ということを思い出させてくれる一枚。

## Brainsick

### Best of Brainsick
*Notable Track: East New York Theory (feat. Group Home)*　　　2009 (1996-98)　Loud & Proud

Group HomeのLil Dapの弟であるJack the Ripperと、Blackstarrによるデュ
オの過去音源集。96〜98年の間に12"で発表していた曲をまとめた日本企
画のベスト盤となる。本作の目玉はやはりMix Master G-Flexxプロデュースの
"East New York Theory"で、客演のGroup Homeともども語彙は乏しいな
がら実直な地元イーストニューヨーク賛歌のラップを、Detroit Emeralds使
いのキレのよいドラムが十二分に盛り立てている。

## East Flatbush Project

### First Born Overdue
*Notable Track: Tried by 12 (feat. Des)*　　　2009 (1994-2005)　10 / 30 Uproar Records

ブルックリンのDJ Spencer Bellamyの変名プロジェクトの楽曲をまとめたコン
ピレーション作品。地元のラッパーDesをヴォーカルに招いたサグラップ
"Tried by 12"は「（棺桶で）6人に運ばれるよりも12人（陪審員）に裁かれる
方を選ぶ」というストリートの格言を用いたキャッチーなフレーズ、Odetta
"Sakura"をサンプルした斬新なトラックで人気を博し、DJの2枚使いの定番
だった。この機会に彼のほかの曲を聴いてみるのもよいだろう。

## Natural Elements

### 1999: 10 Year Anniversary
*Notable Track: Paper Chase Pt. 2 (2005)*　　　2009 (circa 1999)　Kings Link Recordz

*Also recommended:*
Mr. Voodoo
Lyrical Tactics
1996

プロデューサーのCharlemagneを中心にNYで活動
するMCによって結成されたコレクティヴのNatural
Elements。のちにソロで活躍するKa（当時はKA=ケ
イエー）も参加した94年のEPを憶えている向きも多い
だろう。彼らは98年にTommy Boy Black Labelと契
約しシングルを数作残したものの、結局アルバムの発
表には至らなかった。本作はそのTommy Boy時代の
楽曲を中心にコンパイルされた未発表音源集となる
が、Stretch Armstrong主催のDoloから発表したス
トリートヒット"Bust Mine"やB面の"Paper Chase"、
その続編の"Paper Chase 2005"も今回別名で再録さ
れている。特に葛藤しながらも金を稼がなければなら
ない想いを綴った05年作は、物憂げなヴァイブとトラッ
クとも相成ってNYCのストリートライフを大いに想起
させる。Mr. Voodoo、A-Butta、L-Swiftそれぞれの
地元レップ"Tri-Boro"、マリワナ賛歌"Second Hand
Smoke"も上々だ。ちなみに本作、2019年に20周年
記念版として再発されている。

# Large Professor

## The LP

*Notable Track: I Juswanna Chill*

2009 (1995 / 6)  Paul Sea Productions

① *Intro*  ② *That Bullshit*  ③ *Hungry*
④ *I Juswanna Chill*  ⑤ *Funky 2 Listen 2*
⑥ *Mad Scientist*  ⑦ *Hard*
⑧ *One Plus One (feat. Nas)*  ⑨ *The LP*
⑩ *Dancin' Girlls*  ⑪ *Large Pro: Verbs*  ⑫ *Havin' Fun*
⑬ *Spacey*  ⑭ *Amaman*  ⑮ *Queens Lounge*
⑯ *Bowne*  ⑰ *Big Willie*  ⑱ *Outro*

Geffenというレーベルはつくづく業が深い。多く
のラップアーティストを青田買いしておきながら、
結局その大半に作品を満足にリリースさせず、最
終的には解雇ないしは手放してしまっている。本
作もそのご多分に漏れず、09年まで正規発表さ
れることがないまま、およそ14年も経過してし
まった。その間、Large教授の熱烈なファンはど
う過ごしていたのかというと、12"化された"I
Juswanna Chill"や"Mad Scientist"あたりでお
茶を濁しつつ、曲順が滅茶苦茶で音の悪いブー
トLPに淫し、余裕のあるものは"I Juswanna
Chill"の別ミックスヴァージョンである通称
"Hundred Doller Bill"のホワイト盤に耽溺して
いたというわけである。おそらく当時のLarge教
授の作品を熱心に待ち望んでいたような層は敬
虔なSP教徒（狂徒）であろうから、のちの
Matadorからのデビュー作である『1st Class』
（'02）には目もくれず、延々"Rap World"や"Extra
Abstract Skillz"、"Resurrection（Remix）"あた
りに想いを馳せ、時には"Fakin' the Funk"に立
ち戻り、叶うことのない恋心を満たしていたと思
われる。そしていざ、09年に『The LP』が正規発
表されると、当時熱狂的だったファンの多くが狂
喜乱舞したことと思われるが、すでにその多くが
ラップ界では要介護の後期高齢者、首を振った
ら入れ歯が浮かび、ハンズアップで腱鞘炎に、

その遠くなった耳ではドラムの音しか満足に捉え
られないという惨状であったそうな（どうせSPの
音質だから関係ないのだ）。ラップの技術も録音
環境も進歩した今、『The LP』のような平坦なラッ
プ、シンプルなサンプリングビートが若者にウケ
るわけもなく、要介護のバックパッカーたちが老
人ホームのつゆと消えたあとは、おそらく誰も振
り返ることなく、人々の記憶から消え去ってしま
うことであろう。時代の波に翻弄された、なんと
も哀れな作品である。
　閑話休題。冗談はさておき、本作の最大の魅力
は教授ことLarge Professorによるサウンド面で
あるというのは疑いようがないだろう。ブートLP
のジャケットにも借用されたDavid Matthewsの
ドラムに、"Thriller"の声ネタが被さる"Mad
Scientist"のイントロなんて、今聴いても鳥肌が
立つし、Nasが客演したHubert Laws使いのキー
ボードが光る"One Plus One"はとにかく美しい。
また、これはちょっとSP1200の音っぽくはない
のだけれど、Earth Disciplesの泣きのギターを
ループした"Queens Lounge"も、まるで気だる
い夏のクイーンズの夜景が浮かび上がってくるよ
うで、なんともいえない郷愁を誘う。教授のラッ
プは癖がなく、テンポが一定だから、酩酊感も
醸し出している。絶対酔っぱらってるでしょ。

## Celph Titled & Buckwild

### Nineteen Ninety Now
*Notable Track: Miss Those Days*

2010   No Sleep Recordings

00年代後半を代表する再発系レーベルNo Sleepより、Demigodzのハード
コアパンチライマーと、D.I.T.C.のプロデューサーによるコラボ作。95年前後
にBuckwildが制作していたビートの上、2010年水準のラップが乗る。いかに
も往年のBuckwildらしいヴァイブ使いの"Styles Ain't Raw"では、元祖パン
チラインの鬼Chino XL、盟友Apathyとスキルフルなバトルライムを披露。90
年代への愛が詰まった郷愁あふれる"Miss Those Days"には目頭が熱くなる。

## Dysfunkshunal Familee

### Family Reunion
*Notable Track: Can't Be Your Lover*

2010   Narcata Records

Manchild使いのシングル"New Ruff Flava"('94)のヒットで知られるブルック
リンのグループ待望のデビューアルバム。音楽業界の闇に翻弄されたが、
Beatminerzがプロデュースする"Start Scheming"や9th Wonderが参加した
"Be a Star"など、ブランクを感じさせない出来に仕上がった。特にSlick Rick
をサンプルし、D-RockとUneekが男女の視点から痴情のもつれを表現する
"Can't Be Your Lover"はメンバー構成が活きている。

## General Steele

### Amerikkka's Nightmare Part 2 (Children of War)
*Notable Track: State of the Union Address*

2010   Duck Down / Bucktown USA Entertainment

Boot Camp Clikに政治性を感じることは少ないと思うが、Smif-N-Wessun
のSteeleはひとたびグループを一歩離れると、アルバム1枚を反体制のメッセー
ジで覆ってしまう。副題に"Children of War"とあるように、本作ではたびた
び戦争で犠牲となる子供たちの目線に立ち、超大国アメリカの矛盾を指摘して
ゆく内容に。なかでも高揚感のあるキーボードの上、愛憎相半ばする祖国へ
の想いをしたためた"State of the Union Address"が強く響く。

## L.

★

### How We Do
*Notable Track: Street Superstar*

2010 (1996-2010)   Hi-Hat Records

90年代に発表された赤青2色の12"で知られるバルティモアのMC初となるア
ルバム。Bobby Hutcherson "Montara" 使いのブーストラップ"Check the
Flow"、Lonnie Liston Smith "We Can Dream" のピッチを下げてより酩酊
感を発揮した"Blue Lights & Blunts"など、既発曲ももちろんよいが、
Premier以降のピアノフリップが爽やかな"Street Superstar"のように新録の
楽曲も上々。なお、本曲は緑色の12"としてシングル化もされた。

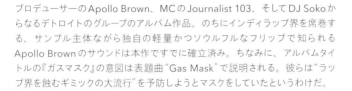

## The Left

### Gas Mask
*Notable Track: Frozen (feat. Kool G. Rap)*

★

2010　Mello Music Group

プロデューサーのApollo Brown、MCのJournalist 103、そしてDJ Sokoからなるデトロイトのグループのアルバム作品。のちにインディラップ界を席巻する、サンプル主体ながら独自の軽量かつソウルフルなフリップで知られるApollo Brownのサウンドは本作ですでに確立済み。ちなみに、アルバムタイトルの『ガスマスク』の意図は表題曲"Gas Mask"で説明される。彼らは"ラップ界を蝕むギミックの大流行"を予防しようとマスクをしていたというわけだ。

## Nems

### Prezident's Day
*Notable Track: My Own Worst Enemy*

2010　Creative Juices Music

コーニーアイランドのバトルMCによるデビュー作。元々は08年にNecroのレーベルからリリース予定だったが、配給契約の問題で発表まで2年の歳月を要した。バトル出身のため基本はコワモテであるものの、2種類のストリングスによる哀愁あふれる"My Own Worst Enemy"では、自分の内にある弱さを内省的に表現し、アーティストとしての幅を見せた。ちなみに彼はアイリッシュとプエルトリカンのミックスなのだが、白人風の顔貌のため、Nワード使用をたびたび問題視されている。

## Non-Combatants

### Envisioning Sound
*Notable Track: Let 'em Know*

2010　Step Down Music

LAのMC／プロデューサーコンビのConvoyとProfoundによる2作目。メッセージ性を重視しているためかラップは至って平坦ながら、単なるループにとどまらない展開のあるサンプリングサウンドが歌詞に引き込ませてくれる。リリシズムはまだ死んでいないと信じるヘッズへ向けた"Let 'em Know"、ライム巧者Memphis Reignsを客演に招き、向上心をテーマにした"Progression"など、どの曲もコマーシャルラップへ対抗する姿勢をみせている。

## Roc Marciano

### Marcberg
*Notable Track: It's a Crime*

2010　Fat Beats

テーマ音楽のようなループを多用し、とにかく畳みかけるライムでストリートライフを叙述してゆく10年代のNYのラップスタイルを確立した作品。犯罪小説の大家から引用したタイトルにもあるように、ピンプの生活を延々ボーストしてアルバム1枚を構成している。シンプルなリムショットのみのドラムの上、客演のKaとともにライムの連打で"夜襲"をかける"We Do It"を聴けば、彼らがラップを強調するために極端なビートレスに移行していった理由がわかるはずだ。

## リリックの読み解き方を考える
# Part 4　多音節ライムと物語性 I

　デトロイト出身のリリシスト Elzhi はデビューアルバム『The Preface』('08) 収録のバトル
ラップ "Motown 25" でその類いまれな多音節ライムの技量を示しつつ、「俺のスキルは G.
Rap 並みにリアル」と多音節ライムの先人 Kool G. Rap へのシャウトをしたためていた。つま
りは G. Rap のフォロワー筋にあたる MC なわけだが、彼が同年フランスのプロデューサー
Dela へ提供した "My Nigga" は、その重層的な多音節ライムはそのままに、理路整然とし
たストーリーのラップを披露している。

## ストーリーライン

　本曲は Elzhi と少年期をともに過ごした友人であり、美しく成長したとある女性へ贈るラヴソング
となっている。かつて一緒にストリートで育った彼女には当初、恋愛感情はなく、彼らはチンチロ遊
びを通じて親交を育んだことが Bar 3、Bar 4 で解説されている。つまり本曲は友情から発展した恋
愛感情とその別れを描いたストーリーになっているというわけだ。また、"My Nigga" というタイト
ルからも明らかなように、本曲はアフリカンアメリカンの文化を理解していないとわからない語彙を
駆使してヴァースが展開されるのも特徴である。たとえば Bar 7 以降に登場する用語はアフリカンア
メリカンの髪型に関するものになっており、彼女は決して「weave（長めの編み込んだエクステンショ
ン）」や「braids（毛先まで編み込んだエクステンション）」といった黒人女性らしい華やかな髪型には
せず、「fade（刈り上げ）」や「wave（カーリーな坊主頭）」といった黒人男性らしい格好を好んでいた
ことがラインからうかがい知れる形になっている。

## ライムの特徴と発音

　Bar 1 から Bar 4 までは4〜5音節の脚韻を畳みかけ、Bar 5 では "thugs and" →"hugged
when" の中間韻でリズムを作ってから2音節の脚韻、次の Bar 7、Bar 8 では3音節のライムを2小
節内に3つ、Bar 9、Bar 10 では2小節内に4ヶ所のライムを披露するなど、その複雑な押韻構成
を巧みに変化させながら自身の体験を基にしたストーリーを展開できているところに、アーティスト
としての表現力の高さが表れている。

　なお、Bar 9 の "sag-ged your bows" という文節に登場する "sagged [sægd]" という単語は、
通常1音節で発音される単語だが、ここで Elzhi は "sag-ged [sæ・gɪd]" と2音節に分割して発音
している（まるで "ragged [ræ・gɪd]" のように）。これはなぜかというと、続く "scrappin' with
hoes" が4音節となるため、文節ごとの音節数を合わせ同じ抑揚でラップできるようにしているわけ
だ。Eminem や Kool G. Rap の章でも言及したが、ラップは発話される韻文であるため、発音は必
ずしも教科書通りに固定されてはおらず、ある一定のルールのもと、アーティストの自由な発想を以っ
て変化する場合があるのである。

## Dela feat. Elzhi – "My Nigga" 1st Verse (2008)

Bar 1    Damn, I can't believe I'm writin' this song
Bar 2    Admirin' your beauty like the life of a swan
Bar 3    It's funny cause we shot dice in the swipe of a palm
Bar 4    Blew in each others hands and dropped them in a cypher at dawns
Bar 5    And thugs and we never hugged when we greeted, it was just pounds
Bar 6    You dap me hard enough to jerk my fist down
Bar 7    I saw you like one of my niggas, no weaves or braids
Bar 8    Out the shop, you leave with fades and would grease your wave
Bar 9    Wore a stud in your nose, even sag-ged your bows
Bar 10   Scratches up the elbows from you scrappin' with hoes
Bar 11   Was haunted by these very thoughts, now the world Know what's up
Bar 12   We've been blowin' off of trees, caught Earl throwin' up
Bar 13   You was a G from out of the hood, the truest to me
Bar 14   We used to sneak into the movies for free and see usually three
Bar 15   Dudes that be in your face, yeah you dated a few
Bar 16   How could you love that man, when I hate him for you

Bar 1    クソ、この曲を書いているのが信じられないよ
Bar 2    白鳥の人生みたいに、お前の美しさを愛でている
Bar 3    笑えるよな　素早い動きでサイコロを振り
Bar 4    互いの手に願かけの息を吹きかけ、日の出のサイファーに落としたのに
Bar 5    サグだった俺たちは挨拶してもハグはしなかった　フィストバンプだけ
Bar 6    お前のバンプは強くて、俺の拳を叩き落とす勢いだった
Bar 7    俺はお前を仲間のひとりだと思っていた　おしゃれな髪の毛じゃなく
Bar 8    床屋では刈り上げにして、よく坊主頭をグリースで整えていた
Bar 9    鼻ピアスをし、髪の毛の結び目を下げ、臨戦体制
Bar 10   ビッチたちと戦って、肘まで傷だらけ
Bar 11   昔のことを思い出して身震いがしたよ　世界はそのすごさをわかってるから
Bar 12   俺たちはハッパをふかしていて、アールは吐いちまったよな
Bar 13   お前はフッドのギャングスタで、俺の親友だった
Bar 14   俺たちはよく映画館に忍び込んでタダで映画を観た
Bar 15   よく３人ぐらいの男に言い寄られていて、数人とはデートしただろ
Bar 16   お前のためにそいつを憎んだのに、よくあいつとデートできたよな

※歌詞はアーティスト支給ではなく、筆者、翻訳協力者による聴き取り、文字起こしの上、筆者による対訳を併記。
※主要な押韻箇所を対になる色別でハイライト。ラップは必ずしも完全韻であるとは限らないため、一部完全韻ではないが聴感的に揃っている箇所もハイライト、またはアンダーラインを引いている。

# Roots of Raptivist

## Genaktionに訊く、インディラップの趨勢と魅力

90年代以降、アメリカをはじめとした世界の音楽チャート、ひいてはエンタテインメント産業を席巻し、人気・市場規模ともに拡大の一途をたどるヒップホップ。インディラップは、そうした華やかなりしメインストリームラップの裏で人知れず発展と深化を遂げてきた。では、メインストリームとインディはどこが違うのか？　そもそもインディラップとは何か？　本書の著者である"ラプティヴィスト"、GenaktionにDJ／ライターの荏開津広が訊いた。

## Part 1　"インディラップ"というものはあるのか？

**荏開津**：『インディラップ・アーカイヴ』の出版、おめでとうございます。本当に労作という以上の、近い将来英語や中国語、ロシア語やスペイン語など様々な言語に翻訳されるべき本が出たなって思います。これまでいわゆる"インディラップ"を紹介していた人は日本にもいたし、個人的に思い出しても1990年代の終わりのUKやヨーロッパ、またアメリカはニューヨークほか世界中に大勢いたと思います。日本には、DJでもあったラッパー／アーティストのECDさんが1996年に編んだ『パーフェクト・ビーツ』や、ラッパーからオーガナイザーまで行うダースレイダーさんの2016年の『ディスク・コレクション ヒップホップ 2001-2010』もあります。しかし、僕が知らないだけかもしれませんが、90年代から2000年代を越えて現在までのインディラップについて記した本は世界的に見てもほかにないと思います。
Genaktionさんも本書の中で触れられているし、僕もそう思いますが、1990年代に東海岸ではPuff DaddyとかMaseとかが出てきて、西ではDr. DreとSnoop Doggy Doggなどの人気が上昇し、ヒップホップがメインストリームになる。同時にそこから"こぼれ落ちた"ものとして、インディのヒップホッ

プが始まる。というか、元々ヒップホップは"インディ"でしたよね。

**Genaktion**：そうですね。80年代なんて8〜9割がインディレーベルからのリリースですから。

**荏**：そうした、元来インディペンデントなヒップホップ／ラップが1990年代にメジャーになると同時に、ここでいう"インディラップ"が始まるわけですけど、インディラップに特に興味を持った理由はあるんですか？

**G**："インディラップ"というジャンルへのこだわりみたいなのは全くないですね。

**荏**：ということはもしかして、アメリカのヒップホップ／ラップは全部聴いているんですか!?

**G**：全部ってことはないですけど（笑）…元々僕が好きだったのは、たとえばKool G. RapでもSlick Rickでもいいんですけど、いわゆる当時の正統派のラップで、今でいう"ブーンバップ（Boom Bap）"と呼ばれているサンプリングビーツから入っているの

で、その後の2000年代前半のインディラップ最盛期や、2000年代後半のミックステープの盛り上がり、そしてそれ以降のフリーアルバム時代を通じても、結局好きなものって変わらないんですよね。今回"インディラップ最盛期"と章立てた1990年代後半から2000年代前半というのは、大雑把にいうと逆にヒップホップがメインストリームになっちゃったので、今までのものと違ったんです。ヒップホップの市場の方が変わってしまったので、当時僕みたいにその前のラップが好きだったような人は、結構そのままインディラップというか、俗にいうアンダーグラウンドなラップに流れていったんじゃないかなと思います。もちろん中には色々な人がいて、基本的にラジオでかかってヒットしたものしか聴かないという人もいますよね。そういうその時々のトレンドをずっと追い続けていくという考え方ももちろんあると思うんです。

萑：「良い音楽の基準は、ラジオでプレイされてヒットした曲だ」みたいな考え方がありますね。

G：それはそれでいいんですけど、さっきの80年代はどれもインディだから誰も"インディラップ"なんて呼ばないというのと一緒で、たとえば今は"ブーンバップ"というジャンルがありますけど、これって元々はただのオノマトペで、日本語でいう"ズーンチャ"と同じ意味ですよね。それこそラップは、ハウスパーティとかブロックパーティという頃からそういう意味で"ブーンバップ"で、Run-DMCがリズムマシーンを使うにしてもハードなドラムだったり、その時みんなが肩に掲げていた"ブーンボックス（註：日本でいうラジカセ）"の"ブーン"というのは要するにベースの"ズーン"ですよね。それが80年代末とか90年代初頭に一部のサウンドがソフトになったと言うと乱暴かもしれませんが、少しそういう感じが薄らいできた時に、たとえば93年にはA Tribe Called QuestのQ-Tipが"We Can Get Down"の中で"Skilled in the trade of that old boom bap"とラップしたり、KRS-Oneが『Return of the Boom Bap』というアルバムタイトルを引っ提げて戻ってきたじゃないですか。ずっとあったただのオノマトペなのに、今ではジャンルを表す言葉になっている。個人的には"インディラップ"という言葉やジャンルを意識したことはあまりなくて、今回

はディスクユニオンさんと本の内容を調整している際に、「インディラップ」をテーマにディスクガイドを出そうという話になったので、あくまで本の定義としてインディ（自主独立系）レーベルから出ているもの＝"インディラップ"を紹介するということになりました。

萑："インディラップ"という音楽ジャンルがあったり、また"インディラップ"という言葉がクオリティを表しているわけではないということですね？

G：インディレーベルから出ているもの＝インディラップとした場合、定義上はとても広範にわたるジャンルとなるので、あまり"インディラップ"という区分けを用いる方は少ないかもしれません。僕自身もことさらインディ作品ばかりを追ってきたわけではなく、2000年代前半なら50 Centとかを普通に聴いていたので、たとえばもし1997年ならば、僕は正直Rakimの『The 18th Letter』について書きたいなと思うんです。Universalから出た作品なので、本のテーマとは関係なくなるのですが、そっちの方が好きですから。1990年代前半なんて、ヒップホップアルバムのほとんどはメジャーレーベルから出ていますよね。多少この本でも触れたんですけど、たとえばHieroglyphicsクルーでいったら、最初はDel Tha Funkee HomosapienがElektraと契約してIce Cubeと一緒にこれから売り出していくという感じだったわけじゃないですか。そして気づいたらそのほかのメンバーも全員Jiveと契約していたみたいな。彼らはアルバムを出すのも決まっていて、1993〜94年にかけてぼんぼん発表していく。そういう、ひとりに人気が出たからって周りのやつも囲い込んで、アルバム契約でメジャーが全部出させるのって今だとありえないじゃないですか。

萑：クルー全体の知名度が高くても、なかなか難しいかもしれないですね。

G：当時のメジャーレーベルにはそれぐらいプッシュできる力があったのが、だんだん薄れていったのが90年代後半なんでしょうね。それでメジャーとインディの差というか色々な場ができていったし、"インディラップ市場"とこの本で呼んでいるものが成立していったのかなと僕は思っています。たとえばメ

ジャーレーベルからリリースされると、ちょっと前だとまずラジオでかからないといけない。ラジオのあとはリングトーンが主流になった時期があって、そこでは15〜30秒で印象付けなくてはいけない。それが今だとTikTokですよ。TikTokの再生時間である15秒以内でミーム的に曲が使われれば人気になる。最近面白いなと思ったのは、Megan Thee Stallionの"Savage"がTikTokで非常に人気だったんですけど、多分あの曲をフル尺で聴いたことがある人って本当に少ないと思うんです。

茸：そうでしょうね。

G：みんなフックの"I'm a savage, classy, bougie, ratchet"と言ってる部分は知っているけど、ヴァースになるとほとんど聴いたことがないと思うんです。でも、あのように売る分にはあれでいい。キャッチーなところがあって、ビートがよくて、面白いライムになっている…聴かせ方としてはそれぐらいでいいですよね。ただ、インディラップと呼ばれるような人たちは、そもそもそこを商圏にしていない。一部は商圏にしていて売れないだけの人もいるかもしれないですけど、その場合何がディープになっていくかというと、歌詞ですよね。だから小説を読むような、いわゆる文学的アプローチのものを聴きたいのであれば、インディラップから入っていった方が早くたどり着けると思います。メインストリームでそういう曲を探すのは、めちゃくちゃ大変だと思いますし、僕は同じラップとはいえ、メインストリームのラップでは聴き方が全く変わります。

茸：その通りだと思います。たとえば、1990年代終わりに出てきたNon Phixionというグループのリリックは、当時のメジャーのラップと扱っているテーマが全く異なっていて、最初に聴いた時びっくりしました。

G："The C.I.A. Is Trying to Kill Me"では、Ill Billが「イエス・キリストはギャングスタラッパーだった。殺されたあとに舞い戻り、プラチナムアルバムを作った」というパンチラインを残していて。要するに、イエスは磔になり、ボーンアゲインして、キリスト教という史上最高のコマーシャルヒットを飛ばしたってことを言わんとしているわけですが…かっこいい

ですよね（笑）。当時大手のラジオでかかっていた曲でこんなの聴いたことなかったですよ。

茸：ないない。今回久しぶりに色々聴き直して、2000年代前後にインディラップが押し寄せてきた当時を思い出しました。僕はその頃DJで生計を立てていたんですが、パーティでプレイするのがすごく難しかったですね。その頃の友人や知り合いではDJ Kenseiさんや DJ Quietstormさん、DJ Yasさんなどがやっていた特殊なパーティ——インディラップを好きな人がある程度集まるクラブではプレイされていたでしょうが、そうしたパーティ以外でNon Phixionをかけるのは至難の技と言いますか。ほかにも Munk Wit Da Funkなどいくつもインディラップをプレイしましたが、実際には超大変でした。

G：DeBarge使いの定番ネタだった"I Blame My Neighborhood"を当時聴いていた方も多いと思いますが、Munk Wit Da Funkは結構いいことも言ってましたよね。ラップの仕方はすごいバカっぽいんですけど、フィラデルフィアで苦労している自分のことを語ったり、子供ができてこれからどうしようか、とか。今聴き返してもその辺の描写はぐっとくるものがあります。同じ系統でいうと、95年にAtlanticからデビューしたIll Biskitsというヴァージニアのグループは、D.I.T.C.がプロデュースしているので音で好きな人は結構いると思うんですけど、ぜひリリックもちゃんと聴いてもらいたいですね。96年に発表を予定していたアルバム『Chronicle of Two Losers』に収録された"A Better Day"という曲のフックで、彼らは「たとえ空に雲がかかっていても、よりよい日を見つめていよう。そうすればいつか太陽が昇って、視界を晴らしてくれるから」とラップしますが、当時まだ20歳前後の子たちがよくこんな曲を作ったなあって思いますよ。よくあの頃こういう曲を出そうと思ったなあって…でも、結局出せなかったんですよね。このアルバムは全体を通じてすごいポジティヴなことを言ってたんですけど、メジャーのAtlanticからはゴーが出なかったから、結果お蔵入りになってしまいました。

茸：やっぱりリリックはこの頃からすごいディープで多岐にわたってますよね。

G：特に僕は 2000 年代に入ってからがすごいと思っています。たとえば、Demigodz というニューイングランド地方のコレクティヴに所属していた Louis Logic という MC は、ライン全体でライムしてしまうような複雑なラップで当時異彩を放っていたのですが、それに加えてテーマもすごく面白くて。この本でも 2003 年のデビュー作『Sin-A-Matic』を紹介していますが、なかでも "The Ugly Truth" という曲は、色々な人種やマイノリティの人たちをこき下ろしていく、めちゃくちゃレイシストな曲なんです。そうやって色々な人種をひたすら罵倒していって、最後に、「緊張しているよ。就任式に遅れているから」みたいなことを言う。何だろう？と思うと、ヴァース後のアウトロで、「こっちです、ブッシュ知事」という掛け声が入ります。勘のいい人ならもうわかると思いますが、この曲の内容は大統領就任を控えたジョージ・W・ブッシュ（註：第 43 代合衆国大統領、第 46 代テキサス州知事、共和党）の心の声だったんです。

荏：はい。

G：最後にどんでん返しが待っているというか、凝ったストーリーの作り方をしていて。2017 年に Joyner Lucas が "I'm Not Racist" という曲のヴィデオを作ったじゃないですか。トランプ支持者の白人男性による「俺はレイシストじゃない」というヴァースと、次のアフリカンアメリカンの男性による本音のヴァースとの二段構えになっているやつ。これってやっていることは同じようなことなんですよね。かたや Joyner Lucas はグラミー賞でベストミュージックヴィデオにノミネーションされましたが、Louis Logic の "The Ugly Truth" は映像すら存在しません。

荏：こういうそもそもは人種隔離（政策）からくるコントラストを映像で表現するのは、古くは SNL のエディ・マーフィーのコメディからスパイク・リーの映画『ブラック・クランズマン』（'18）までありますが、インディラップではリリックにそれを取り入れて表現していたということですね？

G：考えると 2000 年代頃のアーティストも注目されないだけで、色々同じようなことを面白くやっていましたね。特に 2003 年は中東で戦争を拡大してい

たブッシュの頃だったので、政治的な作品が目立っていました。なかでも Immortal Technique の作品は印象深いです。特に 2 枚目の『Revolutionary Vol. 2』（'03）に収録された "Peruvian Cocaine" は、冒頭から映画『スカーフェイス』の米国と麻薬産業に関するニュースの音声をサンプルしていて、各ヴァースがコケイン農場の小作人の苦労話とか、奴隷農場の領主の話とか、FBI の捜査官の話とか、いろんな立場で当時の Immortal Technique 周辺のラッパーたちがストーリーを描いていくっていう設定の曲なんですよね。この曲は最後に『ニュー・ジャック・シティ』のニノ・ブラウンが出廷させられて、ドラッグディーラーの彼が自白するとなった時に、「悪いのは俺たちじゃなくてアメリカだ」と告げるアウトロで幕を閉じてゆく。ビート自体は『スカーフェイス』のサウンドトラックで、主人公のトニー・モンタナがヘリでボリヴィアに向かう場面の曲を使っています。もちろんサンプリングだから、ビートに真新しさはないかもしれないんですけど、やってることはすごく面白いと思います。こんな結構な人数のストーリーもののポッセカットみたいなのって、いまだかつてないですし。これって絶対クラブでかけようとか、ラジオでの盛大なプロモートとかは意識してないと思うんですよ。

荏：ラップが始まった頃からインディペンデントにリリースされていたのはさっきの話の通りです。それから現在までには、この本にも書いてあるようにインディラップの調子が良くなっていった。2000 年代にリリックがそうやって複雑になっていくのは、同時期にインターネットが普及して身近な環境になっていったことと何か関係がありますか？

G：ニューヨークとかロサンジェルスの人たちは例外として、それ以外の地方のアーティストは分散していたので、リリックの内容よりもまず彼らが一緒にやれるようになったのが一番大きいと思います。たとえば Anticon の Sole ってメイン州のポートランドという田舎の出身なんですよね。のどかな港町で周りに何もないと思うんですけど、90 年代半ばから地元で Live Poets という自分たちのグループを結成したり、ネットサイトを主催して少しずつ北東部でコミュニティを築いて、その後彼はベイエリアに居を移して Anticon をスタートさせています。Anticon

を作る時には、たとえばシンシナティのDoseone
とかほかの地域のメンバーを連れていったりしてい
るんですよね。出身が異なる地方の人たちが団結で
きてしのぎを削れるようになったのは、インターネッ
トの影響が大きいと思います。オンライン上に自分
たちのフリースタイルやミックステープを上げれば、
すぐ評価がつきますし、やっぱりなにより聴く人が
増えたのは大きいですね。

あの頃は全然情報がなくて、The SourceやVibe
などの雑誌もそうですが、だんだんとラップが華や
かになる一方、いわゆるアンダーグラウンドな人た
ちとか、アップカミングな人たちを特集するのを少
しずつやめてしまっていました。僕の勝手な解釈で
は、ジャンルがさらに細分化されてしまって、だか
らそういうのが好きな人たちは結構インターネット
に流れたんじゃないかと思います。いわゆるネット
が日本で一般的に普及し出したのは、僕の記憶で
は1996年の後半ぐらいだったと思いますが、ウチ
はちょっと特殊で、小さい頃からDOSのPC-98が
あったり、ウィンドウズ95も出てすぐ家にあったの
で、そのぐらいからラップのサイトとか海外の掲示
板を結構眺めていました。検索機能が充実するの
はもう少しあとだったんですけどね。当時はまだイ
ンターネットでなく、ユーズネット（Usenet）という
掲示板の原型みたいなものが主流で、今の掲示板
とは全然違って、テキストファイルをサーヴァー上
に保管し、それをまた開いて見るみたいな仕組みで
した。

荏：当時だとまだダイヤル回線の時代ですよね。

G：そうです。97年頃にはインターネット上にいろん
なサイトがぽんぽんできていて、ぺらいサイトなん
ですけど、ネットバンキングだったりクレジットカー
ド情報を入力すれば1、2ヶ月後ぐらいに船便で
CDが日本まで届くみたいな状況になりました。本
の中でもたびたび言及していますが、この97年の
前はラップは12インチシングルが中心でしたけど、
この年からCompany Flowの『Funcrusher Plus』
に代表されるように、インディラップの重要な作品
がCDで登場するようになりましたよね。それまで
いわゆるアンダーグラウンドヒップホップやインディ
ラップのイメージは、間違いなくシングルが中心だっ

たと思います。だけどそのあたりから色々なアーティ
ストがアルバムも出すようになったし、インターネッ
トも広まって地方のイケてない兄ちゃんたちも気軽
に作品を作れるようになったのだと思います。また、
家庭用のCD-Rドライヴが普及し始めたのも96年ぐ
らいからで、その頃には個人が持ち込み印刷できる
キンコーズなどの店舗もCD-Rプレスのサービスを
開始していたんですよ。それで97、98年ぐらいに、
いろんな地方の全く無名のアーティストが自主盤と
かをどんどんプレスするようになったんですよね。
それらをSandbox Automaticみたいな米国のヒッ
プホップサイトで買っていました。

90年代末になると、海外で色々なサイト／掲示板
ができたんです。たとえばHip Hop Infinityや、
HipHopSite.Comとか、また少しあとには
Philaflava.comとか。そしてもちろん一番有名なと
ころだとUndergroundHipHop.comですよね。日
本からそういうのを見たり、オンライン上で交流し
たりしていました。あとは98、99年ぐらいにラップ
のリリックが書き起こされて読めるOHHLA.com
（The Original Hip Hop Lyrics Archive）というサ
イトが登場したのも大きかったです。このサイトの
運営者はRapReviews.comというラップのリヴュー
サイトも2000年ぐらいからスタートしていて、特に
インディ系の作品が充実していた憶えがあります
ね。これらのサイトを学生時代に眺めていました。
ラップのリリックはスラングだらけで何を言ってるか
よくわからないし、英語だって当時はそんなに堪能
だったわけではなかったですが、ネットで質問する
と誰かがちょっとした説明をしてくれました。あの
頃にはすでにMP3が普及していて、ハイパーリンク
をクリックするとReal Audio Playerが起動し、
96kbpsとかの非常に音質の悪い音源をオンライン
上で聴くことができて。今でいうストリーミングです
よね。Sandbox Automaticというサイトはリテー
ルとしては結構早く、購入前にストリーム試聴がで
きたので、試聴のために訪れることもありました。

荏：それにしても早熟ですね…でも、ネットの拡大
によってグローバルになったし、しのぎを削ること
が可能になり、反応をもらえるようになって、次に
リリックの内容が複雑になっていったのかもしれま
せん。人種の話は注意深く扱わなくてはと思います

が、いわゆるアフリカンアメリカンの人たちがメインとなって始まったヒップホップですけど、自分のインディラップの体験を振り返ると、やはりそうではない人たちが増えたような気がします。さきほどの話のAnticonもそうですし、様々な階級からの様々な人たちが増えたということは感じますか？

G：この手の話題になると、「白人がロックを洗練させた」みたいな言説に陥りがちで、いわゆる文化盗用（Cultural Appropriation）に注意しないといけませんね。単にリリックを洗練させたということなら、Kool G. RapやBig Daddy Kane、Rakimなどがすでに"インディラップ"以前から取り組んでいましたし、Melle Mel、Grandmaster Caz、Kool Moe Deeなどのレジェンドたちも、ブロックパーティ時代からラップの表現拡大に多大なる貢献を果たしてきました。それが90年代後半には、白人だったりエイジアンだったりという、アフリカンアメリカンじゃない人も、彼らのアートフォームを使わせてもらえるような環境になったというのは間違いないと思います。もっと言うなら人種ではなく地域ですよね。ラップは地域性が色濃いジャンルなので、たとえば、ニューヨークやロサンジェルスの人々が駆使するスラングなどは、ほかの地域の人々には理解しづらい時がありますよね。インターネット以降のインディラップはそういったラップ先進地域以外の人々も続々参加してきたので、地元でしか通じないスラングだらけで何を言ってるかわからないリリックよりも、いわゆる文学的なアプローチのリリシズムの方が受けがいいし、伝わっていく。地元の人たちのローカルなものよりはもうちょっと普遍的なもの、ただキャッチーなフレーズがいいビートに乗ってるだけでなく、一度聴くとライミングとその内容で刺激されるような方にいくのかなと。

荏：地元でしか通用しないスラングを反復するだけのリリックがあるとして、それも自分たちの属するコミュニティでアピールするのであれば、一時の冗談としては十分だと思います。しかし、ネットの普及によってそのコミュニティ自体をヴァーチャルでも拡張するプラットフォームができたとも言える、またはその可能性を信じた人たちがいる。そのことは大きいと思いますか？

G：大きいと思います。90年代はニューヨークではローカル／カレッジラジオや、Lyricist Loungeみたいなオープンマイク的なセッションがインディラップの中心でしたよね？　時を同じくして西海岸で話題になっていたGood Life Cafe（註：LAの健康食品店、オープンマイク型のイヴェントを開催していた）なんて、実際にオープンマイクが開催できるブースは店内のコーナーの6畳ぐらいじゃないですか。あそこに十数人が集まって、地元の人たちはすごいって言うんでしょうけど、そのままで終わっていたら結局はローカル止まりで、外には伝わっていなかったでしょう。それがやっぱりインターネットや色々な形で熱気が伝搬され、曲としてだけでも世界の人が聴いて評価しようってなると、状況も作品で表現することも変わってくると思います。

荏：全く正しいと思います。リリックの内容も変わるんですよね。言わなきゃいけないことも変わってくるし、届けたい（視野に入る）知らない人が増える。変化にも通じると思う。

G：ローカライズじゃなくてインターーナショナライズされていくと視点が変わっていくのかなと。もちろんアーティストはそれぞれ地元があり、それぞれの言葉で地元のことをラップするわけですが、最近聴き返していて笑っちゃったのがKanserっていうミネアポリスのグループがいるんですけど、彼らのシングルにもなった"Happens Everywhere"という曲。フックで"East Coast to the Midwest, it's all over the world / West Coast to the Midwest, it happens everywhere"とラップするのですが、これってニューヨークとかLAの人が聴いたら爆笑しますよね。「なんで俺たちと中西部（Midwest）を引き合いに出してるの？」って（註：中西部は一般的にラップのイメージがない地域）。でも、彼らとしては自分たちが"マップに乗った"ということを地元の人たちにも示しているわけです。

荏：インディラップのリリックが多岐にわたりディープにもなっていくと同時に、それと並走してメジャーラップシーンみたいなものもどんどん大きくなっていくんですよね。

G：もちろんです。やっぱり表裏の関係なので、ヒッ

# Roots of Raptivist

ブホップ全体が盛り上がってそういうインディラップみたいなものも出てきたけど、揺り戻しもあるわけです。この本にも書いてますが、2000年代後半はどちらかというと、メインストリームも変化し、色々な地域の人たちが出てきましたし、ストリートアルバムみたいなものの使い方もどんどん変わって、無料でミックステープを配ることが当たり前になります。そうすると、無理してまでよくわからない奴らのラップをお金払って聴くか?という話になりますよね。インディでも無料で配れる余裕のある人たちはいるんでしょうけど、曲を作る上ではスタジオ代などを払わなければいけないので、メインストリームのラッパーのようにレーベルがお金を払ってくれるからとりあえずスタジオに行って曲をレコーディングして、ぼんぼんフリーで配るみたいなことはできない。そうするとインディはフィジカル盤ばかりになるので、メジャーの復権というか、またメジャーの一極集中が始まるんです。ところが、その次にはなんでもフリーになっちゃったので「タダでなんでもできるんだからメジャーにいる必要ねえじゃん」、「タダで配ってグッズとかで儲けるなら自分たちでできる」となったのが2010年代以降の姿だったと思います。結果として、知名度は抜群なアーティストでもみんな揃ってやっていることはインディっぽくなっちゃったので、メジャーとインディの差がまたなくなってきて、いわゆるインディとはいえ面白いブームができてくるみたいな——そういう循環が今後も続くと僕は思っています。ただそうなると、途切れるじゃないですか。

荏：途切れるとは？

G：インディのラップが盛り上がった時期と、盛り上がりが止まってしまった時期の間で途切れがあります。ブームは8年とか10年とかのスパンなので、その間にインディラップを聴くこと自体から離れてしまう人が多いんですよね。だから、昔から30年間一貫してインディ作品だけを取り上げた文献がないのは、その時々でトレンドが変わっているのでしょうがないと思います。90年代末〜00年代初頭のインディラップの盛り上がりって実は日本でも大きくて、『Tags of the Times』シリーズをリリースしたMary Joyの肥後徳浩さんはもちろん、渋谷にあったレコード店Mr.Bongoの栗原大さんや、Put Them on the Mapというサイトでインディ系のヒップホップを買い付けて販売していたFumaさんなどが当時トレンドセッターになっていましたね。今も活発に活動している有名な方だと『ルポ川崎』の磯部涼さんや、今はジャズ系の批評が中心の原雅明さんなどもこの手のラップを紹介していた時期があったと思います。あと荏開津さんのご友人の伊藤雄介さんも主に西海岸系のアーティストを雑誌「BLAST」とかで書いていらっしゃって。僕の想定ではみなさん現在40代後半ぐらいの方なのかなって思うんですけど、昔はあの辺を大好きだった人がいっぱいいたはずなんですよね。ただ、やっぱりブームだった時はいいんですが、それが多少陰ってくると最新のトレンドのものに流されるというのは仕方のないことなんで、当時インディラップと分類されていたものを昔からずっと追っている人はかなり減ってるのかなとは思います。一部例外的に、メジャーインディを問わず昔からずっと新作を紹介されている、日本のラップ言論界の重鎮小林雅明さんのような存在もありますが、小林さんは「FRONT」や「BLAST」ではどちらかというとR&Bや映画批評、The Sourceの名物企画「The Rap Bandit」の日本版などの印象が強くて、当時はあまりインディラップのイメージはなかったですね。今はSpotifyやApple Musicでなんでも聴けるので、個人的にはまたインディのラップが面白くなってきていますけどね。

Part 2（P.198）に続く

142

NONPHIXION
THE FUTURE IS NOW

Ill Biskits
Chronicle of Two Losers — First Edit

INDEPENDENT AS FUCK

## ― 復活期 ―

### 2011 - 2016
### Chapter 5:
### Born Again

　90年代半ばのインターネットの登場によりラップの商圏は飛躍的に拡大したが、10年代にはスマートフォンの普及による通信網の拡充、またネット回線全般の改善により、ラップの"クラウド時代"が到来することとなる。シングル曲はもはや販売するのではなく、アルバムのプロモーションとしてSoundcloudなどのクラウドサイト上にアップロードされ、無料でストリーミング試聴できるのが常識となり、アルバムも発売日には上述のSoundcloudやYouTubeなどに丸々アップロードされるようになっていた。さらにアーティストによっては、アルバムを販売させず、自身の公式サイト上やアップローダーなどから無料で提供するようになっていた。不思議な話だが、たとえばiTunesやAmazon MP3などでは有料販売されているアルバムが、別のサイトでは公式に無料でダウンロードできる、そんな状況が当たり前になったのが2010年代の特徴である。つまり、かつてストリートアルバムとして機能したミックステープが00年代後半の無料化によりいっそう普及し、音楽を無料で利用することが普遍化した10年代には、ミックスすらしていないアルバムと遜色のないクオリティの作品までも無料で配布されるようになったという構図だ。かつてインディレーベルを悩ませたサンプリングの権利処理が当時全般的に緩くなったのも、このアルバム無料化時代を反映している。

　YouTubeやSoundcloudに代表されるクラウドサイトの最大の特徴は、サイト自体がソーシャルメディアの機能を併せ持っていたことで、そのサイト内のコミュニティ上で人気を獲得すれば自ずとプロモーションが可能になっていた。たとえば、アーティストは音源をサイト上に投稿すれば販促が完結するため、レーベルに所属する必要すらなくなる。アーティストは無料で音楽を提供する代わりに、閉じられたコミュニティに向け、ライヴやグッズ、限定フィジカル作品などで稼ぐ。そんな時代が訪れたのである。ニッチな市場を低予算で狙えるためインディアーティストはチャンスが増し、作品発表数は飛躍的に増加した。インディラップ第二の春がこのフリーアルバム時代だった。

# Atmosphere

`Conscious`

## The Family Sign

*Notable Track: Became*

2011   Rhymesayers Entertainment

Also recommended:
**I Self Devine**
**The Sound of Low Class**
**Amerika**
2012

ミネアポリスが誇るデュオの6作目のアルバムは、ライヴバンドを駆使した08年の前作に引き続き、ギタリストとキーボーディストが参加しているものの、参加楽器は最小限になり、サンプリングも廃されるという、よりシンプルで落ち着いたものとなっている。それはアルバムのアートワークやその表題が登場する"Something So"でも示されているように、Slugに新たな家族が誕生したことも大きいのだろう。物悲しいギターの上、わずかなハイハットを加えた"The Last to Say"では家庭内暴力の負の連鎖に苦しむ母親と息子の姿を描き、その一方、ヘヴィなギターの"She's Enough"では最愛の女性へ絶対の服従を示す。エレピを立たせた"If You Can Save Me Now"は交通事故に遭い、死の淵で家族を想う曲だ。そう、本作は"家族"をテーマとしたコンセプト作。アルバム中もっとも美しい詩世界を魅せるのは、ある道を逸れてしまった友人に捧げた"Became"。Slugは一面銀世界の中、必死に行方不明となった友人の足跡を追ってゆくが、次第にその足跡は狼のものへと姿を変え、生い茂った雪山に消えてゆく。ラップの詩的表現を極めた名曲。

# Constant Deviants

`Hardcore`

## Amongst Friends

*Notable Track: First Place Wins*

2011 (1997-99)   Six2Six Records

軽快なジャズサンプルのシングル曲 "Can't Stop" のストリートヒットで知られるブルックリンのデュオが Brooklyn Pipeline 所属時代の97〜99年に録音していた音源をまとめたコンピレーションアルバム。本作にはもちろん"Can't Stop"も再録。ヒップホップ愛を示しつつ、ラジオの力がなくても己のスキルで売れることをボーストした佳曲だ。未発表曲で素晴らしいのは"First Place Wins"。トップしか生き残れないストリートの葛藤を美麗なエレピが盛り立てる。

# Co$$

`Conscious`

## Before I Awoke

*Notable Track: Risen*

2011   Tres Records

冒頭の"Risen"を聴くと、このMCは簡単に親族を失ってしまうLAの凄惨なゲトー出身のようだ。しかしそれでも、たとえばサックスを立たせた爽やかなジャズ風の"Before I Awoke（No Rest）"では、ストリートで銃の犯罪と隣り合わせの苦悩を披瀝し、葛藤しながらも負の連鎖に染まらないように努める彼の姿勢が表現されているし、盟友Bluを招いた"Born Again"では、後輩が銃の犠牲になったことを示しつつポジティヴに人生を歩もうとしている。

## DC the MIDI Alien

Conscious

### Avengers Airwaves
*Notable Track: National Threat (feat. East Coast Avengers)*

2011  Brick Records

移民排斥を叫ぶラジオ番組の司会者をスタジオから追い出し、海賊放送を始めるというイントロで幕を開ける本作。東海岸の豪華MC陣を招集し、収録曲はどれも"反体制"のコンセプトに沿った内容に。なかでも機械化される現代社会に警鐘を鳴らした"Technology Takeover"、使い捨てにされる退役軍人たちの心情を曲にしたためた"Dispossable Heroes"、建国の血塗られた歴史を紐解く"Birth of a Nation"などはテーマもよく練られている。

## The Doppelgangaz

Battle

### Lone Sharks
*Notable Track: Nexium*

2011  Groggy Pack Entertainment

NYはオレンジカントリーのMC／プロデューサー Matter Ov Fact とEPのデュオによる通算2作目。コンビ名の"ドッペルゲンガー"という言葉の由来は、2人が大の仲良しで趣味嗜好までほとんど共通しているから"もう一人の自分"を意味する同語を用いたという。爽やかなエレピのトラックなのにドラッグをテーマにした"Nexium"に顕著だが、突飛で珍妙な退廃的リリックと、一転してシリアスで硬派なトラックの好対照が最大の特徴となっている。

## Elzhi

Battle

### Elmatic
*Notable Track: Memory Lane*

2011  Jae B. Group

*Also recommended:*
Elzhi
Out of Focus
1998

デトロイトのMCによる『Illmatic』('94)の再構築盤。凡百のトリビュート作とは異なり、本作はあらゆる意味で『Illmatic』のアップデート版だ。まずは手始めにNasのデビューシングル"Halftime"とその同名曲を比べてみよう。前者はおよそ半小節ごとに平均1音節の中間韻と、通常1音節（時折2音節）の脚韻で構成されている。いわゆる90年代に象徴的な畳みかけるスタイルだ。一方の後者Elzhiはというと、なんと半小節ごとに平均2音節以上の脚韻が輻輳する押韻構成になっている。音節をひとつ増やすだけでどれだけ表現が制限されるかは、フップファンなら自明だろう。ライヴバンド Will Sessions によるトラック群も古典的な弾き直しという手法ではあるけれども、あくまで原曲に忠実なサンプルを立たせる作り。『Illmatic』が12ビットの音質、10秒ほどのサンプリング時間という制約の中で生み出されたアートなら『Elmatic』はまるでフィルターの層の中に埋もれていた音々が高解像度のリマスターで蘇ったような作品。想い人に宛てた"One Love"なんて、やりとりが手紙から"メール"に替わっているし…。

## Grap Luva

### Neva Done

*Notable Track: Work It Out*

2011　Slice-of-Spice / Redefinition Records

Pete Rockの弟でIniのメンバーによる未発表音源集。アートワークからも明らかなようにSP1200直系のビート集となっており、特に後半のインストトラック群はPete RockのベースメントスタジオでGrap Luvaが録り溜めていたものだという。もちろんラップ曲も上々で、Joc Maxとの共作"Work It Out"ではスムースでシンプルなループモノのトラックの上、ストリートでなんとか生き抜こうとする子供たちへ向けた思慮深いメッセージの言葉が並ぶ。

## Ill Bill & Vinnie Paz

### Heavy Metal Kings

*Notable Track: Keeper of the Seven Keys*

2011　Enemy Soil

Jedi Mind Tricksの同名曲から発展したプロジェクトで、Ill BillとVinnie Pazのメタル趣味が大いに表現されている。いかにもC-Lanceによるハードなシンセストリングスが印象的な"Keeper of the Seven Keys"や、Q-Unique、Slaine参加の"Metal in Your Mouth"など、独特の陰謀論的世界観によるバトルライムも悪くないが、感傷的なトラックの上、実直な反体制ラップを展開する"Children of God"が際立っている。17年に続編が制作された。

## K-Def

### Night Shift

*Notable Track: Escapizm (feat. Rob-O)*

2011　Redefinition Records

*Also recommended:*
K-Def
Beats from the 90's Vol. 1
2008

Marley Marlの右腕としてMPC60を駆使し、90年代に数々の傑作ビートを残したK-Def。2011年にDamu the Fudgemunkが主催する"再定義"という名のレーベルより発表したのは、ハードディスクいっぱいに録り溜めていた膨大なデジタル音源を基に、ヒップホップクラシックの数々をCubaseで再構築したトラック集だ。Camp Lo "Sparkle"やPete Rock "For Pete's Sake"のカヴァーに顕著だが、本作は単なるインスト版のループというわけではなく、ドラムのパターンやネタの展開も含め、あくまで曲全体としてトラックを聴かせる構成に仕上がっている。極めつきはNas "One Love"再構築の"Supa Heath"で、本曲では元ネタのHeath Brothersをサンプルすることなくトラックを再編成。コラージュアートとして完成をみせた。本作にはボーカルモノも2曲収録されており、これまたPete Rock使いの"Escapizm"では、彼の実弟Rob-Oをフィーチュアし、現実逃避をして犯罪を礼賛するのではなく、知性を持ったラップで人々を鼓舞する必要を説いている。

# Lowkey

Conscious

## Soundtrack to the Struggle
*Notable Track: Obama Nation*                                            2011   Mesopotamia Music

*Also recommended:*
Lowkey
Key to the Game 2:
Still Underground
2004

ロンドンのMCによる2作目のアルバム。ラテン風のギターとシンセが折り重なる"Too Much"ではLaurynのサンプルを効果的に配し「女王制を廃止しろ。あの魔女の顔は見たくない」と"上品"に君主制を批判。"Obama Nation"2部作ではUSの最高権力者もしっかり口撃。ここで彼は沖縄の基地問題に言及しているが、米国人でも世界のどこに自国の基地があるかなんて知らないだろうに、さすがの視野の広さだ。母方のルーツであるイラクへの想いは"Cradle of Civilisation"で丁寧に整理。まだ見ぬ祖国で貧困や迫害に苦しむ"自分と同じ顔"の同胞たちへ想いを馳せる。Immortal Techniqueを客演に招いた"Voices of the Voiceless"も外せない。"声なき声"を2人が代弁した曲だが、後半には「長崎・広島の亡霊たちの呻き声が聞こえるだろう」というラインが登場。"Hiroshima"という単語はさんざんギャングスタラッパーたちのブーストに使われてきた(e.g.「広島みたいにボムを落とす」)歴史があるわけで、ポジティヴな意味で使用してくれているだけでもラップファン冥利に尽きる。

# Rashad & Confidence

Hardcore

## The Element of Surprise
*Notable Track: The City*                                            2011   Ill Adrenaline

NYのMCとフィリーのプロデューサーによるジョイントモノ。本作ではRashadが自分の人生やMCとしての在り方を示したものが多く、たとえば"Understand"では彼がMCとしてどれだけ努力を重ねているのか説明しているし、エレピのフリップにサックスを重ねたジャズ系トラックの"The City"では子供たちに、自分が育った劣悪なストリートに染まらないように注意を促し、"Let Mc Explain"では金に目がくらみ落ちぶれてゆくラッパーの姿を描写している。

# Tonedeff

Battle

## Cold.Killed.Collected (2005 - 2010)
*Notable Track: No Hope*                                            2011 (2005-10)   QN5 Music

唯一無二のメロディアスなラップと複雑なライムスタイルで知られるクイーンズのMCが05年〜10年に客演仕事などで発表していた楽曲をまとめたレア音源集。名曲"The Gates"の別ヴァースとなる"Behind the Gates"などの未発表曲や、お得意の内省的詩世界からポジティヴさをみせる"Optimist"、亡き友へ捧げた感傷的な"No Hope"ほか、QN5のレーベルコンピレーション用に提供していた既発曲などをまとめて堪能できる。

## B. Dolan

`Conscious`

### House of Bees Vol. 2

*Notable Track: Film the Police (feat. Toki Wright, Jasiri X & Sage Francis)*　2012　Strange Famous Records

Strange Famous 随一のポリティカル MC による4作目。ピッツバーグで非暴
力運動を展開している MC 兼活動家の Jasiri X をはじめ、Buddy Peace、
Sage Francis といったレーベルの面々をフィーチュアした "Film the Police" で
は、Public Enemy や N.W.A. を引用しながら、警察の不当な暴力を徹底的に
糾弾。アクースティックギターを立たせた "Which Side Are You On?" では、
LGBTQ コミュニティへの連帯を示し、ラップ界の同性愛蔑視を批判している。

## Chino XL

`Battle`

### RICANstruction: The Black Rosary

*Notable Track: Father's Day*　2012　Viper Records

*Also recommended:*
**Sway & King Tech**
**Back 2 Basics**
2005

アナウンスから3年余を経て発表された Chino の4枚目は、
CD2枚組の大作に仕上がった。まずはなにより冒頭の
"Father's Day" に耳が向く。小児ガンに侵された生後間も
ない我が子への想いを披瀝する本曲、「娘のためなら命を
投げ打ってもいい」という台詞に胸が熱くなる。もうひとつ
の目玉は感傷的なエレピの "Mama Told Me"。9歳から受
けた継父の凄惨な虐待に耐え切れず、ついに13歳の時に
反撃したところ、誤って母親を刺してしまったという壮絶体
験を物語る曲だ。コンセプトが面白いのは、過酷な家庭
環境の中、ライムを書いていた幼少期を述懐した "Silent
Art Child" で、ここでは「悲劇的な喜劇」や「忘れられた記憶」
といった矛盾する言葉を重ねる撞着語法を駆使してライン
を構成してゆく。ほかも「結婚指輪なんてクソ。あんなのは
世界一小さい手錠だ」なんてパンチラインを用い、前作に引
き続き浮気した前妻への怒りをぶつける "Sleep in Scarlet"
や、銃乱射事件を起こす子供を描写した "Little Man" など、
言葉遊びを重層的に重ねつつも、物語性のある曲が続く。
いうまでもなく大半を占めるバトルラインも上々だ。

## Clear Soul Forces

`Battle`

### Detroit Revolution(s)

*Notable Track: Get No Better*　2012　Rappers I Know

Kankick のビートをジャックした "Get No Better" で一躍有名になったデトロイ
トのクルーによるデビュー作（余談だが、無断でビートを借用された Kankick
は彼らに "Stealin pt 1" という曲を送っている）。12年当時では比較的珍しい
掛け合いラップ、ソウルフルなサンプリング主体のビートスタイルに、過日の
Hiero 一派を彷彿した向きも多いだろう。元々ネット上で無料配布されていた
が、19年に Fat Beats から2LP で正規リリースされている。

## Epidemic

### Monochrome Skies
★
*Notable Track: Past the Margin (feat. Estee Nack & Purpose)*
2012　Mic Theory Records

*Also recommended:*
Epidemic & Tantu
The Soulution
2014

フロリダのリリシスト Hex One と Tek-nition のデュオによる2作目。とにかく多音節で畳みかけるバトルライムで全体を覆った前作に比べ、今回はアルバムタイトルの『モノクロの空』にも表れているように、よりメランコリックな雰囲気で己の葛藤や内省的なメッセージも披露している。それは家族を失った心情を叙述した"Destined to Be"や、人生を何にでも染まるキャンヴァスに見立てた"The Canvas"、雨粒と自分の苦境を対比した"Rainy Dayz"などの曲に顕著だ。彼らは毎回ひとりのプロデューサーをメインに据えてアルバムを作るが、今回はルクセンブルクの Jesse James を起用。なかでも、定番サンプルの Catalyst "Uzuri" が2回も登場したり、郷愁を誘うハープと Nas のラインを用いた"Past the Margin"、93 'til Infinity の再構築で永遠のヒップホップ愛を誓った"Infinity"などは、やり過ぎなぐらい90年代のヒップホップを引用している。本作はLPでのリリースはなかったが、13年と14年にサンプラーEP が1作ずつ発表されたので、アナログ派はそちらを。

## Koncept

### Awaken
*Notable Track: Watch the Sky Fall (feat. Royce Da 5'9")*
2012　Soulspazm Records

NYのヒップホップ集団 Brown Bag Allstars 所属のMCが発表したソロ2作目。リリシスト Royce Da 5'9" を客演に招いたシングル曲の "Watch the Sky Fall" は、"荒城の月"をサンプルした Marco Polo の手腕も大いに注目された。本作には BBAS のプロデューサー陣ももちろん参加しており、たとえば Audible Doctor がプロデュースした"Save Me"では、薬物によって命を落とした実父や離別した継父たちを述懐してゆくパーソナルなものに。

## Ran Reed

### Respect the Architect 1992-1998
*Notable Track: Boot in the Door*
2012 (1992-98)　No Sleep Recordings

90年代に数多のクラシックを生み出した敏腕プロデューサー Nick Wiz。彼が地元NJに構えていた自作スタジオ、通称"The Cellar"で収録済みの音源をまとめた『Cellar Sounds』シリーズでも多大な貢献を果たした Ran Reed がソロ名義で登場。低賃金労働の搾取を Nick らしい温かなヴァイブで仕上げた"9to5"のような正統派もあれば、不倫による妊娠、そして最悪の結末を迎える"Fatal Attraction"のような Slick Rick を引用したストーリーまで披露している。

## Rapsody

### The Idea of Beautiful

*Notable Track: Believe Me*

`Battle`

2012　It's a Wonderful World Music Group / Jamla

9th Wonder が主催するコレクティヴ Jamla から登場したノースキャロライナの女性 MC によるデビューアルバム。実直にラップのスキルを示すスタイルが特徴で、Deodato のキーボードをフリップした Khrysis による "Believe Me" では先輩 MC の Lauryn への愛あるラインを残しているし、9th によるソウルフルなトラックの "Kind of Love" では「ヒップホップはポップじゃない。プロパガンダはやめろ」とヒップホップ文化への献身を示している。

## Slum Brothers

### Jus Regular Niggers: Diaries of a Porch Monkey

*Notable Track: Sure Shot*

`Hardcore`

2012 (1999)　Not on Label

ブロンクスのハードコアラップグループが 99 年に発表を予定していたお蔵入り作品が 12 年にようやくリリース。ジャジーなピアノループのトラックの上、黒人対白人のプロパガンダに惑わされることなく己のスキルで勝負することを誇った 95 年の人気曲 "Sure Shot" はもちろんのこと、ギャングスタラップ批判の "Stop Frontin" や "Regular Niggers"、フェイクサグをこき下ろした "Fool's Paradise" など、初期 12" 作品もしっかり再録されている。

## Vinnie Paz

### God of the Serengeti

*Notable Track: You Can't Be Neutral on a Moving Train*

`Hardcore`

2012　Enemy Soil

*Also recommended:*
Vinnie Paz
Carry on Tradition
2013

Jedi Mind Tricks のフロントマンによるソロ 2 作目となるアルバム。地元フィリーの代表的料理をタイトルに用いた Psycho Les プロデュースの "Cheesesteaks" や、延々と "Shit" を並べ立ててゆく Preemo プロデュースの "The Oracle" など、バトル調の曲が先行シングルとしてフィーチュアされたが、ハイライトは歴史学者 Howard Zinn 氏の同名著を引用し、アメリカ建国の血塗られた歴史を 8 分弱に及び綿密に叙述してゆく "You Can't Be Neutral on a Moving Train" だろう。作詞に 2 年を要したということからも明らかなように、平均 3 音節以上の脚韻で物語を構成してゆく本曲のリリシズムは圧巻だ。ヴァースに併せてシネマティックに展開してゆくトラックもよくできている。なお、Howard Zinn 氏の著書を用いた楽曲はその後も制作されており、16 年に "Writings on Disobedience and Democracy"、18 年には "A Power Governments Cannot Suppress" という続編がそれぞれ発表されている。ソロになりますますトピックの幅を広げる彼に今後も注目だ。

## 7 G.E.M.S. (Tragic Allies & Tragedy Khadafi)

Hardcore

### Golden Era Music Sciences
*Notable Track: Gems*

2013　Ill Adrenaline Records

ボストン近郊のリンを拠点にするTragic Alliesとレジェンド Tragedyによるスペシャルユニット。5パーセント的世界観をテーマにハードコアながらコンシャスな歌詞世界をクルーのプロデューサー Purpose全曲プロデュースで展開。Estee Nackがサグから5パーセンターとして生まれ変わった過程を叙述する"Gems"、美麗なエレピに引き込まれる"The Anointed"、ストリートの子供たちへ思慮深いメッセージを送る"Aura Snatchers（Remix）"などどれも強力。

## Bankai Fam

Hardcore

### On My Side
*Notable Track: On My Side*

2013　Shinigamie Records

フランスのプロダクションチーム Jupiter A.K.A.（A.K.A.は Astronote、Kyo Itachi、Azaiaそれぞれの頭文字から取っている）。彼らが制作指揮したブルックリンのグループがBankai Fam。のちにソロ名義での発表もあるフロントマンの Skanks、5パーセント用語を多用するGstatsなどのMCから構成され、彼らのNYストリート色全開のラップがSP直系のブーンバップが盛り立てる。まずは表題曲を導入に、彼らの世界観を理解しよう。

## Beautiful Eulogy

Conscious

### Instruments of Mercy
*Notable Track: The Size of Sin*

2013　Humble Beast

ポートランドのBrailleを中心とするプロダクショングループによる2作目のアルバム。表題曲を聴けばすぐにわかるが、楽器を多用した牧歌的サウンド、敬虔なクリスチャンとしてのバックグラウンドが全体を通じて表現されている。その表題曲に加え、真の信仰に目覚めるように説くPropaganda参加曲の"Symbols and Signs"、物悲しいギターと重厚なベースのもと、Odd Thomasが1ヴァースで決める"The Size of Sin"あたりが聴きどころ。

## C-Rayz Walz

Battle

### Almighty: The Solar Facts
*Notable Track: Stimuli (I'm Ready) [feat. L.I.F.E. Long, John Robinson & Jasiri X]*

2013　Sun Cycle Entertainment

元々『Almighty: The Godly Verses』というタイトルで発表を予定していた作品（どうやらAlmightyのA&R、M-80と権利関係で揉めたらしい）。元タイトルからも示唆されているが、アルバム1枚に招集するにはあまりに多くの豪華MC陣が参加している。なかでも圧巻なのが、L.I.F.E.Long、John Robinson、Jasiri X参加の"Stimuli"と、総勢13名のMCによる5パーセント的歌詞世界のマイクリレーモノ"A-Alikes"。自主制作となったのが非常に惜しい。

## DJ Skizz

### B.Q.E. (Brooklyn-Queens Experience)

*Notable Track: Day in the Life (feat. Reks, Maffew Ragazino, Rasheed Chappell & Liza Colby)*　　2013　Gawd of Math Music

人気ラジオ番組"Halftime Show"で活躍するDJのデビュー作。クイーンズと
ブルックリンを結ぶハイウェイ"Brooklyn-Queens Expressway"から着想を
得たタイトルにもあるように、ニューヨークを代表するMCが一堂に会している。
かつてNasが"One Love"で演じたように、The Firmの元同僚Natureとブルッ
クリンのレジェンドMasta Aceが同種の会話形式のストーリーを"Metal Bars"
で披露。ポッセカットの"Day in the Life"も聴きどころ。

## Durag Dynasty

### 360 Waves

*Notable Track: Tetrahydrons on Mars (feat. Chace Infinite)*　　2013　Nature Sounds

2013年のAlchemistといえば、Boldy James、Prodigy、Willie the Kidといっ
たMC陣と共作を出すわ、自身のミックステープも発表するわで、多忙を極め
ていたのだが、実は3月にこのPlanet Asiaを中心とするグループの全面プロ
デュースも担当していたことを憶えているだろうか。本作は西海岸のフリースタ
イラーよろしく言葉遊びを中心としたバトルライムを、ソウルフルなサンプルを
中心としたスムースなトラックが盛り立ててゆく。

## Fredro Starr & the Audible Doctor

### Made in the Streets

*Notable Track: Everyday Hell*　　2013　Mad Money Movement / Goon MuSick

*Also recommended:*
**Brown Bag Allstars
Brown Bag Season Vol. 1**
2011

ハードコアラップグループOnyxのメンバー10年ぶりの
復帰作は、同郷のヒットメーカーAudible Doctor完
全プロデュースの硬派な一枚となった。本作はスリリ
ングな哀愁系エレピのフッド譚"Everyday Hell"で幕
を開けると、コーラスサンプルモノ"That New York"
で危険なニューヨークに警鐘を鳴らし、シンセをフィー
チュアした"Polo Wars"では悪名高いNYのギャング
Lo Life全盛期を述懐し、ホーンを立たせた"Hit Man
4 Hire"ではタイトル通りゲトーの始末屋を気取るなど、
全編にわたりストリート色を強調した地元ニューヨー
クレップが繰り広げられる。かつてのラップスターも近
年は俳優のイメージが強かったが、本作で多少は勘を
取り戻せたのではないだろうか。アルバムの締めくくり
となる表題曲"Made in the Streets (Remix)"では一
転、スムースなトラックの上、今は亡き自分の父親も
自分と同じくストリート育ちで、仲間とも最愛の妻とも
ストリートで出逢い、どんな困難が待ち受けようとスト
リートで暮らしてゆく意志を示している。

## The Godfathers (Necro & Kool G. Rap)

**Hardcore**

### Once Upon a Crime

*Notable Track: Once Upon a Crime*

2013 Psycho+Logical-Records

Kool G. Rapの影響を公言して止まなかったNecroがまさかの全曲プロデュースで待望の共作を発表。表題やアートワークからも明らかなように、本作は一貫したマフィオーソラップの世界観に。なかでも "Omerta" は映画『ゴッドファーザー』のサントラを丸使いし、パンチラインを随所に織り交ぜたライムを披露している。Necroお得意のストリングスがキレキレの表題曲は最高のエンディングタイトルだろう。G. Rapのヴァースだけで仕上げてほしかった。

## Ill Bill

**Hardcore**

### The Grimy Awards

*Notable Track: When I Die (feat. Tia Thomas)*

2013 Uncle Howie Records / Fat Beats

Non Phixionのリリシストが発表した3枚目のソロアルバム。アートワークでも示唆されているが、本作は家族に捧げた作品となっており、これまでのハードコア辺倒の彼とは多少毛色が異なっている（娘の誕生も大きかったようだ）。Pete Rockによるリミックス版が収録となった先行曲の"When I Die"では、ホロコーストを生き残ったポーランド系移民の祖母Bobi、親友のように接してくれた叔父Howieへの感謝と天国での再会を曲にしたためている。

## Jermiside & Danny Diggs

**Conscious**

### Quiet as Kept

*Notable Track: Book of Rhymes (feat. Theory Hazit, K. Sparks & DJ Mayhem)*

2013 Hipnott Records

アトランタで活動するMCとアイルランドのプロデューサーによる通算2作目。全体を通してサンプル主体のスムースなビートに、人生の教訓を淡々と描写するポジティヴなラップがバランスよく合わさっている。フックにJ-Liveをサンプルし、Nasのリリックを上手く引用したボースト系の"Book of Rhymes"や、知識の重要性を講義する"Life Lessons"、黒人としてのルーツを物語る"Bloodline"など、思慮深いテーマの好曲揃い。

## Kid Tsunami

**Hardcore**

### The Chase

*Notable Track: Twothousand40 (feat. Masta Ace)*

2013 Slice-of-Spice / Head Bop Music

オーストラリアのプロデューサーによるデビューアルバム。客演MC陣の豪華さに目がゆくが、トラックも生ギターを取り入れるなど、基本はブーンバップでありながらサンプリングにとどまらない進化も示している。なかでも30年後のブルックリンを舞台に老人となったMasta Aceが変わらぬスキルで圧倒する"Twothousand40"はコンセプトも練られた名曲。Roy Ayers "The Memory"使いのビートでA.G.がボーストする"The First Letter"も上々の出来。

## Killah Priest

`Hardcore`

### The Psychic World of Walter Reed

★

*Notable Track: New Reality*

2013  Proverbs Records

"Wubian Nation"なんてタイトルの曲が収録されていることからも明らかだが、Nuwaubian Nationや5パーセント・ネイションの思想を下敷きに、独自のアフリカ回帰思想や宇宙論でWu一のスピリチュアルな歌詞世界を展開するMCが、CD2枚組の長尺で発表したアルバム。たとえばヴィデオも制作された"Brilliantaire"では「俺はヨガはやらないがお前の想像力をストレッチできる」なんて言い回しで「知識こそ力」ということをボーストしている。

## Klaus Layer

`Unique`

### The Adventures of Captain Crook

*Notable Track: Come Back (feat. Scienze & Blu)*

2013  Redefinition Records

愛用のMPC2000 XLとチープな8トラックレコーダーだけで極悪のビートを組んでしまうドイツのプロデューサーのデビュー作。とにかく2曲目の"Company"を聴いてほしい。針が吹き飛ぶんじゃないかという極太のドラムにくごもったベースライン、サイケに展開するキーボード。ここまで"ブーンバップ"という形容がふさわしい曲はなかなかない。客演のBluがサクッとかます"Illest in Charge"や"Come Back"などのラップ曲も悪くない。

## Paranom & Purpose

`Hardcore`

### Life Outside the Frame

*Notable Track: So High*

2013  Ill Adrenaline Records

ボストンのコレクティヴTragic Alliesのメンバーによるコラボアルバム。5パーセンターとして時折それらしい単語を曲中に忍ばせてくるものの、本作での魅力はコンシャスなメッセージというよりは、MC陣による多音節のテクニカルなライムであり、ある意味時代に取り残されたともいえるサンプル主体のサウンドだろう。それはスクラッチ入りの感傷的なエレピの上で、冒頭から"æ"と"el"の母音のライムを畳みかける"Precision"で顕著となっている。

## Ransom & Statik Selektah

`Battle`

### The Proposal

*Notable Track: Life of Sin*

2013  Brick Records / ShowOff Records

ニュージャージーのMCとボストンのDJによるコンセプト作。実際に収監された経験を持つRansomだからこそのストリート色全開なサグラップは、昨今では比較的珍しいBig Pun直径の高速マルチライムで彩られている。それでもゲトーの苦悩を内省的に叙述する"Life of Sin"あたりはメッセージ性も発揮しており、MCとしての幅の広さを示しているし、"It's Ransom"の鬼気迫るストリングスの重奏サンプルは彼の濃厚なラップと見事にマッチしている。

## Snowgoons
Hardcore

### Black Snow 2
*Notable Track: Fast Food Nation (feat. Q-Unique)*

2013　Goon MuSick

ドイツのプロダクションチームが08年に発表した作品の続編となるアルバム。主に米国のMCを客演に召集し、シンセのストリングスを強調したハードコアなトラックが持ち味となっている。なかでも本作を代表するのが、TheArsonistsのQ-Uniqueがソロで魅せる"Fast Food Nation"。ラップ界に蔓延る商業主義的路線を大量生産・消費される"ファストフード"に対比し、フックのコーラスに至るまで巧みな多音節ライムで"料理"した佳曲。

## Sparrow the Movement
Conscious

### Physics
★★
*Notable Track: Rhyme Impotence*

2013 (1994-96)　Six2Six Records

バルティモアのラップグループが90年代に収録していたトラックを基にアルバムへ再編集した作品。まずは本作の元となった95年のシングル "Physics" と"Rhyme Impotence"の収録が嬉しい限りだ。前者はストリートを覆う犯罪や警察の暴力へ言及し、後者は「お前のヤワなライムじゃ勃たないぜ」とワックディスに終始している。アルバム全体のテーマが「ネガティヴな環境の中でもポジティヴでいること」となっており、そんなJamarのラップをラフなビートが支えている。

## Apollo Brown & Ras Kass
Conscious

### Blasphemy
*Notable Track: Humble Pi*

2014　Mello Music Group

西海岸随一のリリシストが当時気鋭のデトロイトのプロデューサーと組んだ作品。表題からも明らかだが、白人の潜在的脅威を扱った"Nature of theThreat"、悪魔との対話でキリスト教に疑義を呈する"Interview with aVampire"などの"冒涜"的な詩世界は、その続編の"How to Kill God"でも変わらず披露されているし、かといえば "Humble Pi"では、大企業に迎合し無知な振る舞いをするラッパーたちの"冒涜"っぷりを批判していたりする。

## Azaia
Hardcore

### Re-Animations
*Notable Track: City's Flesh (feat. John Robinson)*

2014　Marvel Records

フランスのプロダクションチーム Jupiter A.K.A.のメンバーとしても活動するプロデューサーが英語圏のMCを招集して発表したデビュー作。アートワークはグロテスクだが、特段ホラーコア作品というわけではなく、ラップを立たせる硬派なサンプリングサウンドが展開される。John Robinsonが5パーセントの語彙を用いながら大都市のスラム問題に言及する"City's Flesh"が突出しているが、Bluによる"Heaven on a 45"も煙たいキーボードの質感が悪くない。

# Bambu

## Party Worker
*Notable Track: Minimum Wage*

2014　Beatrock Music

*Also recommended:*
DJ Muggs & Bambu
The Los Angeles,
Philippines Mixtape
2010

強盗で収監されたあと、海兵隊に所属していたという経歴を持つフィリピン系移民のMCによるコンセプト作品。社会構造上の問題を盛り込んだラップを得意としている彼だが、その原点は沖縄駐留時代に目の当たりにした"海兵隊に奉仕するフィリピン人女性"や"米兵の暴力に抗議する沖縄人の姿"にあったという。これらの経験からか、本作は"いわゆる社会的弱者"に寄り添ったメッセージの曲で構成されている。たとえば"労働"をテーマにした曲はこれまでも数多く発表されてきたが、スムースなキーボードをフィーチュアした"Minimum Wage"は"最低賃金で生活する労働者階級の移民の立場"から人種と雇用問題に迫っており、移民が雇用を奪っているのではなく、安い労働力を求める資本家側に問題がある点も指摘するなど、言葉遊び色が強いながらも独特な言葉選びで上手くテーマをまとめ上げているし、"出産の重み"をテーマに女性と男性優位社会の現実を描写する"Labor of Girl"では、ヴァースは女性MCのRocky Riveraに委ね、自分はあくまでフックの参加のみで"個"を尊重した姿勢を示している。ヒップホップという文化の多様性を大いに感じさせてくれる一作だ。

# Cormega

## Mega Philosophy
*Notable Track: Industry*

2014　Slimstyle Records

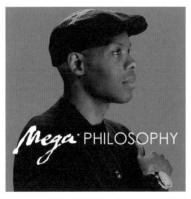

*Also recommended:*
Cormega
Special Edition
2004

Cormegaといえばストリートを端正に描写するクライムラップの印象が強いが、本作ではそんなサグな彼が、アーティストとしても、ひとりの人間としても成長した姿を提示している。アルバムを彩るトラックは全曲同郷クイーンズのLarge Professorによるもの。しかし、本作最大の聴きどころは明らかにコンテント重視へとシフトしたそのリリックだろう。彼の"人生哲学"の導入に、まずは"Industry"を聴いてみてほしい。イントロにファラカン師の演説を配した本曲は、商業・拝金主義にひた走り、アーティストたちを捨て駒のように消費する音楽業界を斬った快作だ。実際、The Firmとしてのデビューを阻まれ、Def Jam時代には辛酸をなめた経験を持つ彼であるから、その発言には大いに説得力がある。続く"More"もその延長線上といった趣で、"白いアメリカ"に搾取されるマイノリティの姿を奴隷制と対比して端正に描写しつつ、「俺たちはズボンを垂れ下げたノータリンなだけじゃない。SAGGINのスペルを反対に言ってみろ、NIGGASだろ。ズボンを上げて身繕いしろ」と、体制に迎合し無知な振る舞いをするラッパーたちへの説法を披露。

## Diabolic

### Fightin Words
*Notable Track: Feel Ya Pain*

2014　Warhorse Records

Immortal Technique の作品参加で知られるロングアイランドのバトル MC が
発表した14年作。元々業界内での評価は高く、"Diabolical Sound"では DJ
Premierと共演を果たしている。とにかく"ライムフリーク"とも形容できる、
固くブレない多音節の脚韻が最大の魅力でありつつ、いじめ自殺問題を3人称
視点で綴る"Victim's Story"や、社会で奮闘する自身を描写した"Feel Ya
Pain"などはストーリーテラーとしての魅力にも溢れた佳曲。

## Diamond District

### March on Washington (Redux)
*Notable Track: First Step (14KT Remix)*

2014　Mello Music Group

DCの MC／プロデューサー Oddisee が主催するラップグループが前年に発表
したアルバムを豪華プロデューサー陣がリミックス。まず、なぜか LP 版には
収録されなかった14KTによる"First Step"のリミックスから風変わりだ。爽や
かなエレピと相反して狂った調子のドラムプログラミングに痺れる。DJ Skizz
による"March Off"のリミックス（表題曲）ではさらにダークなサウンドで"ワシ
ントン大行進のテーマ"を意図した本作の緊張感が高まっている。

## Hasan Salaam

### Life in Black & White
*Notable Track: Grey Area*

2014　Viper Records

タイトルの『黒と白の人生』から明らかなのは、このニュージャージーの MC はど
うやら黒人と白人の背景を持つらしいということ。そんな彼の出自が明確になる
のは "Father's Day"で、曲中彼は白人の父親に受けた虐待とミックスとしての葛
藤を描いている。彼の苦悩は曲名にもなった"Grey Area"という言葉が作中たび
たび登場することからも伝わるだろう。そんな繊細で複雑な MC だが、"Jericho"
ではストレートに警察の暴力を批判。ひとりの人生の深みを感じさせる一枚だ。

## Nino Bless

### Illuminati Reject
*Notable Track: Echoes of War (feat. Neenah)*

2014　Not on Label

G. Rap のフックアップや Joe Budden 名義の"Slaughterhouse"への客演で
知られるプエルトリカン MC のアルバム。アートワークに若干引くかもしれない
が、騙されたと思って"Echoes of War"を聴いてほしい。コーラスにも参加し
ているプロデューサーの Neenah による、ドラムで兵隊の行進と機関銃の音を
模したトラックが斬新。本作には未収録だが、同年発表された"POV"では
Sha Stimuli が異次元の多音節ストーリーを魅せているので、そちらも是非。

## Omniscence

`Battle`

### The Raw Factor
*Notable Track: Amazin'*

2014 (1995-96)　Gentleman's Relief Records

ノースキャロライナのMCが96年にElektraから発表予定だったもののお蔵入
りとなった作品がDebonair Pのレーベルより登場。 本作にはもちろん
"Amazin'"、"Tough Y'all"などのシングル曲も収録されているのでご安心を。
パンチラインに傾倒したバトルライマーによくあることだが、やはり未発表曲の
"Nuff Love"では「俺はパールハーバーのジャップみたいに爆弾を投下」なんて
台詞が登場しているので注意が必要だ。 ビートは悪くないのだが。

## Open Mike Eagle

`Unique`

### Dark Comedy
*Notable Track: Dark Comedy Morning Show (feat. Toy Light)*

2014　Mello Music Group

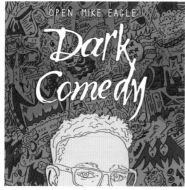

*Also recommended:*

**Open Mike Eagle
Brick Body Kids Still
Daydream**

2017

複雑な多音節のライムとナードな作風で知られるシカ
ゴ出身のMCが"笑い"をテーマとしたコンセプト作品。
タイトルどおりコメディ関連のキーワードに言及しなが
ら皮肉たっぷりのラップを唄い上げる"Dark Comedy
Morning Show"で幕を開ける本作。「俺たちは"大抵"
最高」「"時々"新鮮なライマー」というように修飾語句を
用いながらラップ界の自慢話を揶揄する"Qualifiers"で
は「俺が黒人の代弁をしてるとみなす白人はくたばれ／
俺が黒人の代弁ができないと思う白人はくたばれ」とい
うシニカルなパンチラインや、オールドスクールの出身
だということを強調した語彙で耳を引き、"Lil"を冠した
ネット世代のラッパーをからかう"Golden Age Raps"、
「ポルノサイトの会員は無駄だから無料サイトへ／だが
俺のコメディはコピーするな。金を払え」という助言を
披露する"Doug Stamper（Advice Raps）"など風変わ
りなテーマを続けてゆく。特に月面での"夢のようなツ
アー"をブッキングするエージェントに扮した"Jon
Lovitz"は、最後の顛末に思わず笑ってしまうだろう。

## Poetic Death (Von Poe VII)

`Hardcore`
★

### Only Godz Relate
*Notable Track: Cowboy Bebop*

2014　Organized Threat

LAのコレクティヴOrganized Threatの創設者がCD2枚組のヴォリュームで
発表した作品（これまでミックステープとして発表していた楽曲を再編集）。 独
特のスピリチュアルかつホラー趣味と、一転してコンシャスなメッセージが両立
したMCで、後者の代表といえるのが、Video Music BoxのLauryn Hillのディ
ベートをサンプルした"Cowboy Bebop"だろう。 Trayvon Martinの悲劇を引
用しつつ、黒人コミュニティ内の変革を訴えている。

## Prhyme

Hardcore

### Prhyme
*Notable Track: Prhyme*

2014　Prhyme Records

00年代を代表するPreemo仕事"Boom"での共演以来抜群の相性を魅せる2人が、スペシャルユニットとしてアルバムを一枚作ってしまった。しかも本作、Adrian Youngeが制作した曲のみをサンプルしてビートを組んでいるというギミック付き。コンセプトも面白いが、内容ももちろん上々で、94年のラップ界に連れ戻してくれる"U Looz"や、Slaughterhouse勢揃いの"Microphone Preem"など、ラップの基本のバトルライムが堪能できる。

## Sage Francis

Conscious

### Copper Gone
*Notable Track: Make Em Purr*

2014　Strange Famous Records

*Also recommended:*
**Sage Francis
Personal Journals**
2002

若者文化とされるヒップホップだが、当初若かったアーティストも時とともに成長してゆくものだ。本作はSageの初期ミックステープやデビュー作『Personal Journals』に連れ戻してくれるわけでも、ひたすらに過去を懐かしむ作品でもない。たとえばそれは加齢を受け入れつつ自分のペンが錆びていないことを証明する"Say Uncle"にも明らかなように、彼はあくまで現在の目線でライムを構成してゆく。「20代はどよめき／30代はぼんやり／40代はわからないが／彼らの喉を鳴らせたい」というフックの"Make Em Purr"では他人との接触を避け、猫と過ごす仙人のような暮らしが披露され、Kurt Vonnegutの小説『猫のゆりかご』の台詞を引用した"Vonnegut Busy"では世間に囚われずせわしなく活動し続ける自身を描写し、"Thank You"では過去のクラシックのラインを引用しながら、若かった過日を述懐し、亡き父への感謝を吐露する。オイル交換の警告灯をタイトルに用いた最終曲"Maint Reqd"なんて、自分を"使い古された車"に喩えて人生を振り返る格好だ。不惑を目前に円熟味を増したMCの魅力がここにある。

## Shabaam Sahdeeq

Conscious

### Keepers of the Lost Art
*Notable Track: Seasons Change*

2014　Below System

Rawkusでの楽曲リリースやPolyrhythm Addictsへの参加で知られるブルックリンのMCが発表した5作目。本作ではより一層コンシャスさが増したリリックを豪華プロデューサー陣が彩っており、なかでもLewis Parkerが珠玉のビートを提供している。お得意の硬質なドラムにサックスを合わせた"Seasons Change"ではポジティヴな変革を、哀愁系エレピの"Walk with the Light"では家族への愛情を父親としての目線から披瀝してゆく。

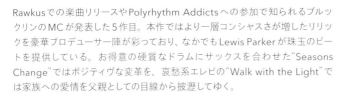

## String Theory

### String Theory

*Notable Track: Intergalactix (feat. uMaNg)*

Conscious
★

2014　Mic Theory Records

*Also recommended:*
Hex One & 5th Element
Hologramz
2014

フロリダのデュオEpidemicの片割れHex Oneと、スウェーデンの10代プロデューサーB.B.Z. Darneyによるスペシャルグループ。表題の『弦理論』とは宇宙の根源である素粒子に関する理論のことだが、ここでは原義から転じて、"ヒップホップの基礎"の意味で使用されている。一応はコンセプト作であるものの、"いかにして複雑な韻律を構成するか"に挑み続けるHexと、"ブーンバップのスタイルを崩さない"B.B.Z.による、基本に忠実なバトルライムが堪能できる一枚。盟友のパンチライマーuMaNgを客演に招き、宇宙の用語をボーストに援用した"Intergalactix"、ラヴソングに転嫁した"All Beautiful"などは単なるバトル調にとどまらないひねりがあるし、"Funky Drummer"のドラム丸使いのビートで、相棒Tek-nitionが現状のラップ界を"堕落した女性"に喩えた"Used to Be"は、擬人化ラップという古典的な手法ながら味わい深い。ラップゲームで模索する葛藤とギャングスタラップへの牽制を忍ばせた"Reminisce"も牧歌的なループが歌詞世界と上手く調和している。

## uMaNg

### The Black Rose Certificate

*Notable Track: Broken Fences*

Battle

2014　Ill Adrenaline Records

ソルトレークのインド系MCが盟友のB.B.Z.と制作した4枚目。幼少期の崩壊した家庭環境を述懐する"Portrait of Ruin"や、流産で亡くなった長女と病弱な次女、そして妻への愛を語る"Broken Fences"などのストーリーも語れるが、二重表現の宝庫"Correct Techniques"にあるようにバトルライムを得意とする。ただし"Black Roses"では「俺と戦ったらマレーシア機よりも早く消えることになる」なんてPC的に危ない発言も飛び出し、パンチラインが滑る傾向も。

## Willie the Kid & Bronze Nazareth

### The Living Daylights

*Notable Track: The Guilt*

Battle

2014　Black Day in July Productions / Embassy Entertainment

La the Darkmanの弟で、元DJ Dramaの契約アーティストだったMCと、Wu一派Wisemenのプロデューサーという、地元ミシガンつながりのコラボ作。Willieといえば踏みどころを細かく切り替えた、畳みかけるようなライムと、独特のメタファーを中心としたバトルラップのイメージが強いが、本作ではストーリーテリングも披露しており、"The Guilt"は兄にそそのかされるままストリートの悪事に手を染め、最後は強盗を犯してしまう少年の物語になっている。

## Awon & Phoniks

Conscious

### Knowledge of Self
*Notable Track: Mysteries of Life*

2015　Don't Sleep Records

思慮深いリリックとソウルフルなサンプリングサウンドを得意とするコンビの2
作目。前作のAwonはストリート色が強かったが、本作ではより内省的な詩
世界が展開される。郷愁漂うギターの上ポジティヴに意識の流れでスピットす
る"Mysteries of Life"、サックスとキーボードを立たせたトラックで黒人対黒
人の犯罪を憂う"Summer Madness"、BLMに連動し体制による搾取を題材
にした"Profit Off My Pain"など、どれも力強いリリックが光る。

## Canibus & Bronze Nazareth

Battle

### Time Flys, Life Dies... Phoenix Rise
*Notable Track: I Couldnt Get Around It*

2015　RBC Records / Black Day in July Productions

これまで散々「ラップはいいけどビート選びのセンスが…」と言われてきた
CanibusがBronzeと組めば…そりゃあいいに決まっている。アートワークで
も示唆されているが、大富豪Paul Allenの誕生会に招待された件から始まる
述懐モノ"Canibus Autobiography"で簡単に自己紹介を済ませ、中身のない
ラップ界に辟易する"Mr. Montana... Thank You"や、向上心を示した憂いあ
るコーラスの最終曲で変わらぬ硬派なスタンスを発揮。

## Ceschi & Factor

Unique

### Broken Bone Ballads
*Notable Track: This Won't Last Forever*

2015　Fake Four Inc. / Side Road Records

独特な歌い上げるラップで魅了するコネティカットのMCがカナダのヒットメー
カーと発表した作品。冒頭から盛り上がりをみせる男女混成のコーラスとコー
ド感の強いトラックの"This Won't Last Forever"は、彼のメロディアスなラッ
プ、母への感謝と体制批判を伴うポジティヴなリリックが見事に活きた名曲。
Sage Francisを客演に招いたアクースティック調の"Barely Alive"では父を亡く
した悲しみを表現。本作はCeschiのキャリア史上もっともパーソナルな一枚に。

## Czarface

Battle

### Every Hero Needs a Villain
*Notable Track: Good Villains Go Last (feat R.A. the Rugged Man)*

2015　Brick Records / Fly Casual Records

99年のシングル曲"Speaking Real Words"からつながったボストンの7L &
EsotericとInspectah Deckによるスペシャルグループの2作目。畳みかける
多音節のライムで魅了するDeckだが、"Good Villains Go Last"では客演の
R.A. the Rugged Manも併せてパンチライン全開のバトルライムを披露。特
に先人への愛溢れるR.A.のヴァースには感服。"Ka-Bang!"で共演した同じく
アメコミ趣味のMF Doomとは18年に合作を出すことになる。

## Dr. Yen Lo (Ka & Preservation)

### Days with Dr. Yen Lo

*Notable Track: Day 777*

Hardcore
★

2015　Pavlov Institute Records

元Natural ElementsのMCとSonic SumのDJによるコラボ作。極端にドラ
ムを排したサウンドに、時に小刻みに、時に畳みかけるようにライムされる囁
くようなラップが合わさった10年代を象徴するスタイル。安定した本業を持ち、
元Vibe誌の編集長を娶りながら、一切の作品制作から販売までを自身で行う
Kaの原動力となっているのは、飽くなきMCへの探究心とヒップホップ愛にほ
かならない（彼はプロモーション用のヴィデオまで自分で撮っている）。

## Estee Nack & Purpose

### 14 Forms (The Book of Estee Nack)

*Notable Track: T.I.M.E.*

Hardcore

2015　Ill Adrenaline Records

Tragic AlliesからPurpose全面プロデュースによるEstee Nackのソロ作。5
パーセントの語彙を多用するコンシャスサグなスタイルに、憂いのあるプロダク
ションが魅力の彼らだが、なかでも泣きのキーボードの上、"時"をテーマに様々
な思いを巡らす"T.I.M.E."が抜群の出来。政治不信をぶちまける"Incrimi-
nating Thoughts"も悪くない。その後外部プロデューサーとの共演が目立つ
Estee Nackだが、また2人の共演を拝みたいものだ。

## Ill Conscious

### The Essence

*Notable Track: Good Morning Baltimore (feat. Yung Miss)*

Conscious

2015　Chopped Herring Records

AZを彷彿する声質とライムの技法を誇るバルティモアのMCが発表したデ
ビュー作。何より複雑なライムが中心でありつつ、アーティスト名にあるよう
にコンシャスさも忘れない、そんな東海岸のスタイルを踏襲している。凄惨な
ゲトーの状況をリポートする"What You Need"ではまさにAZ "Life's a
Bitch"のフレーズをそっくりに引用しつつ、自分のスタイルも発揮。ストリート
の物質主義を批判する"Good Morning Baltimore"にハツとする。

## J-Merk & B.B.Z. Darney

### Born Dead

*Notable Track: One Life to Live*

Conscious

2015　Justus Music

シカゴのMCがB.B.Z.全面プロデュースにより発表したアルバム。その日の朝
に亡くなったという最愛の祖父に向けてしたためた"One Life to Live"が感傷
的なストリングスの効果とも相成ってハイライトの出来。そのほかも"目覚め"
をテーマにしたバトル調"Wake Up"、アメリカ社会で奮闘する姿勢を表現した
"Hold It Down"や"Semper Paratus"など、時おり覗かせるそのメッセージも
悪くないが、やはり聴きどころはブーンバップゾンビことB.B.Z.のビートだろう。

## MarQ Spekt

### The Grilchy Era

*Notable Track: Homicide Written*

2015　Hipnott Records

Sub Verseから発表した12"で知られるフィリーのMCがカセット限定で発表した未発表音源集。表題の"グリルチー"とは"grimy"と"filthy"を併せた独自の造語だそうで、08年にVordul "Broken Halo"で披露した自身のヴァースを抽出した"1 Verse a Halo"ですでに登場していたことからもわかるように、ストリート色の強いMarQ Spektの代名詞となっている。盟友Lex Boogieによる変則スネアの強烈な"Homicide Written"が特におすすめ。

## MoSS

### Marching to the Sound of My Own Drum

*Notable Track: Emotional Redux (feat. Big Goe, Guilty Simpson, Jon Connor, Vstylez, & Willie the Kid)*

2015　MoSS Appeal Music

90年代より活躍するトロントのプロデューサーのデビュー作。数多のハードコアMCたちを彩ってきたサウンドはそのままに、本作でも厳選された客演陣がヴァースを提供。なかでもメロディアスなキーボードに硬質なスネアが刻まれる"Emotional Redux"では5名のライム巧者による硬派なバトルラップが堪能できる。本作は18年にTuff Kongからアナログで再発されており、ボーナス7"のA面に本曲を収録していることからも、肝入りのトラックだったようだ。

## Mr. Green

### Live from the Streets

*Notable Track: Down in the Streets (feat. Kevin Brown, Malik B & Sunwun)*　2015　Live from the Streets Productions / Duck Down

敏腕プロデューサーMr. Greenが世界中を旅し、路上で演奏している名もなきミュージシャンたちの奏でる音楽を生サンプリング、そのサウンドでビートを組み上げるという企画を基に制作されたコンセプトアルバム(楽曲の制作過程はぜひYouTubeの映像を参照されたい)。なかでもペルー人バンドのパンフルートをフリップし、路上パフォーマンスのクラップ音をドラムに重ねた"Clap"は、ヒップホップの可能性を広げる創意工夫に富んだ佳曲。

## Onyx

### Against All Authorities EP

*Notable Track: Against All Authorities*

2015　Mad Money Movement / Goon MuSick

ミリタリー風を意識しつつ、いかにもコワモテのラップで90年代初頭にデビューを飾ったOnyxだが、実は近年、BLM運動の余波もあってか、非常に政治的なラップを志向している。なかでも本EPはその収録曲が全て反体制のラップで構成されるという稀有な作品で、全体を通じて警察への苛烈な批判のメッセージに満ちている。特に、彼らストリートの黒人青年を犯罪者扱いするステレオタイプを指弾した"Look Like a Criminal"が強烈に響く。

## Red Pill

`Unique`

### Look What This World Did to Us
*Notable Track: Rap Game Cranky*

2015　Mello Music Group

Ugly Heroesの一員として知られるデトロイトのMCがMello Music Group
から発表した1作目。哀愁系のジャズトラック"That's Okay"ではファストフー
ド店の従業員に自分を重ね、メロウなギターの"Ten Year Party"では金よりも
自分らしく生きることを志向し、マイナー調のキーボードが妖しく演出する"Rap
Game Cranky"では引きこもりの飲んだくれの心境を吐露するなど、内省的な
いわゆる"ダメ男"的歌詞世界が炸裂する作品となった。

## Sean Price

`Battle`

### Songs in the Key of Price
*Notable Track: Figure More (feat. Illa Ghee)*

2015　Ruck Down Records

ユーモアのあるパンチラインと固い多音節ライムで人気を博したHeltah
SkeltahのRuckことSean Pの遺作。同年8月に急逝した彼が制作途中だった
曲を中心にコンパイルしているため、本作の収録曲に悲壮感はなく、全体を通
じてお得意のバトルライムが堪能できる（もっとも、ファンは涙なしには聴けな
いだろうが）。余談だが、Stevie Wonderをサンプルしたオリジナルのアートワー
クは、権利処理の関係か、発表後すぐに別イラストに差し替えられた。

## Talib Kweli & 9th Wonder

`Conscious`

### Indie 500
*Notable Track: Life Ahead of Me (feat. Rapsody)*　　2015　It's A Wonderful World Music Group / Javotti Media / Jamla

インディアナポリスのカーレースであるIndy 500と、インディラップを掛け合
わせたそのタイトルはPharoahe Monchが考案したらしい（といっても随分前
にBinary Starが用いているのだが）。9th Wonderお得意のソウルフルなビー
トはもちろん、Talibが「お前は（俺たちの味方か敵か）どっち側なんだ」と迫る
"Which Side Are You On"、客演のRapsodyがラップ界の性格差に言及する
"Life Ahead of Me"など、流石の濃いリリックが展開される。

## Your Old Droog

`Battle`

### Kinison EP
*Notable Track: Porno for Pyros*

2015　Not on Label

Nasに似た声質で注目されたウクライナ系移民のMCによる2作目。表題はコ
メディアンのSam Kinisonに由来し、彼がラップミュージックをこき下ろすイント
ロで本作は幕を開けるのだが、ジャケットや収録曲名からも示唆されている
通り、本作はYour Old Droogが影響を受けたロックミュージックに捧げたバ
ンド色の強いモノとなっている。"Porno for Pyros"の「俺のスタイルが古いっ
ていうのはワインの賞味期限を気にするようなもんだぜ」の件がニクい。

## Apathy

Hardcore

### Handshakes with Snakes

*Notable Track: Amon Raw (feat. Celph Titled & Pumpkinhead)*　　　2016　Dirty Version Records

*Also recommended:*
The Demigodz
The Godz Must Be Crazy
2002

Demigodzの中心メンバーであるコネティカットのMCによる通算5作目。彼の歌詞は基本的にボースト中心だが、本作では秘密裏に現在のラップ界を蝕むコマーシャリズムやポップカルチャーを "Rap Is Not Pop" で徹底的に糾弾し、The Supremesの「愛を急ぐことはできないの。じっと待たないと。簡単に愛が手に入ると思わないで。持ちつ持たれつの試し合いなのよ」というコーラスを効果的にサンプルした "Pay Your Dues" では技術を磨こうともせず、とにかく有名になりたがるワックラッパーたちを自慢の多音節ライムで見事に蹴散らしている。本作はApathyのアルバムなので、彼のラップや自分でマスタリングまでこなしてしまうそのプロダクションももちろん素晴らしいのだが、イチオシはPumpkinheadが客演している "Amon Raw" だ。本曲発表の前年6月、胆石摘出手術を受け入院中に急逝した希代のバトルライマーは、その予期せぬ死を暗示するかのようなヴァースを残していた。Pumpkinheadの肉体は確かについえたかもしれない。それでも彼が残したライムとその意思は、こうして楽曲として生き続けている。

## Apollo Brown & Skyzoo

Battle

### The Easy Truth

*Notable Track: A Couple Dollars (feat. Joell Ortiz)*　　　2016　Mello Music Group

ブルックリンのMCとデトロイトのプロデューサーの合作。たとえばPreemoでもPete Rockでも、優れたプロデューサーというのは自分のシグネチャーサウンドを持っている。Apollo Brownのビートだって誰が聴いても彼の音だとわかるのだが、彼の場合は半小節でフリップする同じようなビートばかりと、マイナスの意味で捉えられることが多い。だが本作では "One in the Same" や "A Couple Dollars" など、より長めのフリップで勝負し独自の色を出している。

## Beneficence

Hardcore

### Basement Chemistry

*Notable Track: When the Sun Comes (feat. Masta Ace)*　　　2016　Ill Adrenaline Records

90年代より活動するニュージャージーのMCが発表した6作目のアルバム（Ill Adrenalineからは3作目となる）。Masta Aceと日光を題材にポジティヴなラインを展開する "When the Sun Comes"、元教師Chubb Rockによるレクチャー調の "Masters of the Class"、大人のラップの魅力をA.G.と語らう "Smooth Hardcore" など、豪華客演・プロデューサー陣とともにオーセンティックで硬派なスタイルに終始している。

166

## Code Nine & Purpose

### Below Sumerian Skies

*Notable Track: When the Saints Out*

2016　Below System

Tragic Allies から最年少メンバー Code Nine のソロ作が Purpose 全面プロデュースにより登場。Purpose のネタ感の強いトラックが一番活きているのはヴィデオも制作された "When the Saints Out" だろう。Code Nine の多音節で畳みかけるライムと2種類のストリングスとの相性が抜群だ。劣悪なストリート出身を仄めかす高速ラップで畳みかける彼だが、後半の "Well Fed" や "Terra Firma" ではゆったりした内省的なライムに変化をみせる。

## The Cornel West Theory

### The T.A.B.L.E.

*Notable Track: Fulab*

2016　Not on Label

"Cornel West の理論" を名乗ることからも明らかだが、ポジティヴなメッセージを志向するライヴバンドの4作目。まず耳を引くのは大胆に民謡 "竹田の子守唄" をサンプルした "Fulab"。果たして彼らはこの曲が被差別部落の少女たちが窮状を憂いた労働歌だと知っていたのだろうか。MC の Tim と Rashad は意識の流れを活用したバトルライム色が強いが、Nas 丸使いの "The World Is Y'allz" など、要所で定番フレーズを挟んでくるあたりに先達への敬意がうかがえる。

## Dave East

### Kairi Chanel

*Notable Track: Don't Shoot*

2016　Mass Appeal

*Also recommended:*
**Dave East & Styles P
Beloved**
2018

NY はハーレムの MC が Def Jam との契約前に制作した作品。タイトルの『Kairi Chanel』とは Dave の娘の名にちなむそうで、早速レーベルオーナー Nas の同名曲を引用した "It Was Written" で彼女へ言及するが、彼は子供が生まれようと、そのハードコアな作風を変えるつもりはないようだ。基本的にストリート色の強いバトルライムが大勢を占めるが、本作の目玉となる "Don't Shoot" は少し毛色が違う。彼は最初のヴァースで無垢な少年時代を、次のヴァースで成長した高校時代を、そして最後のヴァースで現在の自分へと、ヴォーカルのピッチを変えながら物語を進めてゆくのだが、いくら彼が成長しようとも、そこにあるのは警察によるハラスメントだった。彼は常にそのストレスに苛まれながらストリートを生きることになるのだが、曲名でも暗示されているように、彼は最後に幼い我が子を残したまま最悪の結末を迎えることになる。本曲はぜひ、14年9月白人警官により殺害された黒人少年 Michael Brown に端を発するファーガソン事件や、一連の BLM の動きに連帯する形で発表されたということを踏まえて聴いてほしい。

## Imperial & K.I.N.E.T.I.K.

`Conscious`

### Adventures in Technicolour
*Notable Track: Not for Sale*

2016    Illect Recordings

スムースなプロダクションが光るImperialと思慮深い詩世界を展開する
K.I.N.E.T.I.K.から構成されるUKコンビのアルバム。売り上げのためではなく"ソ
ウル"のためにラップを披露していることを解説した"Not for Sale"は展開のあ
る美しいキーボードがフックで最大の盛り上がりをみせる。そのほかも
Oddisee参加の"Travel the Map"や、Soul Liberationのファンキーなシンセ
使い"Good Music"など、80年代ソウルの質感が全体を覆う。

## Ivan Ave

`Battle`

### Helping Hands
*Notable Track: Moves*

2016    Jakarta

ノルウェーのMCがLAのビートメイカーMndsgn全面プロデュースで発表し
た作品。全編英語詞で展開されるポエティックで抽象的なラップをベッドルー
ムで生まれたビートテープの質感全開のトラックが盛り立てる。循環する円の
ように人生を歩むことを主張する"The Circle"のような曲もあるが、まるで水
中で反響するように歪んだシンセが心地よい"Moves"や、幻想的なキーボード
の"Find Me, Pt.2"など、やはりMndsgnのビートに耳が向く。

## K-Rino

`Conscious`

### The Big 7
*Notable Track: Welcome to Life*

2016    Black Book International / South Park Coalition

*Also recommended:*

K-Rino
Makin Enemies
2015

1日にアルバムを7枚も発表してしまうMCがこれまでい
ただろうか。ヒューストンのOGは16年にこの偉業を
達成した。しかもただの埋め草ではなく内容も確かだ。
お得意のバトルライムが炸裂する"Extreme Malice"、
自身が主催する地元クルーの誕生秘話"S.P.C."、高級
車や服がなくても朝目覚め、家族と一緒にいられること
を感謝する"So Grateful"、トランプディスも披露しつつ
アメリカ社会を斬る"Listen Up"、人々がベストなラッ
パーを選ぶ際の欺瞞やバイアスを語る"T.B.E."、現在か
ら胎児の自分まで遡ってゆく"Flashbackwards"、自分
に子供がいた場合の気持ちを整理する"If I Had"、信仰
を元にポジティヴでいるように説く"Really Need You"、
困難な人生の中で生を謳歌する"Welcome to Life"、
ネイション・オヴ・イズラムの教義から天国と地獄とい
う概念を疑う"Heaven and Hell"、15歳の少女の妊娠
とその葛藤、中絶を選ばざるをえない環境について丁
寧に叙述する"Abortion Song"などなど、それぞれテー
マ性豊かな全84曲が収録されている。

## L'Orange & Mr. Lif

Conscious

### The Life & Death of Scenery

*Notable Track: Strange Technology*

2016　Mello Music Group

*Also recommended:*
L'Orange & Stik Figa
The City Under the City
2013

02年にEl-Pと『I Phantom』という怪作を残したMCが、今回はノースキャロライナのプロデューサーとタッグを組み、久々のコンセプト作を発表。物語の舞台は、絶対の力を持つ王によって統治される近未来のディストピアン世界で、本は焼き払われ、レコードは溶かされ、全てのアートは投棄され、ただ太陽を崇める宗教のみが許されている。そんな世界にアートの力を取り戻すべく立ち上がったのが、Mr. Lif扮する"The Scribe"とその仲間たちだ。いわゆるSci-Fi的世界観の本作、たとえばその主人公が蜂起する"The Scribe"で示される"言葉の力で世界を変える"というプロットや、"Antique Gold"でみせる"黄金期ヒップホップ"と"知識の比喩としての黄金"という対比は、Mr. Lifが本来持つMCとしての矜持もうかがわせる。なかでも最終曲の"A Palace in the Sky"は別格で、神々の策略により絶対的な力で彼の地を統べていた王の住む城は徐々に天空へ浮上し、最後は不老不死の王を残して蒸発してしまうという過程を重層的なライムによって紡いでゆく。詩的表現としてのラップの可能性を示した好作。

## La Coka Nostra

Hardcore

### To Thine Own Self Be True

*Notable Track: Stay True*

2016　Fat Beats

*Also recommended:*
La Coka Nostra
Masters of the Dark Arts
2012

目出し帽で黒ずくめのピンぼけしたジャケットの公開後、先行曲"Waging War"のヴィデオが発表され、そこでは平均年齢40超えの集団が銃を片手に暴れ回っていた。そう、このブレまくったアートワークは彼らがモブスターを演じる動画の一幕だったのだ。まあそのマフィア趣味全開の名前からして…なんて考えながら本作を聴いてみると、序盤は予想通りのサグっぷりなのだが、中盤の"Stay True"から様子が変わる。ここではMC陣が離れ離れになった者たちを述懐しつつ、自分は変わらないことを示した内省的な内容に。続く"Blind"では冒頭からBillが「もう銃は必要ない。必要なのはPEなどの学者や思想家だ」と語り、相方Slaine、客演のQ-Uniqueも"盲目"となった社会を批判。おまけに"America"では"アメリカの夢"という欺瞞を喝破し、警察の暴力を糾弾。おやおや…と最終曲まで進むと、そこでは「真のヒーローはマスクもマントもしない」と謳うSlaineの姿が。つまり本作はブレや矛盾を孕みながらも"心を包み隠すマスク"を脱ぎ、本心をさらけ出した作品なのだ。

## Masta Ace

## The Falling Season

*Notable Track: Young Black Intelligent (Y.B.I.) [feat. Pav Bundy, Hypnotic Brass Ensemble & Chuck D]*  2016  **M3 Macmil Music**

① *Summer's End (Skit)*
② *3000 Avenue X (feat. Your Old Droog)*
③ *Welcome to the Bay (Skit) [feat. Fatz Belvedere]*
④ *Young Black Intelligent (Y.B.I.)*
　　*[feat. Chuck D, Hypnotic Brass Ensemble & Pav Bundy]*
⑤ *Me & AG (feat. Andre the Giant)*　⑥ *Team Tryouts (Skit)*
⑦ *Labyrinth (Frankie Beverly) [feat. L.T.]*
⑧ *Mr. Bus Driver (feat. Nikky Bourbon)*
⑨ *Mothers Regret (feat. Queen Herawin)*
⑩ *Math Class (Skit) [feat. Fatz Belvedere]*
⑪ *Mathematics*　⑫ *Coach's Speech (Skit)*
⑬ *Say Goodbye (feat. Wordsworth, Pav Bundy)*
⑭ *Bang Bang (feat. Beej Gordy Brooks & Cormega)*
⑮ *Hall Pass (Skit)*　⑯ *Juanita Estefan (feat. Stricklin)*
⑰ *Battle Talk (Skit)*　⑱ *High School Shit (feat. Torae)*
⑲ *Nana (feat. Deion)*
⑳ *Total Recall (feat. World's Famous Supreme Team)*
㉑ *Outroduction (Skit)*　㉒ *Coronation*
㉓ *Story of Me (feat. Denez Prigent & Pearl Gates)*
㉔ *Outtakes*

"いかにして多音節のライムを駆使しながらストーリーを練り上げるか"というテーマを追求し続けるブルックリンのリリシストによる通算7枚目。本作は彼の高校時代が物語の中心となっており、時系列としては亡き母との思い出を綴った『Son of Yvonne』('12)の直接の続編になる。Ace扮する主人公が刑務所から出所し、紆余曲折を経てラップ界での慎ましい成功を掴む『Disposable Arts』('01)や、その続編(時系列的には先)である血気盛んな若手MCのひと夏の物語『A Long Hot Summer』('04)などのコンセプト作たちもフィクションではあるが世界観を共有しており、本作は上述の過去作品で培ってきたストーリーテリングスキルの集大成ともいうべき内容に仕上がった。物語はAceことDuval少年がブルックリンはブラウンズヴィルの中学を卒業し、ブルックリン南端の港町シープスヘッドベイの高校へとフットボール留学するところから始まる。劣悪な環境の地元とは異なり、シープスヘッドベイは多種多様な人種に溢れる穏やかな郊外であり、彼の地への進学は母のたっての願いであった。Duval少年は毎日自宅から片道1時間半以上かけて通学したが、彼にとってその帰りのバスの窓から眺める風景は、"かりそめの平和(高校)"から過酷な"現実(ブラウンズヴィル)"へと連れ戻される瞬間でもあり、その葛藤については"Mr. Bus Driver"で丁寧

に整理されている。Chuck Dの「この社会は君を恐れるかもしれないが、君は自分らしくありたまえ。君の気持ちはよくわかる。君を誇りに思う」という語りが痛快な、希望に満ちた少年の内実"Young Black Intelligent"、それと対比するドラッグ汚染や犯罪などのストリートの現実"Mothers Regret"、また、思春期ならではの恋愛事情を綴る"Juanita Estefan"や、構内でのラップバトル"High School Shit"などの高校生活、そして少年は無事大学生("Coronation")へ…。今回これらの綿密なストーリーを支えているのは、カリフォルニアの新鋭KIC Beatsによるオーセンティックなサウンドであり、トータルプロデュースならではの統一感が発揮されている。そして"Duval少年"ではなく、現代までに至るリリシスト"Masta Ace"としての姿は、最終曲"Story of Me"で結実することに。本作の本編はちょうど高校卒業で区切りがついているので、この先"大学生時代"の話も可能だろうし、つまりは続編にも期待できる。ますます円熟味をみせる"五十路"のMCによるラップ作品だ。Kid Tsuのアルバム『The Chase』('13)の収録曲である"Twothousand 40"において、彼は2040年の未来でも"老人スピッター Ace"としてその老練なスキルを披露していたが、もしかしたらこれは現実の話となるかもしれない。

## Noveliss

### Mic Swordz
*Notable Track: Mic Swordz*

2016　Not on Label

Clear Soul Forces 随一のスピッターによるソロ作。ジャケットからも明らかだ
が、アニメやゲームのオタクらしく、それらの単語をリリックに織り交ぜつつ、
複雑で踏みどころの掴めない多音節のライムを志向する。フックなしでさらり
と2ヴァースを歌い上げる、J.O.B.Orquestra をフリップした浮遊感のある表
題曲や、漫画『ナルト』のキャラクターや用語を引用した"Hashirama"などのバ
トル調が主題だが、警察の暴力を糾弾した"Last Words"もある。

## Onry Ozzborn

### Duo
*Notable Track: Not Really (feat. Rob Sonic)*

2016　Fake Four Inc.

Oldominion や Grayskul のメンバーとして知られるシアトルのアブストラクト
MCが発表した6作目のソロアルバム。全体にサイケデリックな雰囲気が漂うが、
なかでもボストンの新鋭 Latrell James がプロデュースしたトラックが突出して
いる。アブストラクトの雄 Rob Sonic を招いた"Not Really"では強烈なスネア
ドラム、Sadistik とエモさを発揮する"My First Kill"ではヘヴィなベースが猛
威を振るう。単調なラップのサウンドに飽きたファンに響く作品だろう。

## Pudgee Tha Phat Bastard

★

### King of New York
*Notable Track: King of New York*

2016 (1996)　Back 2 Da Source Records

Beatminerz や Nick Wiz、Ez Elpee といった豪華なプロデューサー陣が参加
していたもののお蔵入りとなった Pudgee の2作目。まずは何より"For My
Daughter"の収録が嬉しい限りだ。デモ版とはトラックが差し変わっているが、
我が娘への愛を通じ女性賛歌を披露するその歌詞世界は変わっていない。も
ちろんタイトル曲を含めビートはどれも上々だが、トピックがもう少し多彩なら
未発表にならずに済んだだろう。CD版は12"の曲なども追加収録された。

## Q-Unique & the Brown Bag All Stars

### BlaQ Coffee
*Notable Track: All Day Every Day*

2016　Capital Q Music

Arsonists のフロントマンが同郷ブルックリンのプロダクションチームと発表し
たアルバム。軽快なフルートをフィーチュアした表題曲を聴くと、表題の"ブラッ
クコーヒー"の意図がわかる。つまり「甘くない」俺のコーヒーで「目を覚ませ」と
いうわけ。MCとしてのスキルはすでに十分証明済みである彼、課題だったトラッ
クも今回無事解消。故 Pumpkinhead へのシャウトが入ったポジティヴなバト
ルライム"All Day Every Day"は雰囲気あるコーラスとエレピが相性抜群だ。

## Ras Beats

### Control Your Own
*Notable Track: Knowledge of Self (feat. O.C. & Elzhi)*

2016　Worldwyde Recordings

ニューヨークを拠点に活動するプロデューサーが豪華客演陣を招集して発表し
たデビュー作。いかにも重いドラムにギターのフレーズが合わさる Roc Marci
参加のボーストラップ "Wit No Pressure" も悪くないが、メッセージが活きて
いるのは Elzhi、O.C. がそれぞれクリスチャン、5 パーセンターとして享楽的な
生活を改めるように説く "Knowledge of Self" や、J-Biz、A.G. が今は亡き父
親への想いを馳せる "God Bless" あたりだろうか。

## Reks

### The Greatest X
*Notable Track: My Dark Skin (Revisited)*

2016　Brick Records

ボストン近郊ローレンス出身の実直なバトルライマーによるキャリア集大成と
なる CD2 枚組アルバム。前半はお得意のバトルラップで展開されるが、かつ
てのブーンバップを懐かしむ "LL Cool J"、ヒップホップの父 KRS-One と
Rakim へ感謝を捧げる "H.I.P.H.O.P."、黒人指導者の名を引用しながら自分が
自分であることを誇る "My Dark Skin（Revisited）"、そして未来志向の
"Yesterday/Today/Tomorrow" へと続いてゆく。

## Ryu

### Tanks for the Memories
*Notable Track: Radio Pollution (feat. Gravity Christ & Divine Styler)*　2016　Dirty Version Records / Wildelife Records

Fort Minor で成功を謳歌した Styles of Beyond の MC が盟友 Divine Styler
のプロダクションとともにインディ市場に帰ってきたと聞いたらチェックせずに
はいられないだろう。ひとときの成功を収めたはずのメジャー時代の苦悩は "I
Did It to Myself" で披瀝しているし、映像も制作された "Radio Pollution" を
聴けば、Pink Floyd のサンプルから "Funky Drummer" の転調という、ミクス
チャー的な自身のファン層をよく理解した作風で好演。

## Shadez of Brooklyn

### Pandemonium
*Notable Track: Change*

2016 (1996-97)　Chopped Herring Records

90 年代に Beatminerz のフックアップで数作の 12" を発表したもののアルバム
のリリースを果たせなかった Shadez of Brooklyn。そんな彼らの発掘音源が
フルレングスにまとめられたとなったらとりあえず聴きたくなるというものだ。
哀愁漂うピアノの上、ブルックリンのストリートに苛まれながら生きる青年たち
の叫びがこだまする名曲 "Change" ももちろん収録。未発表曲では妖しい鍵
盤にボーストライムで攻める "Everyday Livin'" が白眉の出来。

## Snowgoons
`Hardcore`

### Goon Bap

*Notable Track: Problems (feat. Locksmith, Skrewtape & Rite Hook)*　　2016　Goon MuSick / New Definition / RecordJet

数多の豪華ハードコアMC陣と共演を果たしているSnowgoonsだが、とりわけ本アルバム収録の"Problems"は格別だ。これまでトラック面で不満の多かったリリシストLocksmithを客演に招いた本曲。爽やかなキーボードにシンプルなドラムを合わせただけのトラックだが、見事にLocksmithの多音節かつ意味深いバトルライムを引き立てている。故Pumpkinheadによる思慮深いメッセージの"My Advice"と併せて、ヒップホップの基本に立ち戻らせてくれる。

## Statik KXNG (Statik Selektah & KXNG Crooked)
`Battle`

### Statik KXNG

*Notable Track: I Hear Voices*　　2016　ShowOff Records / Penalty Entertainment

Slaughterhouseのメンバーがボストンのプロデューサーと連名で発表した作品。TragedyとCapone-N-Noreagaの師弟関係へ言及する"I Hear Voices"や、Large ProとNasのようにカマすことを宣言する"Stop Playing"など、ヒップホップ愛溢れる引用に始まり、死ぬか（罪を犯して）投獄されるかのゲトーを生き抜いた心境を吐露する"Dead or in Jail"、警察を徹底的にこき下ろしたプロテストソング "Let's Go"といったメッセージも光る。

## Token
`Conscious`

### Eraser Shavings
★

*Notable Track: Exception*　　2016　Not on Label

ボストンのMCによるデビュー作。なかでも2人のいじめっ子とその被害者のやりとりをクラスメイトの視点で叙述する"Exception"が白眉。最後のヴァースでいじめに耐えかねた被害者が拳銃を手に取り、いじめっ子を撃ち殺してしまうのだが、もうやめるように諭すToken本人も"3人目のターゲット"として撃たれてしまう。要するに、いじめの被害者にとっては、いじめの傍観者は"加害者側"だということ。単なるストーリーに終わらない面白い構成だ。

## Westside Gunn
`Hardcore`

### Hitler Wears Hermes 4
★

*Notable Track: The Cow (feat. Conway)*　　2016　Griselda Records / Daupe!

独特の甲高い声とギャングスタ趣味で人気のWestside Gunnだが、本作収録の"The Cow"は彼のカタログの中では数少ないシリアスな内容だ。兄Conwayによる今は亡きいとこのMachine Gun Blackへ捧げた1stヴァースでは、ストリートで散っていった天国の仲間たちを追悼し、自身がKool G. Rapと共演できるまで成功でき、生き残ることができたことを滔々と披瀝してゆく。Daringerによる感傷的なオルガンのトラックも情景を引き立てる。

## リリックの読み解き方を考える
# Part 5　多音節ライムと物語性 Ⅱ

　ロンドン出身のリリシスト Lowkey が 2016 年に発表した "Ahmed" は、その練り上げられた多音節のライムと 2011 年のシリア危機に端を発する難民問題をテーマとしたストーリー性が遺憾なく発揮された、10 年代を代表する名曲だ。

## ストーリーライン

　シリア危機のさなか、命がけで海を渡るシリア難民と、彼らを海に沈めようとするギリシャ政府の姿を、あるアラブ人の少年アフメドの悲劇から 3 人称視点のストーリーに落とし込んでゆく。ちなみに本曲は、スペイン人写真家 Javier Bauluz が撮影した「ビーチでくつろぐカップルとその近くに横たわる死体の写真」を目にして衝撃を受けた Lowkey が、少しでも難民問題に注意を向けるため、制作を決意したという。

## ライムの特徴と発音

　最初の 8 小節、次の 8 小節がそれぞれ同一の押韻構成で複雑な多音節ライムとなっている。冒頭は /ə/ と /aɪ/ の音を中心に 3 音節の脚韻を畳みかけてゆく。なかでも Bar 4 の /ə/ の 3 連続や、Bar 6 の /ɔː/ の 4 連続は、小節の中間でライムパターンを変化させる意味でも、またアクセントの意味でも、効果的な使い方だ。その一方で、ここまで重層的にライムを駆使したのにもかかわらず、Bar 7 では脚韻は "I [aɪ]" だけになり、Bar 8 ではライムさえしなくなっている。これは「でも俺たちは?（But are we?）」という言葉を強調するため、あえて最後の 3・4 拍はドラムロールのみにして「間」を置いているのである。またこれは高度にライムを重ねているからこそ発揮される余情で、本曲がシンプルな単語韻のヴァースだとしたら逆効果になるだろう。

　この小間奏をまたぎ、Bar 9 からはライムパターンが変わり、Bar 12 から Bar 15 までは末尾の 3 音節を基軸に、さらに重層的にライムが重なっている。ちなみに、Bar 11 の "disappear" という単語は通常 "pear" のところにストレスが付くのだが、Lowkey は頭の "dis" にストレスを置いている。この母音の強勢位置の組み替えにより、本来強勢位置の異なる Bar 12 の "hemisphere"（"he" にストレス）と聴感としてライムができるようになっている。

## メッセージを聴かせるためのライム

　この Lowkey という MC は政治的に意味深いことを語っているだけでは決してない。まず何よりリリシストとして裏打ちされた確かなライムの構成力を元に、意味のある物語を展開できるところに最大の持ち味があるのだ。全てはそのメッセージを聴かせるために、構成力の光るライムで映像的なストーリーを描いているのである。

## Lowkey – "Ahmed" 1st Verse (2016)

Bar 1　Did Ahmed not deserve a life? Ahmed never hurt a fly

Bar 2　Ahmed never knew the politicians he was murdered by

Bar 3　Certain times Ahmed wished that he could be a bird and fly

Bar 4　Beyond the sky, escape the curse of birth that he was burdened by

Bar 5　Ahmed never grew to let your racism internalize

Bar 6　Water poured from every pore in his corpse while the nurses cried

Bar 7　Ahmed was a beautiful person, like you or I

Bar 8　But are we?

Bar 9　Ahmed could have been a doctor, lawyer or an engineer

Bar 10　Could have been a superstar but his life ended here

Bar 11　Guess he was a shooting star, burn bright and disappear

Bar 12　To some he seems to represent a menace in this hemisphere

Bar 13　Let me here make the very essence of this message clear

Bar 14　He was precious, many die like him every year

Bar 15　Ahmed was a victim of resentment and relentless fear

Bar 16　Now his soul surfs the waves, I wish we could have kept him here


Bar 1　アフメドは生きるに値しなかったのか？　彼は虫も殺さなかったし

Bar 2　自分を死に追いやった政治家の顔も知らずに逝ったんだ

Bar 3　まとわりつく生の苦しみから逃れようと

Bar 4　彼は鳥になって、この大空を超えることを夢想した

Bar 5　アフメドは差別の対象として生まれたわけじゃない

Bar 6　悲しみに暮れる看護師の傍らで、彼の全身から海水が滴り落ちる

Bar 7　俺やお前と変わらない　アフメドは美しい人間だった

Bar 8　でも俺たちはそうなのか？

Bar 9　アフメドは医者にも、弁護士にも、エンジニアにだって成れただろう

Bar 10　今頃は英雄だったかもしれないのに、その命はここで尽きた

Bar 11　綺羅星のごとき一瞬の輝きを放って、燃え尽きてしまったのだろう

Bar 12　一部にとっては、彼はこの"北半球の脅威"そのもの

Bar 13　そろそろこの曲のメッセージの本題を明らかにしてやる

Bar 14　彼はかけがえのない存在　だけど来る日も来る日も同じような悲劇

Bar 15　アフメドは"人間の敵意"や"無慈悲な恐怖"の犠牲になった

Bar 16　彼の魂は今、海原に揺れている　連れて行かせるべきじゃなかった

※歌詞はアーティスト支給ではなく、筆者、翻訳協力者による聴き取り、文字起こしの上、筆者による対訳を併記。
※主要な押韻箇所を対になる別色でハイライト。ラップは必ずしも完全韻であるとは限らないため、一部完全韻ではないが聴感的に揃っている箇所もハイライト、またはアンダーラインを引いている。

175

## To the Next Generation

**2017 - 2020**
**Chapter 6:**

― 次の時代へ ―

　2016年にApple Inc.は定期購買型の有料ストリーミングサーヴィスApple Musicの提供を開始した。全米レコード協会（RIAA）の調査によると、この16年に米国のストリーミングの売上高は音楽市場全体の51.4％となり、初めて物理メディアとデジタルダウンロードの販売総額を超えたという。この定期購買型サーヴィスの普及により、翌17年ごろから音楽市場は一変した。まず何より、もう音楽は多くの者にとってコンピューターにダウンロードするのではなく、スマートフォンのアプリで聴く時代となったのだ。また、無料の作品をダウンロード配布するよりも、プレイリストの機能を持つApple MusicやSpotifyといった有料サーヴィス上に音源を掲載する方が却ってアクセスがよくなってしまった。皮肉な話だが、もはや無料のアルバムですらアップロード先を間違えるとニーズがなくなってしまう、そんな時代に突入したのである。

　スマートフォン1台あれば、どこでも事前準備の必要がなく新曲が聴ける時代。これは消費者にとっては至って簡便だが、一方で音楽が巨大サーヴィスに集中することにより、これまで以上に残酷なほどアーティスト個人の知名度が重要になった。つまり、いくら作品をストリーミング上に掲載しようとも、そのアーティストの知名度がなければ、仮にその音楽のクオリティが高くとも、本当にニーズのある人々へ届かない状況になったのである。ただでさえストリーミングの収益はアーティストへの還元率が低いといわれる中、2020年1月には新型コロナウイルス感染症が拡大し、以降は対面でのライヴや物販さえも厳しくなっている。インディラップには新たな苦難の時が訪れるのだろうか。

　しかし、ストリーミングは何も悪いことばかりではなく、新規のファンが昔の作品に触れ易くなったため、かつて日の目を見なかった作品が再注目されるきっかけも与えてくれた。これまで第1〜第5章で紹介してきた、そして本章で紹介する作品たちは、その多くがストリーミング利用できるし、ストリーミングを通して気に入った作品があれば、レコードやCD、カセットなどのフィジカル版で買い集めるのもよいだろう。自分次第で無限の可能性が広がるのも、このストリーミング時代以降の特徴だ。

## Apathy & O.C.

### Perestroika

*Notable Track: Perestroika*

2017   Dirty Version Records

『Perestroika（ペレストロイカ＝改革）』なんてタイトルを付けられてしまったら、その手のポリティカルラップに目がないファン層は期待してしまうかもしれないが、収録曲自体はいつものApathyらしいボーストライムが大半だし、かつミソジニスティックなラインも登場する。それでも表題曲はメディア・体制批判のラップに終始しており、コーラスのフリップもよい時のApathyのトラックという趣で、レジェンドO.C.との共演にふさわしい内容に仕上がった。

## Big Twins & Twiz the Beatpro

### TNT

*Notable Track: Live to Die*

2017   Sound Unity Entertainment

Infamous MobbのMCとLAのプロデューサーが前年デジタルのみで発表していた作品がCD化。Big Twinsといえば朴訥としたハスラーラップのイメージが強いが、本作では薬物や犯罪にまみれたQBのストリートで暮らす葛藤を鬼気迫るビートの上で表現した"Live to Die"や、14年のMichael Brown殺害事件に言及し「肌の色は同じでもオバマはなんの愛も示さない」と大統領批判を展開する"Feelings"など、成熟したラップを魅せる。

## Brother Ali

### All the Beauty in This Whole Life

*Notable Track: Dear Black Son*

2017   Rhymesayers Entertainment

*Also recommended:*

**Brother Ali**
Shadows on the Sun
2003

アルビノの白人でスンニ派ムスリムというヒップホップ界では稀有な出自のBrother Ali。彼の6作目となる本アルバムは、お得意の"反体制ラップ"とは少し毛色が異なり、最愛の妻へのラヴソングや、アルビノとして心ない偏見に晒されたAliが黒人コミュニティの女性に救われた話など、一貫してパーソナルな視点から物語を展開してゆく。そのメッセージがもっとも顕著な形で表れているのは"Dear Black Son"。本曲は前妻との間に生まれた長男Faheemへ捧げた内容になっており、彼がこの先"白人と黒人のミックス"として経験しうるであろう様々な困難や障壁をつまびらかにし、それでも"自分らしく生きる"ことを願った父親の愛に溢れた名曲。そして最終となる表題曲において、光彩の色素欠乏の影響で視界がはっきりしない彼にとっての"本当の美しさ"とは何かが提示され、アルバムは幕を閉じている。いうまでもなくAliにとっての"本当の美しさ"とは、人生を介して磨かれる個々の"内面"のことである。本作は罵倒語がほぼ登場しないのだが、カースを使用しなくても強い言葉が示せたという意味でも重要な一枚だろう。

## D-Rev & B.B.Z. Darney
`Conscious`
### Dirty Capital
*Notable Track: The T.V. Programs You..*

2017   Not on Label

コネティカットのMCとスウェーデンのプロデューサーによる、"堕落した資本主義"を標的としたコンセプト作。冒頭の"Killumination"から2Pacのダイアログをサンプルし某秘密結社へ言及したかと思えば、"The T.V. Programs You.."では思考を支配するマスメディア、"Government Issue: Joe"ではごく普通の少年を冷酷な殺戮マシーンに変えてしまう軍事政策、"Police State"では警察による迫害と、アルバム全体を通じて体制批判に終始している稀有な作品。

## Danny Watts
`Conscious`
### Black Boy Meets World
*Notable Track: Black Boy Meets World*

2017   Authors

Jonwayneの完全バックアップのもと登場したテキサスのMCによるコンセプトアルバム。父親の死、差別や格差、犯罪と隣り合わせのストリートライフ…そんな残酷な世の中に翻弄される少年がどうにか立ち直ろうとする過程を内省的に叙述してゆく。とりわけアルバムのエンディングである表題曲でみせる母への感謝と父への想いには目頭が熱くなること請け合いだ。そんな詩世界を生のシンセやサックスを活かしたソウルフルなサウンドが最大限盛り立てている。

## DJ KaySlay
`Hardcore`
### The Big Brother
*Notable Track: Story of My Life (feat. Papoose, Mysonne & AZ)*

2017   Streetsweepers Entertainment

エクスクルーシヴモノのミックステープで人気を博したKaySlayだが、近年はよりリリックの内容を重視して客演アーティストを厳選している。"Story of My Life"ではPapooseがストリートに影響され女性蔑視に染まってしまった過去を懺悔し、妻と娘への感謝と愛を示しているし、PEを引用したトラックの"This Is My Culture"では、Locksmithをはじめとするバトルライマーたちが自分たちの文化であるヒップホップへの献身をみせたヴァースを披露。

## Drama Klub / Big Cel / NSV / OOTO
`Hardcore`
### Crime Scene
★
*Notable Track: The Heist*

2017 (1996)   Omnispin Records

NYのヒップホップレーベルが96年に発表したEP "Crime Scene"に未発表音源を追加、リマスターして再発されたコンピレーションLP。そのタイトルからも明らかだが、ストリートライフを示唆する楽曲が中心で、なかでも幻想的なエレピが妖しく反響するDrama Klubの"The Heist"では、地元ブルックリンで強盗を計画、実行する過程がつまびらかに表現されている。なお、同96年に同名のデュオが12"を発表しているが、別人なので注意。

# Fashawn

## Manna EP

*Notable Track: Proud*

2017　Mass Appeal

*Also recommended:*
Fashawn
Boy Meets World
2009

自身を育てたストリートを述懐する『Boy Meets World』（'09）でデビューしたMCが、ひとりの人間としてさらに成長をみせた作品。タイトルの『マナ』とは『出エジプト記』でモーゼ率いるイスラエルの民が神から与えられた食べ物のことで、1曲目の"Manna（Moses）"で早速説明されているように、彼は己が披露するラップを"天の恵み"になぞらえている。なぜなら本作、アフリカンアメリカンの偉人を引用しながら黒人としての誇りを語る"Proud"に象徴的なように、これまでにない手法で人種問題に切り込んだ作品となっており、さながら同胞たちへ知識という恵みを与えるかのような内容となっているのだ。CNN "Live on Live Long"と同ネタでゲトーの葛藤をみせる"Afraid"、天使の視点から地元LAを見つめる"Clouds Above"などストリート目線の曲はもちろん、「新たなKKKは、Kim、Kylie、Kanyeだと聞いたぜ」と、Kardashian一家を用いた際どいパンチラインが登場する"白いアメリカ"批判の"Mother Amerikkka"など、より大局的な視点の曲まで揃っている。

# Hex One

## Words Worth a Thousand Pictures

*Notable Track: Leave It All Behind*

2017　Mic Theory Records

「一枚の絵は千の言葉に値する」ということわざを「言葉は千の絵に値する」という逆の意味にしたタイトルから明らかなのは、このMCは言葉に対する並々ならぬこだわりがあるということ。実際Epidemic時代はライム先行型だった彼も本作ではストーリーを披露しており、一聴でKlaus Layerとわかる凶悪なドラムの"My Story"では、ラップにのめり込んだ高校時代からデビューまでの葛藤を披瀝。物質主義批判の"Leave It All Behind"もおすすめだ。

# Jonwayne

## Rap Album Two

*Notable Track: Out of Sight*

2017　Authors Recording Company

見るからにナードな個性派MC／ビートメイカーの"復帰"作。よれた調子のエレピに、心電図の音がこだまする"Blue Green"で、彼はアルコールの過剰摂取で瀕死状態となった14年の春を振り返っている。その壮絶な体験はリリックの内容にも大いに影響を与えたようで、療養や生活改善の影響でさらに孤独になり酒が手放せなくなった自身や未来の家族の姿を描写するなど、本作は全体を通じて彼の複雑な内面が丁寧に整理されてゆく。

# Locksmith

Battle

## Olive Branch

*Notable Track: Home (feat. Rebecca Nobel) [Live]*

2017  Landmark Entertainment

*Also recommended:*
Locksmith
Embedded
2011

名門UCバークレーで黒人研究を専攻し、ラップは今まで一度も紙に書いたことがないというフリースタイルの達人Locksmith。それだけ聞くと無敵の超人のようだが、彼にも内に秘めた葛藤はある。心の傷をテーマにした『A Thousand Cuts』('14)の"Who I Am"で披露していたように、彼はイラン系移民の父と黒人の母親のもとに生まれ、その"ライトスキンの黒人"としての出自が繊細な人格を形成したのだろう。米国を覆う排外主義を批判した"Agenda"や、遠くイランの戦地を生き延びてきた祖母や叔父を想う"Helpless"では父親のルーツである"移民の子"として言葉を紡ぎ、2010年にガンで亡くなった母に捧げる"One More Time"では黒人社会で葛藤しながら"ミックスの子"を育て上げた黒人女性の姿を描写してゆく。どうにか自分の帰るべき故郷を見つけようともがく"Home"はそんな彼の複雑な背景が結実したもの。本曲は是非アルバム最後のライヴ版で聴いてほしい。スタジオ音源と変わらないスキルフルなラップ、より臨場感のあるライヴバンドによる演奏がその詩世界を盛り立てる。

# Oddisee

Conscious

## The Iceberg

*Notable Track: You Grew Up*

2017  Mello Music Group

*Also recommended:*
Oddisee
Tangible Dream
2013

Mello Music Groupの第1弾アーティストがOddiseeだったことを憶えているだろうか。同レーベルが2010年代に勢力を拡大したのに比例し、このMC／プロデューサーも実直な歌詞世界とソウルフルなトラックを武器に着実に活動を広げてきた。そんな彼の17年作は自身のルーツや社会政治問題に切り込んだコンセプチュアルな一枚に。スーダン系移民の父とアフリカンアメリカンの母を持つムスリムという出自が特に表れているのが、"You Grew Up"。ひとつ目のヴァースでは、幼少期をともに過ごした白人の親友が父親の失職を契機に差別主義の警官へと姿を変えてゆく過程を描写し、次のヴァースでは、幼少期の差別体験により過激なイスラム原理主義に目覚め、最後はテロリストとなってしまう知人の姿を描いてゆく。本曲で彼は差別を"する側"と"される側"の両方から社会の歪みを浮き彫りにしている。メロディアスなキーボードが光る"Like Really"では「俺たちは大して素晴らしくないのに、どうやって俺たちを偉大にする?」「統計で差があるのに、どうして"全ての命は大切"なんて言える?」と、現大統領や制度的差別への批判も展開。

## Substantial

### The Past Is Always Present in the Future

*Notable Track: No Better Time (feat. Cise Starr & DJ Jav)*

2017　Hipnott Records

Hydeout のデビュー作と同じ構図のアートワークに映るのは彼の最愛の娘だそうだ。「自分の存在証明から子供の存在証明へ」それは過去と未来をテーマとした本作のタイトルとも連動する。"彼女の目に映る世界"を少しでもよくしようと語りかける"In My Daughter's Eyes"では男女格差に言及し、"Wish U Were Here"では今は亡き父への想いを開陳。家族への愛溢れる作品だ。リリシスト Cise 客演の前向きな"No Better Time"に心洗われる。

## windchILL

### 2nd Wind

*Notable Track: Fairwell, Goodbye*

2017　Universal Language

ヒップホップの名作を引用しながらラインを紡いでゆくというコンセプトの"Pay Homage"で知られるペンシルヴェニアのMCが発表した4作目のソロアルバム。ストレートなメッセージの"Positive Love"なども悪くないが、特に中盤の最愛の息子へ捧げた"Center of My Universe"、産まれた時から"神"と"ヒップホップ"に身を捧げていたという"Every Time I Think of You"の流れから続く、"Fairwell, Goodbye"が珠玉だ。「人生は映画のよう」という言葉で始まる本曲、最初の2ヴァースはステージ上で物憂げに想いを巡らす彼の姿が描かれる。1ヴァース目は人生哲学とMCとしての探究心を披露し、続くヴァースではライヴの際に名も知らぬ人々にもらうエネルギーや愛、痛みを通じ、ライムを書いてきたことを神に感謝する。そして最終ヴァースにて、身近な人物の死に直面したこと、その人物との思い出を重ねてゆき、最後に亡くなったのは母親だったこと、彼が人生に想いを巡らせていたのはこの悲劇を乗り越えるためだったことがわかる作りになっている。ストーリーテラーとしての構成力が活きた名曲。

*Also recommended:*
**windchILL**
**I Have Arrived...**
2007

## Wise Intelligent

### Game of Death

*Notable Track: Black Fear*

2017　Mello Music Group

ソロ転向後も衰えをみせぬ多音節節韻と思慮深い5パーセントの歌詞世界で存在感を発揮する Poor Righteous Teachers のフロントマンが、テキサスのビートメイカーと発表したアルバム。往年のファンに嬉しいのは、架空の少女 Shakiyla の物語の4作目が収録されていることだろう。黒人への偏見をテーマとする"Black Fear"のような政治的な曲もあるものの、そちらの方向なら同年2月に発表済みの警察組織を糾弾したコンセプト作『The Blue Klux Klan』を。

## 38 Spesh & Benny the Butcher

### Stabbed & Shot
*Notable Track: 2 Weapons*

2018　Tuff Kong Records

Kool G. Rapとの共作『Son of G Rap』('18)でも注目されたロチェスターの38 Speshと、バッファローのGriseldaコレクティヴ所属のBennyによる、ニューヨーク北西部デュオのジョイントアルバム。表題からも明らかなようにハスリングをテーマとしたクライムラップが全編にわたり展開されるが、Daringerによる瑞々しいビートの上、これでもかと複雑な多音節ライムを決める"2 Weapons"を聴けば、彼らがただのチンピラ2人組ではないことがわかるだろう。

## A.G.

### The Taste of AMBrosia
*Notable Track: Magical World*

2018　Slice-of-Spice

奴隷からの解放を宣言する"Night of Fire"で幕を開ける本作は、"Magical World"で警察の暴力や黒人同士の犯罪に苛まれる分断されたストリートに言及し、"Dead Presidents"で米国の軍国主義に言及している。D.I.T.C.に政治色を感じることはあまりないかも知れないが、A.G.は本作でアーティストとして表現の幅を広げることに成功した。バトル調の"Losing My Mind"で彼はこう言う。「ヒップホップは死んでない。ラジオに流れないだけ。ずっとそうさ」

## Apollo Brown & Locksmith

### No Question
*Notable Track: Advice to My Younger Self*

2018　Mello Music Group

Locksmithが久々に名の通ったプロデューサーと合作を発表すると聞いて小躍りしたファンも多かっただろう。実際本作でApollo Brownはお得意のソウルフルなフリップのビートで及第点の仕事を果たしてくれた。肝心のラップはどうかって？夢を追いかける子供の頃の自分に語りかける"Advice to My Younger Self"や、ラップにのめり込む17歳の自分を表現した"Between the Raindrops"など、繊細な物語を得意の多音節ライムで見事に表現している。

## Armand Hammer

★

### Paraffin
*Notable Track: Bob Barker*

2018　Backwoodz Studioz

ライム主導の散文的詩世界から隠された物語を紡いでゆくBilly Woodsが、地元NYのElucidと結成したグループの3作目。"石油王"の名から取ったそのアーティスト名に呼応するように、本作はゆっくりと燃える"灯油"を表題に用いたという。彼らの作風が端的に表れているのが、硬質なドラムが迫る"Bob Barker"。曲中彼らは黒人の命を搾取する米国の統治システムを"ゲーム"に喩えている。だからこの曲は人気ゲームショウの司会者の名が冠されているのだ。

## Blueprint

`Conscious`

### Two-Headed Monster
*Notable Track: Two-Headed Monster*

2018　Weightless Recordings

タイトルの"ふた首の怪物"とは、MCとプロデューサーという二足のわらじで
勝負してきた自身を表現したもの。 このことは先達への敬意とヒップホップへ
の愛溢れる表題曲で丁寧に整理されている。 かつてアルコール依存症に苦し
んだ彼が"Health Is Wealth"を謳い、酒席を断わる葛藤を"Good Guys Get
Ignored"で表現するとは。 キャリア集大成となる本作は未来志向の"Don't
Look Back"に象徴的だが、全体的にポジティヴな曲が続いている。

## Evidence

`Battle`

### Weather or Not
*Notable Track: Throw It All Away*

2018　Rhymesayers Entertainment

Dilated Peoplesのフロントマンによるソロ3作目。 バトルライム色の強い彼だ
が、本作では内省的で思慮深い曲が多い。 乳ガンに苦しみながらも最愛の息
子を残してくれた亡き妻に贈る"By My Side Too"は、かつて天国の母へ捧げ
た"I Still Love You"の詩世界を彷彿するし、Preemo参加の"10,000 Hours"
では、ラッパーたちが他人のスタイルを盗むことに躍起になっている一方、彼
は膨大な練習の上で現在の自分を確立したことを誇っている。

## Marlowe

`Battle`

### Marlowe
*Notable Track: Lost Arts*

2018　Mello Music Group

ノースキャロライナのプロデューサー L'Orangeが地元のMCとともに結成した
グループの1作目。 ポジティヴなバトルライムの"Lost Arts"でファストラップの
技量を示したかと思えば、冒頭からレゲエ調のフロウで攻める"The Basement"
では、ライムスキームは複雑なまま多彩なヴォーカルの技量を示している。 ソ
ウルフルなサンプルに飽き足らずドラマやアニメの台詞を拝借したL'Orangeに
よる流石のトラック構成がやはり印象的だが、ラップもなかなか悪くない。

## Napoleon Da Legend & DJ Doom

`Conscious`

### Path of a Warrior
*Notable Track: Condolences*

2018　Chopped Herring Records

フランス系移民のMCがブルックリンのプロデューサーと発表した作品。 本作
でひときわ目立つのは哀愁漂うエレピのトラックが印象的な"Condolences"。
アフリカはコモロ諸島からパリに渡り、その後ワシントンDCで彼を育て上げ
た亡き父への愛に溢れる楽曲で、Bob Marleyなどの音楽へも触れさせてくれた
感謝をしたためている。 そのほかも、ポジティヴに人生を見つめる"Beautiful
Journey"、メディア批判の"Propaganda"など思慮深い曲が続く。

## Pink Siifu
### Ensley
*Notable Track: Pray Everyday*

2018　Pink Siifu

音の歪んだいかにもなベッドルームサウンドの上、ゆったりとした語り口で、ストリートの黒人としての葛藤を最小限の語彙でラップする。そんな独特の作風で知られるMC／ビートメイカーが発表したLP作品。モコついた鳴りのよいドラムにサックスがムードを演出する"Pray Everyday"や、牧歌的なヴォーカルサンプルの"Stay Sane"、アフロセントリック的語彙で黒人女性を讃えるラップがローファイなビートに反響する"Black Woman Is God"など、ほかにはない個性が光る。

## Rasheed Chappell
### First Brick
*Notable Track: Aiding & Abetting (feat. Daniel Son & Crimeapple)*

2018　Kay-Dee Records

ニュージャージー州ニューアークは、その煉瓦造りの壁面から"Brick City（レンガの街）"という愛称で知られている。その"Brick"という単語を用いた言葉遊びから展開される本作は、前作に引き続きKenny Dopeが全面プロデュースで参加し、MCのRasheedが12歳から現在までどのように地元で成長したのかを物語るコンセプチュアルな内容となった。なかでも鬼気迫るエレピのトラックでハスリングをラップする"Aiding & Abetting"が重く響く。

## Royce Da 5'9"
### Book of Ryan
*Notable Track: Boblo Boat (feat. J. Cole)*

2018　eOne / Heaven Studios

かつて地元デトロイトで運行していたクルーズ船の名を導入に、家族との想い出に耽る"Boblo Boat"では、ソウルフルなビートで歌詞の持つ郷愁をよりいっそう表現し、亡き父と邂逅する夢からストーリーを紡いでゆく"Cocaine"では、父親のコケイン使用、そして自身のアルコール中毒について、最愛の息子に真実を語りかけてゆく。本作はSlaughterhouseのリリシストのキャリア集大成となる、今まででもっともパーソナルな作品へと仕上がった。

## Stezo
### Bop Ya Headz (1990-1997)
*Notable Track: Bop Ya Headz*

2018 (1990-97)　Gentleman's Relief Records

EPMDのダンサーとしてキャリアをスタートさせたStezoは、89年にSkull Snapsのドラムをサンプルした"It's My Turn"で一世を風靡したコネティカットのレジェンドだが、実は90年代にも良質な12"を自主発表している。本作はそんな彼のインディ時代の音源をまとめたもの。温かなキーボードで人気の"Bop Ya Headz"、2026年の未来を物語る"Time Ta Blow Ya Mind"など収録。20年4月に心臓疾患で急逝してしまったのが悔やまれる。

## Add-2

Conscious

### Jim Crow: The Musical

*Notable Track: Hashtag*

2019　Add-2 Productions

*Also recommended:*
Add-2
Prey for the Poor
2015

"Chiraq" なんて呼ばれるぐらい犯罪都市のイメージがついているシカゴ。Add-2 はそんな劣悪な環境の中、地元のバブティスト教会内に Haven Studios というスタジオを創設し、地域の子供たちへ音楽教育を介した憩いの場を提供している。そんな地域への献身をみせる彼が "米国で暮らす黒人の日常" をテーマに発表した作品がこちら。本作では有色人種への差別政策 "ジムクロウ法" を引用に、白人の 3/5 の権利しか与えられない黒人の実情を描く "3 Fifs"、木に吊るされる奴隷の視点からライムする "Willie Gets Lynched"、「もっとも重要な黒人は死んだ者」「連中がするのはお前をハッシュタグに変えることだけ」といった台詞が胸を打つ "Hashtag" など、米国の制度的差別に言及した曲から、ジャズピアノとハイハットを立たせ、黒人らしさを強調する単語でヴァースを構成する "The Secret Life of Blacks" や、スムースなキーボードとコーラスを用い、黒人女性らしい美しさを讃える "Nappy Hair" など、その属性をテーマとした曲まで、様々な角度でアフリカンアメリカンの心情を吐露してゆく。

## Alps Cru (The Concept of Alps)

Battle
★

### Alps Cru the Classic Collection

*Notable Track: Intensity*

2019 (1994-96)　F5 Records / Disk Union

90 年代に残した 12" が軒並みレア化しているセントルイスのグループ。当時アルバムの発表はなかったが、DJ Crucial のレーベルよりめでたく CD2 枚組のベスト盤が発表された。メロディアスなギターの "Intensity" をはじめ、"Loudmouths" や "Just Can't Explain" など基本的にバトルライムだが、地獄で人々が苦しみ、神と悪魔の最終戦争が始まるという奇妙な夢の体験を叙述する "Nocturnal Illusions" はコンセプチュアルな佳曲。

## Billy Woods & Kenny Segal

Battle
★

### Hiding Places

*Notable Track: Spongebob*

2019　Backwoodz Studioz

NY のアブストラクト MC が Project Blowed 関連作で知られるプロデューサーと連名で発表したアルバム。ギターとヴァイブがフィーチュアされた 1 曲目の "Spongebob" から気になるタイトルだが、これは水中で暮らすアニメのキャラクター "スポンジボブ" と "Operation Underwater（水中＝作業失敗の意）" というフレーズを言葉遊びにしたもの。このように、彼は曲名で注意を引きつけておいて、多層的なライムで意味深そうな世界観を構築する。

## Combined Operation
### Sessions EP
*Notable Track: So Cold*

2019 (1998)   Back 2 Da Source Records

Hardcore

ハウスレジェンドJesse Velezの従兄弟であるプロデューサーのDriftが地元シカゴのMC陣を招集して結成したコレクティヴによる唯一の作品。長年希少盤として知られていたが、この度ベルリンのレーベルより正規再発された。凍えるような地元シカゴのストリートをエレピの旋律で表現した"So Cold"が突出しているが、Preemo的フリップの"Underground Rails"や、シンプルなキーボードが妖しく響く"Buzzin"なども悪くない。

## Dark Lo
### American Made
*Notable Track: Blow 5 (feat. Ar-Ab)*

2019   de Rap Winkel Records

Hardcore

フィラデルフィアのギャングスタ集団Original Block Hustlaz所属のMCが発表したソロ作。自分たちの奪われた歴史を取り戻すように語りかける煽動的な演説から始まる本作は、一見ポリティカルラップ作品のようだが、何か具体的な政治問題に言及するというよりは、米国の過酷なゲットーで暮らす自身のパーソナルな体験を基にしたラップを展開してゆく。相棒Ar-Abと繰り広げられる述懐モノ"Blow 5"では哀愁系ヴァイブとコーラスが抜群の相性をみせる。

## DJ Muggs & Crimeapple
### Medallo
*Notable Track: Just Because*

2019   Soul Assassins Records

Hardcore

2018年10月のRoc Marciとのジョイント作から、19年も3月にEto、8月にMach Hommy、9月にMeyhem Lauren、11月にTha GodFahimと、立て続けに新世代のMC陣と共作を発表してきたMuggs。こちらNJのコロンビア系移民のバイリンガルMCとも7月にコラボを果たしている。Cypress直系のサウンドにハードコアなサグラップが抜群の相性を魅せる。今回のMuggsとの共演をきっかけに個々のMCの過去作を振り返ってみてはどうだろう。

## Dope Knife
### Things Got Worse
*Notable Track: Got It Like Me*

2019   Brick Records

Hardcore

Strange Famousから発表した『NineteenEightyFour』('17)で注目を浴びたジョージアのMC／プロデューサーがBrickから発表した作品。前作でみせていたサンプルベースの荒々しいドラムの質感、キレのよいバトルライムはそのままに、本作では楽器をふんだんに取り入れたバンド仕様のサウンドを提示。プロデューサーとしての進化を魅せた。舌鋒鋭いワックMCディスの"Got It Like Me"を聴けば、MCとしても非凡なものがあるのがわかるはずだ。

## Epic Beard Men

Unique

### This Was Supposed to Be Fun

*Notable Track: Pistol Dave*

2019　Strange Famous Records

"とにかく楽しい作風"をテーマに Sage Francis と B. Dolan の盟友 2 人が組んだスペシャルユニット。とはいいつつ、これまで政治的トピックや難解なテーマを得意としてきた彼らなだけに、"単なる楽しい作品"には収まらなかったようだ。シンセストリングスの転調が美しい "Pistol Dave" では、Slick Rick の歌詞から "ヤク中 Dave" を引用し、ろくでなし男の物語を披露。空港でのドタバタ劇を会話調で演じる "Shin Splints" はその構成力にも注目。

## Es

Conscious

### Social Meteor Vol 1: Inspired by My Timeline

*Notable Track: Social Meteor*

2019　Social Meteor

オンタリオの MC が "ソーシャルメディア" をテーマに作品を発表。ネットの中毒性を物語る "Social Meteor" で始まる本作は、投稿前に熟考することを勧め、情報の一面性に警鐘を投げかけ、誰もが批評家になれる時代を憂慮し、簡単に差別の言葉を投げかけられる現状を悲観し、SNS 上の嫉妬や距離感の狂いを叙述してゆく。生きたヒップホップはネットで探せると謳う "Listen"、フォロワーになるのではなくトレンドセッターになるよう促す最終曲などポジティヴな曲が多いのも特徴。

## Hi Tech / Parallax / Shok Therapy

Hardcore

### Mass Vinyl Compilation

*Notable Track: Bleeding Hate*

2019 (1994-98)　Back 2 Da Source Records

DJ Shok と Jaybiz により、NY はヨンカーズで創業したインディレーベル Mass Vinyl。彼らが 12" で発表した音源をまとめたベスト盤がこちら。音楽業界批判の "Don't Mean Jak"、Bob James のキーボードを重厚なフィルター、弾けるスネアで別物に変えたトラックの上、意識的な言葉を紡ぐ "Bleeding Hate" など、Parallax の名 12" 収録曲はもちろん、ソロでの成功が期待されていた Hi Tech の貴重な未発表音源なども収録している。

## Jay ARE (John Robinson & J Rawls)

Conscious

### Youth Culture Power

*Notable Track: Youth Culture Power*

2019　Classroom Chatter

世代間の断絶はヒップホップにおける大きな問題のひとつだ。それでも大学で教鞭を執る J Rawls は、積極的にヒップホップを教育に活用している。本作はそんな彼の研究成果を盟友 John Robinson を介し披露した作品。自慢のソウルフルなトラック群のもと、あくまでポジティヴな語り口で生徒たちに "文化としてのヒップホップ" を伝授する。本作が本当に若い世代に届くかどうかはわからないが、少なくともヒップホップの可能性を信じている向きには響くはずだ。

# Lowkey

**Conscious**

## Soundtrack to the Struggle 2
*Notable Track: Ahmed (feat. Mai Khalil)*

2019   Not on Label

1- ① *Soundtrack to the Struggle 2*
 (feat. Noam Chomsky)
1- ② *Ahmed* (feat. Mai Khalil)
1- ③ *The Return of Lowkey*
1- ④ *Sunday Morning* (feat. Mai Khalil)   1- ⑤ *Skit 1*
1- ⑥ *The Death of Neoliberalism* (feat. Greg Blackman)
1- ⑦ *Skit 2*   1- ⑧ *Ghosts of Grenfell* (feat. Mai Khalil)
1- ⑨ *Islamophobic Lullabies*   1- ⑩ *Goat Flow*

2- ① *McDonald Trump*
2- ② *Children of Diaspora* (feat. Mai Khalil)
2- ③ *Skit 3*
2- ④ *Heroes of Human History* (feat. Mai Khalil)
2- ⑤ *Long Live Palestine 3*
 (feat. Chakabars, Frankie Boyle, Ken Loach,
 Khaled Siddiq, Mai Khalil & Maverick Sabre)
2- ⑥ *Letter to the 1%* (feat. Mai Khalil)   2- ⑦ *Skit 4*
2- ⑧ *Lords of War* (feat. Kaia)
2- ⑨ *Ghosts of Grenfall 2* (feat. Kaia)
2- ⑩ *Neoliberalism Kills People*

11年の前作は"Obama Nation や"Terrorist?"などの反帝国主義2部作に代表されるように全体を通じラディカルだったが、本作ではさらにトピックの幅を広げ、よりアーティストとしての深みが増している。16年の夏に発表された先行曲"Ahmed"では、美しいキーボードとMai Khalilの感傷的なコーラスの上、あるアラブ人の子アフメドの物語を圧倒的な多音節のライムスキームを駆使しながら描いてゆく。もっともストーリーのコンセプトの妙味でいうなら、ハイライトは「Lords of War"だろう。感傷的なシンセとヴォーカルを駆使し、①中東で空襲により犠牲となる8歳の少女、②遠くネヴァダより彼女をドローンで遠隔射撃する男、③これらの戦争を"演出"して私腹を肥やす資本家、という3つの映像的な物語をそれぞれのヴァースで構成している。政治的な曲はパターン化しやすい傾向があるが、本曲は巧みに場面を切り替えストーリーをつなげることに成功しており、ゲーム感覚で他人を殺してしまう科学技術の危うさにも言及するなど、視点が豊かだ。
また、これらの政治的な曲とは異なり、ライム先行型の"The Return of Lowkey"では完全なボーストに終始しているが、トラックはいわゆる808のトラップを模したサウンドをあえて用い「リリシズムはどこに行った？　連中は馬鹿げている。あいつらの歌詞なんか聴いちゃいない。曲の途中でアプリごと削除だ」という皮肉たっぷりのラインでヴァースを締めているし、永六輔作詞の"遠くへ行きたい"をサンプルした"Letter to the 1 Percent"でも同様に、ヒップホップのルーツは保ちつつ伝統的なブーンバップにとどまらないサウンドを提示している。"Letter to the 1 Percent"はそのタイトルに相反し"社会で奮闘する99パーセントの普通の人々"を鼓舞するためにほとんど全てのラインを"Power to those that.."から構成しているのだが、とかく肩肘張りがちなこの手のコンシャスなメッセージも、本作ではあくまで自然体で語りかけてゆく。
自然体といえば、本作でも前作と同様自身のパーソナルな部分である"移民としての視点"も盛り込んでいるが、16年の先行シングル"Children of Diaspora"や、前作"Terrorist?"から「ターバン野郎とパキ野郎はお前の親父の不安の種だが、親父の好物はカレーとケバブだ」というラインをフックに用いた"Islamophobic Lullabies"など、単なる体制批判というよりは、移民の同胞たちを勇気づけ、彼らの心のうちを表現した内容となっている。そして、最愛の人物を失った人々の物語"Sunday Morning"、グレンフェルタワー火災の悲劇への献身をみせた"Ghosts of Grenfell"の2部作を取ってみても、本作は人々の痛みに寄り添う姿勢が顕著となった。

## Adagio!

### New York to Philly

*Notable Track: Boy and Girl Tale*

**Battle**

2020 (1996-2002)　90's Tapes

PEの母校アデルファイ大学で結成されたデュオが12"で発表していた曲を中心にコンパイルしたベスト盤。彼ららしい温かなヴァイブ使いの表題曲"NY to Philly"でこの2都市の名を冠しているのは、MCのBig Cousin、Rayme Supremeそれぞれの出身地を表しているため。尻軽女への愚痴をこぼした"Boy and Girl Tale"、ポジティヴなラップでファンを楽しませることを望む"Listening Pleasure"など、90年代の名曲がこの一枚に。

## D Smoke

### Black Habits

*Notable Track: Black Habits*

**Conscious**

2020　WoodWorks Records / Empire

*Also recommended:*
D Smoke
Inglewood High
2019

ラップ界でありがちなのが、自分を偽ること。声色を変えたり、苛烈な言葉使いを試したり。しかしこのMCは自然体だ。たとえ自分がUCLA卒の元高校教師で、ピアノをはじめとする楽器全般に堪能だとしても、作中でひけらかすことはない。『黒人の習慣』と題された本作は、アフリカンアメリカンの青年がどのように米国で成長したのか、彼自身の語彙、言葉によって紡がれてゆく。いわゆるステレオタイプな"父親のいない黒人少年"としての過去は、朝の礼拝("Morning Prayer")で父の帰りを祈る姿として描かれ、離れていても変わらない獄中の父への敬意は"Like My Daddy"で具体化される。奴隷制のキーワードを引用する"Free"で"白いアメリカ"に植え付けられた固定観念からの解放を模索し、"Closer to God"を聴けば彼が教会音楽とともに成長したことがわかる。そして表題曲の"Black Habits" 2部作で、黒人の習慣の美しさと醜さ、その両義性が描かれてゆく。本作中、地元イングルウッドへのシャウトが全編にわたり続くのも、ラティーノに囲まれた幼少期の影響からスペイン語を繰るのも、彼にとっての自然な"習慣"を表現しているからこそだ。

## Jamo Gang

### Walking with Lions

*Notable Track: Francis Scott Key*

**Hardcore**

2020　Fat Beats

よいMCは往々にして視野が広く、人とは異なる視点を持っているものだ。Ras KassとEl Gant、J57によって構成されるコレクティヴの2作目となる本作には、アメリカ国歌の作詞者の名をタイトルに冠し、自由の国アメリカの血塗られた歴史を丁寧に整理してゆく"Francis Scott Key"という曲が収録されている。ここでRas Kassは米国の原爆投下を非難。散々ラッパーたちがボーストに援用してきた第二次大戦の悲劇に寄り添う姿勢をみせているのだ。

# Ka

## Descendants of Cain

*Notable Track: I Love (Mimi, Moms, Kev)*

2020   Iron Works Records

Hardcore
★

① *Every Now and Then*    ② *Unto the Dust*
③ *Patron Saints*    ④ *My Brother's Keeper*
⑤ *Solitude of Enoch*    ⑥ *The Eye of a Needle*
⑦ *P.R.A.Y.*    ⑧ *Land of Nod*
⑨ *Sins of the Father (feat. Roc Marciano)*
⑩ *Old Justice*    ⑪ *I Love (Mimi, Moms, Kev)*

KaはNatural Elementsの創設メンバーだった が、その後すぐにグループを離れ、幼馴染のKev とともにNightbreedというデュオを結成し、98 年に12"を発表している。しかしこのデュオも長 くは続かず、彼はNY市の消防士として勤務を始 め、Stretch Armstrong & Bobbitoのラジオで 知り合った元インターンのMimi Valdesと結婚、 90年代末には表舞台から姿を消していた。

16年10月に公開されたThe Faderの特集記事に よると、結婚当初のKaはまだライムを書き溜めて いることを妻に伝えていなかったという。しかし その情熱が隠せるわけもなく、程なくして彼女の 目に触れることに。彼女はKaのライムを褒める と「重要なのはレコード契約ではなく、自分のアー トに喜びを見出すこと」だと告げたという。当時 Vibe誌の編集長を務めていたMimiからの励まし もあり、ラップへの自信を取り戻した彼は、08年 にキャリア初のアルバム『Iron Works』を自主発表 している。NYの冷淡なストリート叙情を多音節韻 で淡々と描いてゆくその詩世界に共通点を見出し たのか、同年本作はGZAの目にとまり、彼のフッ クアップもあって、Kaは"兼業MC"として再び表 舞台に舞い戻った。以降Kaは一貫してレーベル には所属せず、自分でビートを見つけてサンプリ ングし、少数の限られたプロデューサー／エンジ ニアと協力して作品を制作してきたのである。

さて、自身7作目となる本作には、そんな彼の集 大成ともいえる"I Love（Mimi, Moms, Kev)"が収 録されている。Kaにしては比較的珍しい温かなギ ターのサンプルの上、それぞれのヴァースを、彼 を支えた妻のMimi、自身を育ててくれた母、そし て15年に交通事故で不慮の死を遂げた親友Kev へ捧げる本曲は、これまでの凄惨なストリート譚 のラップとは一味違うポジティヴな歌詞世界と なった。もっとも、Kaらしいリムショットのみのビー トや、朴訥としたヴォーカルで畳みかけるように複 雑なライムを駆使するラップは、本曲でも十分生 きている。たとえば彼は基本の脚韻はもちろんの こと、"SACriFICE was our FACts o' LIFE"という ような形で、1小節内で同じ音のライムを重ねるよ うに合わせてくるが、機械的な2拍4拍を強調し たドラムが入るとうるさくなってしまうのだろう。 それゆえ自然とドラムの音数を減らしていったのだ と思われる。本作は『創世記』に登場する弟殺しの "カイン"から着想を得て、罪深きストリートの住 人たちという意図で『カインの末裔』というタイトル があてられているのだが、なかでも黒人同士で殺 し合うゲットーの負の連鎖を描写した"Solitude of Enoch"はもっともアルバムのテーマが活きた曲 だ。その重厚なベースと2種のギターが折り重な るトラックは、あくまでラップを主役にライムでリ ズムを刻んでゆくKaのスタイルを示している。

## R.A. the Rugged Man

### All My Heroes Are Dead

*Notable Track: Malice of Mammon (feat. Chuck D)*

2020　Nature Sounds

① *All My Heroes Are Dead (The Introduction)*
② *Legendary Loser*
③ *Golden Oldies (feat. Eamon & Slug)*
④ *Wondering (How to Believe) [feat. David Myles]*
⑤ *Dragon Fire (feat. Ghostface Killah, Kool G. Rap, Masta Killa & XX3EME)*
⑥ *All Systems Go*　⑦ *Cancelled Skit*　⑧ *Angelic Boy*
⑨ *Gotta Be Dope (feat. A-F-R-O & DJ Jazzy Jeff)*
⑩ *First Born (feat. Novel)*
⑪ *E.K.N.Y. (Ed Koch New York) [feat. Inspectah Deck & Timbo King]*
⑫ *Hate Speech*
⑬ *Living Through a Screen (Everything Is a Lie) [feat. The KickDrums]*
⑭ *Contra-Dictionary (feat. Locksmith)*
⑮ *The Slayers Club (feat. Brand Nubian, Chino XL, Chris Rivers, Ice-T, M.O.P., Onyx & Vinnie Paz)*
⑯ *Life of the Party*　⑰ *The Big Snatch*
⑱ *John John Skit*
⑲ *Who Do We Trust? (feat. Immortal Technique)*
⑳ *Malice of Mammon (feat. Chuck D)*
㉑ *Sean riP (Interlude) [feat. Shaun P]*
㉒ *The After Life (feat. Kelly Waters & Sarah Smith)*

R.A.ほど登場時と印象を変えMCとして成長をみせたアーティストも少ないだろう。キャリア初期はJiveと契約し、Crustified Dibbsという名でイロモノ系のエログロラップを披露していた彼だが、90年代後半よりRawkusなどへの参加で着実にインディ市場で結果を残すと、転機となったのは06年。実父のヴェトナムでの従軍体験、ヴェトコンとの戦闘、枯葉剤による後遺症について重層的なライムで描ききったJedi Mind Tricks "Uncommon Valor"の客演により、一転してリリシストとしての評価を確立した。本作『All My Heroes Are Dead』はそんな彼の3作目となるアルバムであり、キャリア集大成といえる彩り豊かな作品に仕上がっている。

アルバムの冒頭は、枯葉剤の影響により障害を持って生まれた弟や妹の短い生涯を追悼する "Wondering (How to Believe)"や、最愛の娘であるEllaへ送る"First Born"など、亡き父へのトリビュートとなった前作『Legends Never Die』('13)に引き続きパーソナルな曲が続くが、特に本作はポリティカルラップの雄Immortal Techniqueが客演した"Who Do We Trust?"以降の終盤に盛り上がりをみせる。ここでR.A.は体制批判のラップに終始しており、本曲は広島長崎の原爆投下を非難するラインが登場する反帝国主義アンセム"Learn Truth"の続編といった

趣。続くChuck D参加の"Malice of Mammon"では、拝金主義批判をテーマに沖縄の基地問題に言及するなど、米国のみならず米国を取り巻く外国の政治情勢をよく勉強していることがうかがえる。そして最後に、Sean Priceの娘であるShaun Pにラップさせたインタールード"Sean riP"を挟んで登場する"The After Life"にて、亡くなった全ての命へ捧げるラップを披露し、本作は大団円を迎えている。

もちろん、学校の銃乱射事件を犯人の視点から見つめる"Angelic Boy"や、80年代のNYを振り返る"E.K.N.Y. (Ed Koch New York)"、かつてのR.A.よろしく、あえてどぎつい言葉を用い言葉狩りのキャンセルカルチャーを皮肉る"Hate Speech、矛盾する世の中を切ってゆく"Contra-Dictionary"などのコンセプトモノも悪くない。DJ Jazzy Jeffのスクラッチのもと、愛弟子A.F.R.Oと異次元のフロウ合戦を繰り広げる"Gotta Be Dope"や、Brand Nubian、Chino XL、Chris Rivers、Ice-T、M.O.P.、Onyx、Vinnie Pazという豪華MC陣によるポッセカット"The Slayers Club"など、本作の大半を占めるバトルモノも傾聴に値する仕上がり。結婚、子供の誕生、息子ほど歳の離れた愛弟子との出逢いを経て円熟味を増したR.A.は、節目となる50歳を目前に多様性に富んだアルバムを完成させた。

リリックの読み解き方を考える
# Part 6　畳みかける押韻と物語

　2010年代のインディラップを象徴するスタイルが、Roc MarcianoやBilly Woods、Willie the Kidなどが得意としている、同系統の単語を重ねてゆく畳みかけ系のライムだ。その畳みかけ系のラップの中でもコンセプチュアルな作風で知られるMr. Lifが17年にプロデューサーのL'Orangeと発表した『The Life & Death of Scenery』は、とりわけ構成力の高さが際立っている。アルバム全体をSci-Fi的詩世界で彩ったファンタジーモノの本作は、ラップ界では比較的珍しい"完全なフィクション"をベースとしていた。

## フィクションとラップの歌詞世界

　ラップというアートフォームは、とかく自身の体験を物語るというイメージが強いかもしれない。しかし、小説や映画などの近接する表現方法がフィクションを重視しているように、ラップにおいても必ずしも自身の体験だけを語る必要はない。そこには大いにアーティストの"創造性"や"創意工夫"が介在するものだ。たとえば、俗にいうギャングスタラッパーと呼ばれる者たちも、その大半は実際にギャングスタ生活をしているわけではなく、あくまでキャラクターを演じていることが多い。このように"ラッパーとしての人生を演じる"ラップはある意味で主流派といえるが、完全なファンタジーモノの創作はラップ界では比較的珍しい。しかも今回Mr. Lifは、架空のディストピアン世界を題材に、その世界の物語の主人公になりきって、時に1人称視点で、時に3人称視点で、アルバム1枚を通じて近未来のファンタジー絵巻を展開しているのである。

## "A Palace in the Sky"のストーリーライン

　さて、本稿では、アルバム全体が統一されたコンセプトとなっている作品の大団円となる最終曲"A Palace in the Sky"の筋書きを紹介する。1stヴァースでは、このディストピアン世界を絶対的な権力で統べる王の姿と、その傲慢さが叙述されてゆく。王はさながら『独裁者』('40)のチャップリンのように常に地球儀を眺め、毎日数時間を費やしながら次に侵略する場所を探していた。あたかも王にとって宇宙は取るに足らず、この世などいつでも壊せると踏ん反り返りながら。そんな傲慢な王を懲らしめるべく、神々は王を陥れることを決意した。しかしただ殺すのでは生温いと、ある計画を立てたのである。そして続く2ndヴァースでは、世界中の神々が一堂に会し、王の処刑のため、ある魔法をかける。それは王の住む城が少しずつ霧のように天空へと蒸発していってしまうというもので、だんだんと消えてゆく城壁に気づいた住人は次々と逃げ出してしまい、残るは権力に固持する王ひとりとなってしまう。そして王は自分以外何もない世界で永遠の命のもと、孤独に生き続けることを余儀なくされるのであった。本曲はこれらの綿密で理路整然としたストーリーを、12小節綴りのヴァース3部構成というコンパクトな仕様で巧みにライムしながら演出してゆくのである。

## Mr. Lif のライムの特徴

　明確な起承転結のあるストーリーモノで多層的にライムするのは至難の技だが、本ヴァースは Bar 1 から同じ音を1小節内で畳みかける中間韻、また Bar 2 では /siː/ の頭韻（alliteration）を駆使しつつ、2拍4拍以外のところで返し韻のようなラップを繰る。そして Bar 7 以降はさらに重層的に中間韻を駆使し、王の破滅のストーリーを映像的に描いてゆく。クリアでわかりやすい状況描写もその詩世界に引き込ませてくれる。

## L'Orange & Mr. Lif – "A Palace in the Sky" 3rd Verse (2017)

Bar 1　Months passed by, and one morning he opened his eye
Bar 2　To see no ceiling in his chambers, just a view of the sky
Bar 3　The walls were gone, the shades were drawn inside his mind
Bar 4　But now he's got no choice but to view the other side of the blinds
Bar 5　What he finds is a world without his reign, pure pain
Bar 6　The mighty ruler walking with a cane
Bar 7　With miles of lush hills before him, and grass is their decorum
Bar 8　He screamed, "Why!?" and the skies did ignore him
Bar 9　He asked once again, but the world had resigned
Bar 10　No signs. His time holding hands with time
Bar 11　With an eternity to breathe and no chance to ever leave
Bar 12　He got lost in the mirage of his reprieve


Bar 1　数ヶ月後、ある朝、王は目を覚ました
Bar 2　王の間には天井がなく、ただ空の景色が広がっていた
Bar 3　壁は消えていた　王はすぐに状況を理解したが
Bar 4　ただこの状況を受け入れるしかなかった
Bar 5　もう自分のものではない世界を見て、王は苦しんだ
Bar 6　杖をついて歩き出す絶対的な支配者
Bar 7　目の前には広大な山々と緑が広がっていた
Bar 8　王は叫んだ　「なぜだ」　天は王を無視した
Bar 9　もう一度尋ねたが、影も形もなく、
Bar 10　人々は消えていた　王の命は時とつながり
Bar 11　その永遠の命の上、逃れる術はない
Bar 12　王は終わることのない幻想に囚われてしまった

※歌詞はアーティスト支給ではなく、筆者、翻訳協力者による聴き取り、文字起こしの上、筆者による対訳を併記。
※主要な押韻箇所を対になる色別でハイライト。ラップは必ずしも完全韻であるとは限らないため、一部完全韻ではないが聴感的に揃っている箇所もハイライト、またはアンダーラインを引いている。

## シリアスなストリートライフの叙述とKa

　2010年代の畳みかけ系ラップで忘れてはならないのが、重層的ライムと端正なストリート描写で10年代を席巻したKaだ。本稿執筆時の最新作となる『Descendants of Cain』('20)収録の"I Love (Mimi, Moms, Kev)"は、Kaが珍しくストレートに家族への愛を示したパーソナルな曲で、1stヴァースは妻、3rdヴァースは今は亡き親友のKevへと捧げられている。今回は80年代の劣悪なブラウンズヴィルのストリートで自身を育ててくれた母への感謝をしたためた2ndヴァースを下掲する。

## Kaのライムの特徴──"楽器"としてのラップ

　KaはMr. Lifと同様に、基本となる2拍4拍以外のところで返し韻のようなラップをする。たとえばBar 1で"birth"→"hurt"→"per"と/ə/の音が畳みかけられているように、またBar 7で/æ/の音が4つ駆使されるように、Kaは末尾の脚韻はもちろんのこと、小節の2拍目前後に集中してライムを重ねるラップを志向しているのである。これがさながらドラムの代わりのようにラインをドライヴさせ、リズムを生んでいる。

## Ka – "I Love (Mimi, Moms, Kev)" 2nd Verse (2020)

| | |
|---|---|
| Bar 1 | Since birth, when hurt and sick, only person I see |
| Bar 2 | Could write a play about strength, on how you work in a week |
| Bar 3 | Wanted to give you the world, I saw you here strugglin' |
| Bar 4 | All praise to the Father, I had you here motherin' |
| Bar 5 | Sorry for the times I was bellin' in my teens |
| Bar 6 | But you know I had felon in my genes |
| Bar 7 | Was bad man in badlands, chasin' desire |
| Bar 8 | From viewin' what you went through, I learned grace under fire |
| Bar 9 | Sayin' you proud of me, the sweetest words ever |
| Bar 10 | Purest soul I know Moms, you deserve better |
| Bar 11 | Whatever ailments, you nursed me back to health |
| Bar 12 | Defend me even when the enemy's in fact myself |
| Bar 13 | Showed me love when all I seen was hate |
| Bar 14 | Said I was special, to impress you, wanted to be seen as great |
| Bar 15 | This my kiss to thank you for the unconditional |
| Bar 16 | And though I may not see you as much, I'm always missin' you |
| Bar 17 | Sacrifice was our facts o' life |
| Bar 18 | I love... I love... |

※歌詞はアーティスト支給ではなく、筆者、翻訳協力者による聴き取り、文字起こしの上、筆者による対訳を併記。
※主要な押韻箇所を対になる色別でハイライト。ラップは必ずしも完全韻であるとは限らないため、一部完全韻ではないが聴感的に揃っている箇所もハイライト、またはアンダーラインを引いている。

このリズム作りのため、Ka のトラックは極端にドラムが少ない作風となっていったと思われる。つまり、彼のラップはさながらライムでドラムを刻んでいるといえるだろう。また、Bar 12 においては "(de) fend me" → "when (the) e (ne) my's" と冒頭で濃厚にライムを披露しておいて、末尾は 2 音節対の脚韻という、おかしなバランスさえ駆使している。そしてしまいには、ヴァース終盤の Bar 17 でいきなり "sacrifice → facts o' life" と 1 小節内でライムし、Bar 18 はインタールードへの導入として "I Love" というシンプルな言葉を重ねている。この極端な前のめり感は全て「自己犠牲が俺たちの人生の姿だった」という台詞を強調したいがために行なっているのである。再三解説した通り、基本的に押韻は 2 小節 1 組という構造の中、4 拍子の 4 拍目となるのだが、Part 5 の Lowkey と同様に、このようにあえて上の句の方で押韻を完結させて、余韻を表現するのも、広い意味でのオフビートのテクニークといえるだろう。

## 家族の描写とラップ

"I Love (Mimi, Moms, Kev)" ではポジティヴなメッセージを志向した Ka だが、従来得意としているのは凄惨なストリート描写。なかでも 13 年発表のアルバム『The Night's Gambit』収録の "Jungle" はそのストーリー性、押韻構成が秀逸な、特に象徴的なタイトルだ。"I Love (Mimi,

Bar 1　生まれてから、辛く苦しい時、唯一ともにいた人
Bar 2　貴方が 1 週間の間にどれだけ必死に働いたのか表現できるよ
Bar 3　貴方が苦しむ姿を目にした時は、何でも与えてあげたかった
Bar 4　貴方を身ごもらせてくれた主へ感謝を
Bar 5　10 代のやんちゃな頃のことは申し訳ない
Bar 6　でも犯罪者の血を受け継いでいるから仕方ないよな
Bar 7　欲望を追う、悪しき世界の悪漢
Bar 8　貴方が経験してきたことを受け、俺は火中の豊かさを学んだ
Bar 9　俺を誇りに思ってくれるのは、最高の褒め言葉だ
Bar 10　高潔な魂の母さんには、もっといい人生がふさわしい
Bar 11　どんな病気にかかっても、看病して治してくれた
Bar 12　俺自身が俺を邪魔しても、俺を擁護してくれた
Bar 13　周囲に憎しみしかなかった時も、愛を示してくれた
Bar 14　気を引くために自分は特別だと言った　認めてもらいたかった
Bar 15　心から無条件の愛をありがとう
Bar 16　そんなに会えてないけど、いつも寂しく思っている
Bar 17　自己犠牲が俺たちの人生の姿だった
Bar 18　愛している…　愛している…

Moms, Kev)"と同じく自身を育てた母親への言及から、ストリートに染まる少年の目線で地元ニューヨークの"コンクリートジャングル"をつぶさに描写してゆく本曲は、下掲の図解でも明らかだが、基軸となる脚韻とほぼ変わらない割合でライン前半に多量のライムが詰め込まれている。特に Bar 3 の/aɪ/の母音4連発、Bar 4 から Bar 9 の2〜3音節に連なる重ね韻の連続には耳を奪われることだろう。畳みかけラップを得意とする Ka の曲の中でも特にライム重視となっている。

## 音節の対応と文法

　本曲はライムを基軸としているため、多分に文法も崩している。たとえば、Bar 1 の"To calm hungry, mom Sunday would worship hard"という文節だが、まず"hungry"は形容詞であるので"calm"の目的語にはできない。本来"hungry kids"か"our hunger"のように名詞を置く必要があるわけだ。つまりは文法的に整理すると、このラインには"To calm hungry kids, my mom would worship hard on Sunday"と黄色でハイライトした語が抜け落ちている。これは続く Bar 2 と音節数を揃えるために、詩的に聞こえる範囲で文法を曲げているのである。この2小節は右掲のように4拍内で10音節が対応している。

## Ka – "Jungle" 1st Verse (2013)

| Bar 1 | To calm hungry, mom Sunday would worship hard |
| Bar 2 | She knew her offspring thing was serve or starve |
| Bar 3 | Crime ignite, mind ain't right, surface scarred |
| Bar 4 | Thoughts clear of course, here it's referred as dogs |
| Bar 5 | We sprout from glass house hung on curbs of shards |
| Bar 6 | Pedal jacks observed devil acts, word to God |
| Bar 7 | As a seed, I read ingredients, avertin' lard |
| Bar 8 | War in the hood but my court good, search my heart |
| Bar 9 | Do it quick for ruger clip, make it burst apart |
| Bar 10 | Till then disperse, not a verse but a work of art |
| Bar 11 | Preppin' today like it's the last night of feedin' |
| Bar 12 | Figured the fast route since we've been cast out of Eden |
| Bar 13 | Rep the team that never left the scene |
| Bar 14 | Apparently arrogant from battlin' the Nephilim |
| Bar 15 | Get fronted on, we run along with crew mass ill |
| Bar 16 | Track back through a few, had steel, nothing too grass hill |
| Bar 17 | You know us, go load up to touch robust |
| Bar 18 | Payback is delivered, deliberate, no rush |

※歌詞はアーティスト支給ではなく、筆者、翻訳協力者による聴き取り、文字起こしの上、筆者による対訳を併記。
※主要な押韻箇所を対になる色別でハイライト。ラップは必ずしも完全韻であるとは限らないため、一部完全韻ではないが聴感的に揃っている箇所もハイライト、またはアンダーラインを引いている。

|  | 1 | 2 | 3 | 4 | 5 | 6 | 7 | 8 | 9 | 10 |

（To）calm hungry, mom Sunday would <u>worship hard</u>
She knew <u>her</u> off<u>spring</u> <u>thing</u> was <u>serve or starve</u>

## ラップの可能性？

　以上全6回にわたり、『リリックの読み解き方を考える』と題してラップにおけるライムの変遷を簡単に振り返ってきた。もちろんここで取り上げたアーティストはヒップホップというジャンルの中でもごくわずかでしかなく、ほかにも数多くの優れた楽曲やアーティストが存在する。また、何も音節が多いからその作品が優れているというわけでもなく、ライム以外の要素である物語性や修辞技法を盛り込むことで、ラップには別の面白さを見出すこともできる。しかしそれでも、2小節1組というフォーミュラはラップミュージックの基本であり、2小節で言葉の意味世界、または音をいかに揃え、文脈・ストーリーを構築するかがラップ最大の魅力であり、ひいては英語圏における韻文・詩歌の基本と位置付けられているのである。この基本を念頭に、ぜひとも色々な曲を探していってほしい。

| Bar 1 | 空腹を抑えるために、母は日曜、ひらすら祈った |
| Bar 2 | 彼女は子供たちが捕まるか、飢えるしかないとわかっていた |
| Bar 3 | 犯罪に染まり、精神は異常　体は傷だらけ |
| Bar 4 | もう悩まない　ここじゃ犬扱いだ |
| Bar 5 | 俺たちは壊れたグラスで溢れる温室から生まれた |
| Bar 6 | ペダルジャックは悪行を見た　だよな |
| Bar 7 | 子供時分に、俺はラードを避けるため、食材に気をつけていた |
| Bar 8 | フッドは争いばかりだが、俺の近所はマシ　本当さ |
| Bar 9 | 銃が迫っている早くしろ　粉砕させろ |
| Bar 10 | それまで、ただのヴァースじゃなく、アート作品をスピット |
| Bar 11 | 最後の晩餐のように今日を準備 |
| Bar 12 | エデンの園を追放されてから安易な道を模索 |
| Bar 13 | シーンを離れないチームをレップ |
| Bar 14 | どうやら巨人ネフィリムとの戦いから傲慢 |
| Bar 15 | マヌケども　俺たちはイルなクルーと連んでいる |
| Bar 16 | 銃を持って駆け抜けた　緑のない場所 |
| Bar 17 | 俺たちのことわかってんだろ　銃を装填しとけ |
| Bar 18 | やり返すぜ　計画的に、焦らず |

Part 2　ラップ・リコンストラクション（ラップを再構築すること）

**荏開津：**よいリリックというものを考えるにあたって基本となっているのは、Kool G. Rapですか？

**Genaktion：**（しみじみと）この人かRakimぐらいしか思い浮かばないんですよねぇ。

**荏：**これだけ聴いてきた人にそう言われると、やっぱり重みがあります。理由を読者にもわかりやすいように聞かせてもらえますか？

**G：**情景が浮かんでくるというか、言葉としてものすごい伝わってくるんです。（単語をライミングのために）無理矢理入れたかなっていう感じがあまりなくて、本当に小説を読んでいるかのように言葉がきれいですよね。Rakimはそういう文学っぽい感じで、Kool G. Rapはもうちょっと詰め込む感じなんですけど、今回コラムで引用している "My Life" なんかは衝撃でしたね。トークボックスをフィーチュアしたキャッチーなサウンドで、インディとはいえ結構ヒットもしたのでご存知の方も多いと思いますが、あれを最初に聴いた時は本当に映画『スカーフェイス』の情景しか思い浮かばなかったです。夜中、真っ白な大豪邸でパーティをやってて、そこに死んだと思われていたボスが帰ってきたっていうプロットのヴィデオもかっこよくて。僕の好きなタイプは昔からああいう感じで、複雑なライミングながら物語を演出できるものです。日本だとクラブカルチャーを中心に捉える方が多いので、ビートの話ばかりになってくるんですけど、僕はそれもちょっといやで。「（日本とアメリカでは）全然聴き方が違うじゃん」と思っていたので、今回の本では意識的にリリックのことを多めに書いています。

**荏：**実は、ラップを「音楽」と言うのは抵抗があります。それはラップを蔑ろにするからではなく、やはり音楽よりも押韻による詩文に近い新しいアートフォームではないかと思う時があるからです。しかし、その成り立ちからも、ブレイクビーツというサウンドをバックにその詩文はマイクを通して表現されたわけで、まだ結論が出たわけではありませんが、そのことをいつも考えます。日本ではクラブカルチャーとして入ってきましたが、ブレイクビーツ／サウンドとリリックの内容には関係があります。リリックに意識的になったのは、いつ頃ですか？

**G：**具体的に意識し始めたのは、92年に出たPublic Enemyの『Singles n' Remixes 1987-1992』というコンピレーションからですね。僕が手にしたのは少しあとですが、当時ラップ系の翻訳はほとんど泉山真奈美さんという方が担当されていて、このコンピにも彼女の対訳と英詞が非常に小さい字でびっしりとライナーノーツに載っていました。あのCDでラップというのがどれだけ具体的にメディアを批判しているかだとか、黒人の運動家の名前を具体的に挙げて、こういうことを表現しているんだなってことを知って、興味を持ったのが一番最初です。

**荏：**それは10代になってからですか？

**G：**小学生の頃ですね。

**荏：**ええ!?　小学生の時に公民権運動家とかの名前がリリックに出てきたからって興味を持ったんですか？

**G：**僕らの頃はマーティン・ルーサー・キング・ジュニアのことも教科書に載ってましたから。あとは母親が、The Beatlesに始まり、Bee Gees、Bob Dylan、Peter, Paul and Maryとか、1960年代前半の音楽が直撃のヒッピー世代で、そこからフォークのメッセージだったり、全共闘世代でもありますから安保闘争の話なんかが自然と耳に入ってきてい

たのかなと。また、母はRoberta FlackやThe Stylisticsなど、少しあとの60年代末から70年代前半のいわゆるソウル系の音楽も好きだったので、そういう音楽が流れている環境だったんです。僕が小さい頃の記憶だし、いうほど高尚なものでもないけど、最初はなんとなく好きで耳に馴染んでいきました。英詞に触れるという意味では『ピーターラビット』とかドクター・スースのような児童文学の影響もありますね。そして自然と当時流行のラップにも興味を持ち出して、色々と探し始めるんですが、その時にたとえばPublic Enemyの『It Takes a Nation of Millions to Hold Us Back』('88)とかJungle Brothersの『Done by the Forces of Nature』('89)などのCDを手に取ると、この2作は当時では比較的珍しく公式のリリックが載っていて。そうなると何がラップされているのか気になってきますよね。それを辞書とかを使って調べていったのが原体験です。

荏：リヴュー本文でも多くのリリックが紹介されていますが、ここで触れておきたい心に残るライン、そうしたラップはありますか？

G：インディラップというジャンルを考えた時、いつも頭に浮かぶのがJuiceというラッパーです。彼はシカゴを代表するバトルの人で、1997年にはScribble Jam（註：2009年まであったヒップホップフェスティヴァル）のMCバトル部門でEminemを倒して優勝しているじゃないですか。Eminemはかたやメジャーでめちゃくちゃ売れて、優勝した彼は契約したことぐらいはあるかもしれないけど、どこのメジャーからも作品を出したことがないんです。彼ぐらい実績があっても、出せないっていう。だから、色々な条件が重なってですけど、商業ラップの世界は本当にひと握りが運を掴んで活躍できるんだなと思います。そんな業界に翻弄された彼が最初の頃に出したシングルに"Sincerely"という曲があるのですが、これが昔から大好きで。いわゆる"アンダーグラウンドで自分はやっていく"みたいなことを誓っている曲なんですけど、最後に"I'll probably roam the underground scene for all times / Signed sincerely, Juice the unsigned"というラインで幕を閉じます。"Signed sincerely"っていうのは結びの言葉で「〜より」みたいなことじゃないですか。

「自分はアンダーグラウンドシーンをずっとうろつき続けるだろうけど」って言って、最後に"Signed sincerely, Juice the unsigned"、つまり、"サイン（手紙に署名）したんだけど、俺はアンサインド（メジャーと契約していないの意）"と締めるこの感じがすごくかっこいい。こういう撞着語法を駆使したキザな言い回しとかは、リリックやアーティストの背景を理解して聴くとより楽しめると思います。

荏：Eminemを知っている人は日本にもいっぱいいるわけですよね。だけど、彼のようにポップスターとして大成功することだけがラップの正しい姿かというと、それは実際に起きていることと反するし、全然そんなことないと僕は思うんです。

G：そうですね。同じようにメインストリームでは売れなかったんですけど、Masta Aceなどとの活動で知られるLord Diggaの弟にSha Stimuliっていうラッパーがいます。彼がこれまたEminem関連のスーパーグループSlaughterhouseに入れそうで入れなかったNino Blessというラッパーと2013年に"POV"って曲を作っているのですが、これも色々な意味で味わい深かったですね。Sha StimuliのヴァースはRun-DMCやPEでラップにのめり込んだ、"ある亡くなった少年"の話になっているのですが、彼はアーティストを目指すも結局クラブでヒットするような成功は掴めませんでした。その後、終盤の方で、この曲は彼の「ラップを愛する童心のピュアな心」と、「売れない葛藤という憎悪の心」をテーマにしていたことがわかるようになってゆきます。そしてどうやら今は、このピュアな心も、憎悪の心もすでに消えたというんです。このヴァースは最後に、"But don't wake him up cause you know death comes in threes（でも彼を起こすなよ、「死」は3つ続くんだから）"という観念的なラインで締められます。実はこのヴァース、"death comes in threes（死など不幸な出来事は3つ続く）"という英語の慣用句を用いつつ、実は最初からずっとSha Stimuli自身の話をしていて、彼の中の愚直なピュアさと業界への憎悪はもうなくなった＝死んだけど、また憎悪にとらわれるようなことがあったら、次に死ぬことになるのは3つ目の命、つまりおそらくは「自分自身」だということを言わんとしているわけです。非常に抽象的ながらこんなひねった詩的な

# Roots of Raptivist

ヴァースを、彼は重層的なライムを駆使して見事に構成してゆきます。こういった曲が作れるのですから、たとえメインストリームでは成功できなかったとしても、もちろんリリシストとしてのスキルは十二分にあるわけですよ。認知されていないだけでこういう才能がインディ市場にはいっぱいいます。Top 40とかで受動的にヒット曲を聴くのもいいですけど、その先へ広げる時とかに本書を参考にしてもらって、今だとSpotifyやApple Music、YouTubeなどのストリーミングでも聴けますから、気に入った作品はそれこそディスクユニオンさんでフィジカル盤を買ってもらえれば一番ですね。何かよくわからない"インディラップという狭いジャンル"へいざなうというよりも、もうちょっとラップの聴き方を広げたい時にこの本が参考になればと思っています。

荏：1980年代半ばまでに確立していたラップにも実は色々あって、Fantasy ThreeのSilver Foxなど、数は少ないけれど優れたレコーディング作品を残してのちの世代に影響を与えたバトル出身のラッパーもいれば、Genaktionさんが仰ったように1980年代半ばすぎにライミング／物語という次のアートの段階までラップを高めたRakimやKool G. Rapといった人物まで様々ですが、その当時から現在に至るまでそこから外れる形式のラップもいっぱいありますね。

G：映像的な物語以外もラップには色々なスタイルがありますが、今だとRoc Marcianoとか、やたら単語を畳みかけてヴァースを作ってゆくスタイルがありますよね。僕は正直ああいう"とにかくライムしました"みたいなのは苦手なのですが、同じような系統のMF Doomなんかも昔から熱心な固定ファンが付いているじゃないですか。正直あの辺の人たちはナンセンスだと思うし、単体だと好きな曲も多々ありますが、ああいうのを言葉としてきれいだとは思わないですね。もちろん僕はニューヨーク出身のアメリカ人じゃないので、あの辺の言葉遊びの細かな機微やニュアンスが汲み取れないということもあります。また、最近のインディラップだとまた特にオタクっぽい奴が目立っていますよね。Open Mike EagleとかQuelle Chris、Billy Woodsとか、オタクっぽいんですけど、言葉の使い方が変わっていて、ああいう人たちの楽曲を掘り下げると面白いかもし

れません。彼らはライミングももちろんですが、ひねった言葉の使い方やテーマで聴かせるタイプのラッパーだと思います。ライムに関しては、最近はメジャーやインディの違いにかかわらず、ちゃんとやる人が多くなりましたね。たとえばRoddy Ricchの"The Box"という去年めちゃくちゃヒットした曲も、キャッチーなんですけど、意外にしっかりインターナルライムを駆使していて、リリックの作りも面白い。ビートも低音がかなり効いている感じで、よくあんなのがヒットするなと思いながら聴いていました。最近は往々にしてみんな言うほどマンブルしてないですね。

荏：ですよね。

G：俗にいう"マンブルラップ"は一過性のものなんじゃないかと思っています。90年代のDas EfxやFu-Schnickensのようなタンツイスター（巻き舌）ラップや、00年代だったらシンプルな単語をガナるLil Jonのクランクみたいに、ああいうギミックはたまに出てきてまたなくなるみたいなサイクルがあるのかなと。僕の勘定なので間違っているかもしれませんが、結局アメリカ人も8〜9割はリリック中心に聴いていると思うんですよね。もちろんマンブルっぽいのも多少は好きなんでしょうけど、結局は言葉を聴いてるんだから、単語が面白いとか、使っている言葉が面白いとかでラップを聴くのが自然なわけです。

荏：この本では、Company Flowの『Funcrusher Plus』は高く評価してますよね？

G：あれはインディラップを語る上で象徴的な作品なので大枠で載せているんですよね。実は僕、Co-FlowもEl-Pも今となってはそこまで思い入れがないんですよ。ああいう大げさな単語を用いてとにかく音節を増やすというのは、聴いてても何が言いたいのか意味わからないですよね。でも、聞き手が理解できるかどうかは別にして、あの手の難解なボーストラップが当時珍しかったのは確かで、そこに新奇性はあったと思います。僕もなんだかんだ当時はああいうのが好きだったので、El-Pを高く評価する人たちがいるのはわかります。でも、あの手のものをずっとは聴いていられなくて。そうするとImmortal Technique など文章としてきれいな人を

聴きたくなってくる。どっちがいいとかではないんですけど、バランスかなというところです。

荏：とても興味深いです。告白するなら僕はCompany Flowの、たとえば"Info Kill II"といった曲は数えきれないぐらい聴いたし、その後のEl-Pのソロ作やRun the Jewelsも優れていると考えています（Co-FlowとRTJは違いますが）。人々がいて、"コミュニティ"があって、そこからヒップホップ／ラップが生まれてきたので、当然その逆ではない。それはそうなんですが、"前衛"と呼ばれる概念があてはまるアートはアート自体を突き詰めていくことによって、ある種その当然の流れさえを問う性格を孕んでいます。Genaktionさんが使った"小説のような"、"きれいな"という形容は深くて、たとえばKool G. Rapはラップをコミュニティの共通言語として磨き上げ、リリックがコミュニティの成員の絆や共感を強める方向性を持つ。それまでのテレビや映画を参照する彼のリリックをブラックスプロイテーションの発展として捉えても"粋"だと感じることができます。

G：まぁ、かっこいいですよね。ただ僕も正直、Kool G. Rapのすべてのリリックが好きなわけではないんです。Kool G. RapとかRakimは多音節でライムしながら起承転結のあるヴァースを作っていくという現代ラップの基礎を築いてくれたんですよね。後世の人々は知ってか知らずかそのフォーマットを使っていて、たとえばひと世代下のElzhiとかPhonteとか、かなりKool G. Rapの影響を受けているし、実際リリックの中でもKool G. Rapに言及しています。フォーマットを作ってくれたのでもちろんリスペクトしているんですけど、今は（そのフォーマットが利用されて）どんどん新しい曲が出ているので、今でもKool G. Rapが至高とかそういう話ではないですね。でも、フォーマット自体を作った人のひとりなので偉いです。

荏：偉いと思います。Kool G. Rapたちが作った形式があるからこそ、それを無理やりぶち壊すみたいな感じで、普段使わないような大きな言葉をばんばん詰め込んでいくCompany Flowは"前衛"であり、そのリリックは一旦コミュニティの馴染みの風景からの逸脱さえ示唆します。Company Flowはそう

いう意味で前衛であり、前衛は"粋"ではない。だから短命だったし、短命でもその使命は果たしたという意味でよかった。しかし、結果的に共同体を拡げる力を持っていたかもしれない。

G：Kool G. Rapも畳みかける時があるのでいつもきれいな方ではないんですが、ただストーリーテリングもできるし、バトルもパーティっぽいのもできるし、表現に幅があるのはすごいと思います。あとせっかくCompany Flowの話題になったので言及しておきたいのですが、Mastermindsっていうco-Flowとも共演しているグループがいて、彼らの曲に"Day One"というものがあります。この曲は南部のリンチ事件や公民権運動などを引用しつつ、黒人への差別感情について言及している曲で、特にフックが印象的でした。「最初（Day One）から、連中は俺たちを打ち負かそうとしてくる。警察は銃を持ち、KKKに木から吊るされている。この状況はいつでもどこでも変わらない。変わらずそこにある」と。これはものすごい示唆的で、2000年の曲ですが、今かけてもそのままBlack Lives Matter（ブラック・ライヴズ・マター）のサウンドトラックに聞こえるような曲なんです。もちろんこういったテーマは80年代からラップで用いられてきましたが、彼らを取り巻く状況が一向に変わっていないことが本曲のフックでさらに鮮明に思い出されました。20年前の曲ながら、本書を準備するにあたり色々な作品を聴き返している中で、特に印象深かった曲のひとつです。こういう曲の存在ももちろんあるのですが、やはり今考えても、インディであるかは問わず、ラップの基本というのは、彼ら＝ストラグルしている人たちのメッセージだと思いますね。ColdcrushBrothersの"Weekend"とか、いわゆるパーティソングと呼ばれているものもそうなんですけど。

荏："Weekend"は大好きです…ってさすがに後追いですが。その昔、オリジナル12インチを見つけた時は本当に嬉しかったです。

G：結局は平日の辛い日々を忘れて週末のひとときを楽しもうという、日常のストラグルとかを表現する場になっているじゃないですか。メッセージがある／ないとかじゃなくて、ラップは基本的に"発話する言葉"なので、表現の仕方がブラギング

（bragging）している人たちとか、ずっとコンシャスなことを言ってる人とか色々な人がいると思うんですけど、基本は困難な状況にある人たちの言葉です。その困難な状況にある人は、ラッパーの人種構成を見たって、8〜9割がアフリカンアメリカンなんですよ。それは今も昔も変わらないですよね。いくら白人やエイジアンが参加して、自分たちの言葉をラップに乗せようとも、ラップ界がメインストリームとなり、そこに富が舞い込んでも、結局ラップのコアにあるのはアフリカンアメリカンが"自分の思い"をいろんな"形"で発信している点に尽きるかなと思っています。

荏：僕も全面的に賛成です。作る側と聴く側がいて、その間にいる人間が、アナーキーなほどのはるかな大きさと可能性を持ったラップ／ヒップホップという現象を小さく切り取りかねない。ラジオやTikTokを通して話題になったものや大ヒットしたものに追随して、しかも個人的な経験を根拠に切り取ると、編集者やライターはラップのコアにあるものを聴き取れているのかという話になりかねない。

G：そこは特に日本的な問題なんですかね？

荏：日本的な問題であるとしたら、その根底にある、バブル時代までに蓄積した知恵や技能で今後も通用するのか？というところにつながります。個人的な経験を根拠にするというのは、ラップ＝音楽＝ラジオでかかるポップ音楽という一面的な捉え方のことです。彼らが優れたミュージシャンであることはもちろん前提として、たとえば、はっぴいえんどとラップは違うんだというのは言いたいんです。ラップはポップ音楽で、ポップ音楽は全てラジオでかかる音楽だ、みたいな。こういう捉え方はあまり考えてないかノスタルジーですが、Netflixで観ることができるドキュメンタリー『13th －憲法修正第13条－』とドラマ『ボクらを見る目』を観るだけでも十分で、ラップを生んだもうひとつの世界を無視すると、実際にはなんでも並べて面白いと言っているのと同じです。ストラグルしている生活から生まれたアートを、バブル時代に生まれたオリエンタリズム的な危うさへと引きずっていきかねない。

G：別にスタイルを問わず、サグっぽい人たちでも、

曲によっては自分たちの苦難とか葛藤をラップしていますよね。今回の掲載作品はなるべくディスクユニオンさんと相談して僕ばっかりの意見に偏らないように選んだつもりですけど、アルバム1枚の尺でいうなら、基本はどこかで大抵アフリカンアメリカンが彼らのストラグルについてラップしています。もちろん白人やエイジアンにも自分たちのストラグルをラップするところはありますし、作品がフルレングスとなる場合には、アーティストなら自然とどこかに自身の葛藤や悩みが表現されるものだと思います。

荏：それこそ1930年代にW・E・B・デュボイスが『Black Reconstruction』で論じたように、南北戦争後の国の構造をアフリカンアメリカンのパースペクティヴで捉え直すということがまだ実践されていないという点で、Genaktionさんが言ったような苦難とか葛藤と離れられない暮らしの現状が梃子のように支えています。

G：そうですね。最近ようやく日本でも"体系的人種差別（Systemic Racism）"のような概念が引用されることも増えつつありますが、アメリカってまさしくそういう状況だから仕方がないんですよね。仕方がないっていうのは許されるという意味ではなくて、その構造的問題の上に成り立っている社会だという背景をわからないと彼らのメッセージも届かないのかな、という意味です。だから（日本とアメリカで）聴き方が変わるのはしょうがないかなって思っちゃうんですけど、ただラップというアートフォームは本当に多様なので、パーティといっても片方では苦難をラップしている面がそこにあったりするわけです。もちろんラジオヒットを狙った曲でそんなに複雑な内容にする必要はないし、耳触りがいい曲じゃなきゃ聴かれないのは当たり前ですが、これは棲み分けの問題で、いろんな"形"があっていいと思っていて、アーティストによって音楽の聴かせ方、表現の仕方はそれぞれありますからね。そういった背景をすっ飛ばして、「ラップはパーティで始まったのでパーティミュージックです」みたいに一見わかりやすく一元化してしまうのは、ラップのヒストリー的にも構造的にも誤りだと思っています。今回こうやって自分で原稿を書き下ろせる機会をいただき、なるべくリリック中心に書いているのは、その手の固定観念に対するアンチテーゼの意味もありました。

荏：素晴らしいと思います。1945年に戦争で日本が全面降伏したあと、勝った国であるアメリカのライフスタイルがGHQによって意図的にばら撒かれていったわけですが、同時にどんどん日本の経済がよくなっていく状況があるなか、ラジオで音楽を聴くということも生活の一点景となり、ヒットしたポップ音楽が即ちよい音楽だということになって、ヒットしないポップ音楽は実験的もしくは失敗作で聴く価値がないということになる。それから何十年も経って今やバブル時代の蓄積だけではもうやっていけないという予感は皆が共有しても、たとえばそこでポップ音楽のありようの構造は問われない。ヒットしたポップ音楽が即ちよい音楽だというイデオロギーも、田中康夫が『なんとなく、クリスタル』を書いた1980年代ならアイロニーもあっての描写ということで理解できるけど、2020年では、結局支えているのは "ポップだから" という同語反復話法でしかない。ラップを聴くということがポップを疑うということだとなれば、それはまったく逆でしょう。

G：今だと、「テニスは単なるスポーツだから、大坂なおみさんの発言は関係ないです」みたいなことですね。音楽だろうがスポーツだろうが、広くアートや表現というのは、その表現者独自のストーリーが背景にあるものなので、第三者がその文脈を恣意的に切り離そうとすることは本来的にあってはいけないことだと思うんです。たとえばラップについても、多くのアメリカ人はリリックを気にしてラップを聴いていて、アーティストは意図を持って言葉を発しているのに、まったく詩の内容やライムについて取り上げなかったり、自身の音楽論と切り離そうとする論調みたいなのは、文化盗用と紙一重じゃないかなあとは思ってますね。

荏：大坂なおみさんのBLMについての発言は、実際に今の彼女自身が困っているとか問題を抱えているかということとは実は関係ない。彼女が試合のボイコットをアナウンスしたのはツイートでもあったように、テニスが白人至上主義の構造から出てきたスポーツゆえで、彼女にはその構造について声を上げなくてはいけない思わせる理由があったからです。それを「テニスはスポーツだから」というのは、「ラップはポップ音楽だ」で全てを解釈する論理とどこが違うのか教えてもらいたいです。それに、今、

マスメディアがよい状態にあると思っている人はかなり少ないでしょう。また、TikTokについての指摘があったようにメディアは音楽のあり方に影響を与えます。でも、"ポップ" は疑わない。それははるか70年ぐらい前、冷戦構造の1960年代以前に英国や合衆国で生まれた "ポップ" の規範で未だに判断しているからで、その規範でラップ／ヒップホップというコンテンポラリーな現象を切り取るのは別に構わないですが、自分はラップに固有なものは何かを解き明かしていきたいのです。

G：ラップは文脈に依存される "発話される言葉" ですし、アーティストが何を言いたいのか捉えられないこともよくあるんですけど、でも総体として彼らがこういうことをラップしているとか、こういう風なことをラップしているとかは、なるべくサンプル係数を僕がいじるのではなくて無作為に反映させたいなと思い、今回は最初に掲載する作品を編集会議で決めてから聴き返して、率直に何を言ってるかを取り上げています。もちろん僕のバイアスは入っているでしょうが、それでも「僕が好きなコンシャス系だけ載せました」ってことではないんですよね。なかなか難しいところで僕も書く人間としていつも表現の仕方に悩むんですけど、ただやっぱりアーティストは意図を持って言葉を発していて、その人なりの意味がそこにはあるんです。

荏：本当に今日はどうもありがとうございます。お話しできてとてもよかったです。

G：こちらこそ、お忙しい中、貴重なお時間をありがとうございました。

聞き手・構成：荏開津広
2020年9月14日、Zoomにて収録

**荏開津広 Hiroshi Egaitsu**

執筆／DJ／京都精華大学非常勤講師。東京の黎明期のクラブでDJを開始、以後ストリートカルチャーの領域で活動。SIDECORE『身体／媒体／グラフィティ』('13) キュレーション、市原湖畔美術館『RAP MUSEUM』('17) 監修、Port B『ワーグナー・プロジェクト』('17-) 音楽監督、英BBCに選ばれた108人の書き手として "The Greatest Hip Hop Songs" 投票に参加。翻訳『サウンドアート』('10)。

本書を執筆する上で心がけたのは、リヴューの文字数に制限がある中でも、できる限りアーティストが何を語っているのか記述することでした。言語的な障害も大きいのか、特に日本の音楽評論の世界では、英詞の内容に踏み込んだリヴューは少ない印象です。その一方で、筆者の理解では、一般的な米国のファンはラップを聴く時、たいていはリリックを重要視して聴いています。ましてやMCの評価基準は「どんな面白いことをライムで表現してくれるか」というところにあるのが常です。ラップはテーマ性だったり、語彙だったり、ライムの仕方だったり、それらの要素が複雑に絡み合いながら、その面白さが問われているのです。特に97年以降に発展したインディラップというジャンルでは、トラックの目新しさは勿論のこと、とりわけ創造的な歌詞世界の作品が多く発表され、そのことでメインストリームのアーティストと差別化された歴史がありました。拙筆ながら可能な限りそのあたりを活字化できればと思い、意識としては7割リリック、3割トラック解説のつもりで本書のリヴューに挑みました。

アーティストの言葉をできるだけ紹介するというのは、ヒップホップというジャンルがどのように生まれたのかにもつながっています。ヒップホップはニューヨークの都心部の若者の声として萌芽しました。この文化には当初から一部のラテン系アメリカ人、わずかなイタリア人、ユダヤ人の子供たちも参加しましたが、その大部分はアフリカンアメリカンでした。ヒップホップは確かに都会の若者文化です。しかし、依然として支配的なのはアフリカ系アメリカ人であるという現実を直視する必要があります。彼らが始めた文化であるヒップホップを享受している者だったら、少なくとも彼らの声に耳を傾けて然るべきでしょう。特にBlack Lives Matterといううねりが再燃している今、そのヒップホップを享受している者のひとりである私が思うことは、彼ら大多数を占めるアフリカンアメリカンが楽曲に込めた想いを何らかの形で活字に残すことでした。

本書を執筆するにあたり、お忙しい中オフの時間を使って最初に本企画の提案をしていただいたディスクユニオンヒップホップ部門の多和さん、ニッチな内容にもかかわらず企画を通していただいた担当編集の小澤さん、大学の授業の合間を縫って対談に参加していただいた荏開津さんには本当にお世話になりました。

また、私の不得手なイギリス英語の確認をしてくれた英国紳士のトム、公私にわたってサポートをしてくれた妻のセリースに感謝しています。何よりセリースの家庭での理解がなければ本書を書くことはできなかったでしょう。本書制作に関係した全ての方、そして本書をご購入いただいた読者の皆さまに心から御礼申し上げます。

2020年10月 Genaktion

When I set out to write this book, my goal was to write reviews that focused on the message each artist conveyed in their songs, even with a word limit. There is a minimal number of books available in Japan, particularly in the music industry, that review rap music in this way. This may be due to the language barrier. To my understanding, most rap music fans in America listen to rap music for the lyricism. In addition, most MCs are evaluated on their ability to tell interesting stories and rhyme lyrics in clever ways. MCs are asked to combine themes, diction, and rhyme patterns to create compelling songs. The indie rap genre that especially stood out after 1997 came with novel sounds and innovative lyrical content. Due to the artistry shown by these lyricists, indie rap diverged completely from mainstream rap music. Though unskilled, I strove to write about this historical event. I aimed for my reviews to be 70 percent lyrically focused, and the other 30 percent was dedicated to the individual tracks.

As I introduced the words from these artists, it was important to me to remember how the genre of Hip Hop began. Hip Hop started as the voice of young people in New York. Initially, while there were some Hispanic/Latinx people, and a few young Italian and Jewish kids who had contributed, the culture largely came from African Americans. Hip Hop is indeed the culture of young life in the city. However, we must face the reality that it is dominated by African American people. If you enjoy the culture and the music they have created, I compel you to at least listen to their cries as well. Especially now that the fire behind the Black Lives Matter Movement is relit, I felt it important, as a Hip Hop fan myself, to leave behind a record of the feelings African American people put into this music.

I want to thank Tawa-san from Disk Union's Hip Hop department, who, in his spare time, offered me this opportunity, my editor Ozawa-san, who gave this project life even though it is such a niche topic, and Ega-san, who took time between university classes to participate in the dialogue.

A big thank you to Tom, an English gentleman who helped me as I struggled to understand British English, and to my wife, Cerise, who supported me in every way. Without her understanding at home, this book truly would not have been possible. To all who aided in the creation of this book, and to those who purchased and read it, thank you from the bottom of my heart.

—— Gen, October 2020.

# ヒップホップと
# 12インチシングル

　まだ録音物としてのラップが登場する前の話だが、ブロックパーティ時代のラップは、ショウ全体にわたり繰り広げられるルーティンのことで、それこそ何十分と続く言葉の並びだった。片面5分程度しか収録できない7インチシングル盤が主流の当時は、レコードにするという発想すらなかったという。その後、79年に初めてラップを楽曲に取り入れたFat Back Band "King Tim III" が発表され、その数カ月後にはSugarhill Gangによる"Rapper's Delight" が登場することとなる。当初は収録時間の兼ね合いで高価な12インチ盤にしなければならなかったラップのレコードだが、70年代中期からDJブームに乗る形で流通し始めた12インチシングルは7インチ盤に比べ音圧が高く、DJプレイ中の取り回しもよかったため、以降ヒップホップの代名詞となってゆく。

　80年代から00年代前半まで、ヒップホップのアーティストはデビューの際、まず基本的に12インチシングルを発表した。その売れゆきがよければ、ようやくアルバムの契約を手にできたのだ。そしてアルバムの発表後、評価の高い楽曲はシングルカットという形で再リリースされることもあった。80年代半ばにはラップもほかの音楽と同じく1曲3分前後が当たり前となっていたため、シングル盤には余剰部分にDJ用のインストやアカペラを追加したり、ラジオプレイ用にクリーンエディットを挿入したり、「リミックス」と呼ばれる、ヴォーカルはそのままでトラックを差し替えた別ヴァージョンを追加収録したりしていた。たとえばヒップホップ愛好家にはお馴染みのUltramagnetic MC's "Poppa Large" やTragedy "Street Life"、Smif-n-Wessun "Wrekonize" などは、ラップファンならLPヴァージョンではなくリミックスの方をイメージするのではないだろうか。これらはアルバムには収録されず、長年シングルでしか聴くことができなかったのである。

　このように、かつてはラップ界において必要不可欠だった12インチシングルも、デジタル配信技術の発展とラジオ局での需要減により、現在では失われた文化となりつつある。しかしそれでも90年代以前のインディラップを振り返るとしたら、12インチシングルの作品を避けては通れないだろう。そこで本稿では、あえてシングルで発表されたインディーレーベルの楽曲を1979年から2020年まで年1曲ずつ選出し、「この年の一枚」という形で振り返ってみることにした。なお、残念ながら近年は12インチシングル・EPでのリリース自体が非常に少なくなっているため、一部12インチ以外の作品を掲載していることをあらかじめご容赦いただきたい。本稿を導入に、ぜひラップレコードの誕生から現在まで、めくるめくシングルレコードの世界を堪能してほしい。

## Grandmaster Flash and the Furious Five
### Superappin'

1979　12"

Enjoy Records

史上初のラップレコードであるFatback Band "King Tim III" を皮切りに、79年には多くのラップ12"が切られている。なかでも録音された最初期のコンシャスラップとして知られるのが、本曲のMelle Melによる教訓的なヴァース。ストリートの誘惑により破滅してしまう若者の姿を俯瞰的に見つめる詩世界に、Melle Melの大局的な視点がうかがえる。

## Brother D with Collective Effort
### How We Gonna Make the Black Nation Rise?

1980　12"

Clappers Records

80年は最初期のストーリーテリングラップとして知られる"Adventures of Super Rhyme" や、 ビッグワードを多用した言葉遊びの"The New Rap Language" など、新規性あふれるコンセプチュアルな12"が続けて発表されたが、やはり最初期のポリティカルラップである本曲を。Cheryl Lynnを弾き直したトラックの上、黒人の独立のための教育と団結を訴える。

## The Boogie Boys
### Rappin' Aint No Thing

1981　12"

Mike & Dave Records

Mix Master Mike（Beastie BoysのDJとは別人）とDisco Daveが主催するレーベルより発表されたハーレムのグループのお披露目曲。Sugar Hillなど弾き直しの作品が多い中、Crash CrewのDJ Darryl CがE.U.、Eagles、Johnny the Foxのブレイクスをライヴミックスし、ブロックパーティのサウンドを再現。まだサンプリングのない時代の賜物だ。

## Coldcrush Brothers
### Weekend

1982　12"

Elite Records

後期ブロックパーティ時代を代表する4 MC's 1 DJのグループがようやく発表したデビューシングル。MC陣が掛け合いのスタイルで月曜〜金曜日までの平日の喧騒や葛藤を説明してから、週末のショウを楽しむように語りかけるパーティチューンとなっている。中盤のブリッジパートではブロックパーティ時代のルーティンである歌モノコーラスもしっかりと再現された。

## Rammellzee Vs. K-Rob
### Beat Bop

1983　12"

Tartown Record Co.

パーカッションを重ねたビートにベース、ギター、ヴァイオリンが連なってゆくトラックの上、ストリートの住人に知識の重要性を説くK-Robと、時にコケインに言及しながら退廃的かつアブストラクトな言葉遊びを繰り広げるRammelzeeが交互にヴァースを展開してゆく。オリジナルのBasquiatのジャケット付き12"はラップレコード随一の高額盤として知られている。

## Roxanne Shante'
### Roxanne's Revenge

1984　12"

Pop Art Records

スキルで男たちを黙らせたQBの女性バトルMCのデビュー曲。同年UTFOが発表した、架空の女性Roxanneに振られる様を物語にした人気曲 "Roxanne Roxanne" のトラックを丸使いした上で、「確かにあの3人に言い寄られたけど、なんで振ったのか教えてあげる」と女性の目線からフリースタイルでディスを展開。80年代中期のアンサーソングブームを牽引した一曲。

### Doug E. Fresh and MC Ricky D
La-Di-Da-Di

1985　12"

Reality

UK訛りの英語にダーティな言葉使い、独特の歌声で時代を築いた Slick Rick のデビューシングル"The Show"のB面曲にして、ストーリーテリングラップの金字塔。イカした19歳の少年 Rick に恋い焦がれる少女とその母親による血みどろの争いを面白おかしく描いてゆく。全編 Doug E. Fresh のビートボックスによるシンプルなサウンドも時代を象徴している。

### Eric B. featuring Rakim
Eric B. Is President

1986　12"

Zakia Records

それまで単純な脚韻が主流だった時代、"I came in the DOOR / I sad it beFORE"という印象的な中間韻で新時代の扉を開いた Rakim のラップ。同年 Marley Marl が発案した新技術サンプリングを駆使した"Funky President"による重厚なドラム。MC Shan や BDP などのクラシックが連発した86年においてもひときわ重要な12"だ。

### Latee
This Cut's Got Flavor

1987　12"

Wild Pitch Records

87年は Kool G. Rap "Rikers Island"や Big Daddy Kane "Raw"など、Juice Crew による強力な12"が目立っていたが、Wild Pitch 元年となる本12"も忘れてはならない。のちのヒットメイカー 45 King による Fatback Band のギターストラミングをループしたファンキーなビートに、Latee のキレのよいボーストラップが踊る。初期 Wild Pitch 代表作。

### Phase N' Rhythm
Hyperactive

1988　12"

Funky Tune

クイーンズの2人組によるデビュー曲。Tommy Roe "Sweet Pea"のイントロをサンプルした強力なスネアが弾ける、故 Paul C の裏クラシック的作品。若さ溢れる2 MC'sのボーストも悪くない。12年に Chopped Herring から再発された際のプレス情報によると、当時まだ16歳だった彼らは従兄弟にレーベルを立ち上げてもらい、本12"を自主制作したそう。

### YZ. G-Rock
Thinking of a Master Plan

1989　12"

Diversity Records

NJのデュオのデビュー12"収録曲(同年 Tuff City からジャケット付きで再発)。Average White Band "Person to Person"のファンキーなビートにYZの思慮深いラップが絶妙な相性を魅せる。オバマ大統領就任のはるか昔に「レーガンがピエロを演じる一方、俺はしかめっ面。チェンジの、革命の時だ。両目を開け。黒人大統領が解決策」と謳うラインは示唆的だった。

### C.O.D. (Dope E & K-Rino)
Fulla Dem Games

1990　12"

Radical Records, Inc.

リリシスト K-Rino が所属していたデュオによるデビュー12"収録曲。One Way "Cutie Pie"をサンプルしたエレクトロファンクのサウンドに、男を利用しようと群がるゴールドディガーたちをたしなめるラップが乗る。黒人コミュニティを蝕むコケインや銃による犯罪から足を洗うように説く次曲の"Out There Bad"も併せてぜひ。

### Hard Knocks
### Nigga for Hire

1991 12"

Wild Pitch Records

アルバム1枚を政治的なメッセージで覆った92年を代表する名盤『School of Hard Knocks』の先行カット。Malcolm Xの"No Sell Out"という台詞を引用し、現代の奴隷制である労働に支配される黒人、黒人コミュニティを弾圧する黒人警官、上流階級に憧れる黒人女性など、"金のために魂を売る"黒人同胞へ向けたメッセージが展開される。

### Black Moon
### Who Got the Props

1992 12"

Nervous Records

大きなバックパックを背負い、野球帽を目深に被り、首を縦に振っていかにもSPっぽいサウンドの"リアルヒップホップ"を聴く。そんな"バックパッカー"たちのイメージの元祖といえるのがBlack Moonだ。Buckshotのパワフルなバトルライムを、重厚にフィルター処理されたRonnie LawsのシンセとSkull Snapsのファットなドラムが引き立たせる。

### Ready Ta Roll
### The Real Hip Hop

1993 12"

Trumpet

80年代末から90年代初頭にかけラップがメインストリーム化する中、そのカウンターとして"リアルヒップホップ"がテーマとなった93年。なかでも本12"は象徴的なタイトルだ。90年代初頭を席巻したDas Efxなどのタンツイスターラップを口撃し、BDPやBrand Nubian、Rakim、Kool G. Rapなどの名を引用に、文化としてのヒップホップとリリシズムを誇る。

### The Troubleneck Brothers
### Back to the Hip Hop

1994 12"

StepSun Music Entertainment

Bush Babees "We Run Things"やCommon "I Used to Love H.E.R."など、現状のラップを憂いニュースクールへの回帰を志向する作品が多く発表された94年。ヒップホップ原体験の幼少期に想いを馳せる本曲も忘れられない。オリジナルはRoy Ayersのキーボードだが、ブレイクスを大胆に活用した"Classic Mix"というリミックスがプロモ12"のみで存在する。

### Finsta Bundy
### Feel the High

1995 12"

Tape Kingz / Armageddon Entertainment

良質なミックステープのディストリビューションで知られるTape Kingzは、95年に12"の制作も開始した。記念すべき第1弾がこのブルックリンの3人組によるデビュー曲。Miles Davis "Lonely Fire"のサックスとヴァイブをスモーキーでダークな質感に変化させたトラックに、自分たちを理解しない業界批判のボーストラップが踊る。90年代中期の地下サウンドを象徴する一曲。

### Ghetto Concept
### Much Love

1996 12"

7Bills Entertainment

NYを中心に数多の重要な12"が制作された96年。今回はあえてカナダはトロントのデュオの作品を選出。プロジェクトから郊外までストリートで命を落とした者たち、投獄されてしまった者たちへ捧げるメッセージを、重厚にフィルター処理された哀愁漂うギターのサンプリングビートが盛り立てる。フックのシャウトでも明らかなように、90年代中期のNY産ハードコアラップに影響された一曲。

## L. the Head Toucha
### Too Complex

1997　12"

Direct Records

同年 DJ Premier の名作ミックス CD『New York Reality Check 101』('97)に
も収録された2枚使いの定番曲。Trugoy のラインを引用し、複雑すぎて常人
には理解できない自身を表現したボーストラップに、Vinyl Reanimators によ
る Don Blackman "Holding You, Loving You" 使いの軽快なキーボードが彩
りを与える。

## N.Y. Confidential
### Why?

1998　12"

Guillotine Records

Camouflage Large のプロデューサー E. Knight を中心としたコレクティヴの
楽曲。「どうして？(Why?)」というキーワードを元に、「どうして警察は黒人に
嫌がらせをする？」、「どうして連中は同じ黒人に銃を向ける？」、「どうして母親
は父親を必要としない？」といった問いかけを披露してゆく。同じフレーズを重
ねることで深みを演出した佳曲。

## Deep Puddle Dynamics
### Rain Men (Controller 7 Remix)

1999　12"

Anticon / Buds Distribution

同年発表のアルバム『The Taste of Rain... Why Kneel』のシングルカット。
Rakim "My Melody" の「21人の MC を一度に始末する」方法を解説したライン
を引用した Slug のヴァースに着想を得たのか、同ラインを冒頭に使用し、スト
リングスを配した Controller 7 のリミックス版がメインに。MC陣が"雨"をテー
マに詩的なバトルライムを展開してゆく。

## People Under the Stairs
### We'll Be There (10 Second Remix)

2000　12"

OM Records

2nd アルバム『Question in the Form of an Answer』('00)よりカットされた
12"収録のリミックス。フックで "The New Rap Language" を引用したポジティ
ヴなパーティラップで、Howard Roberts "More Today Than Yesterday" の
ステレオの片側からサックスのみを取り出した手法は故 Paul C を彷彿する。サ
ンプリングという技術の奥深さを思い出させてくれる一曲。

## Fresno feat. C-Rayz Walz & Immortal Technique
### Keepin' It Raw

2001　12"

Hi-Rise Records

90年代中期のインディ作品のプロデュースで名を馳せた Madsol-Desar の別名
義プロジェクトにして、00年代を代表するハードコア MC 兼活動家 Immortal
Tech 最初期の客演仕事。軽快なスクラッチと鬼気迫るキーボードのトラックに、
タイトル通りの口撃的なバトルライムが絶妙に合わさる。のちの Tech の政治的
なリリックとはまた違った、ラップの基本であるボーストの魅力溢れる一曲。

## CunninLynguists feat. Masta Ace
### Seasons

2002　12"

FreshChest / Boiling Point Distribution

2nd アルバム『SouthernUnderground』('03)の先行シングル。多音節のライ
ムを引っさげ円熟味を増した Masta Ace を客演に、各MC陣がヒップホップ興
隆と衰退の流れを四季に喩え、それぞれのヴァースで芽吹きの春(Masta
Ace)、最盛期の夏(Deacon)、過渡期の秋(Kno)、氷河期の冬(Mr. SOS)を
描写してゆく。00年代を代表する名曲。

Indie Rap Era

### Dead Prez feat. Jamila & Umi
### When Mama Cries

2003　12"

Landspeed Records / Boss Up Inc.

ミックステープ『Turn Off the Radio: The Mixtape Vol. 2』('03)のシングル
カット。"Californication"使いながら、Stic.manと客演のJamilaのコーラス
でR&B色を増した哀愁系トラックに、生まれながらに困難が待ち受ける黒人
同胞に語りかける思慮深いメッセージが絶妙にマッチ。LPは溝が狭いので、ぜ
ひシングルの音圧で堪能してほしい。

### Immortal Technique
### Caught in a Hustle

2004　12"

Uncle Howie Records

Melvin Van Peeblesの自伝映画『バッドアス！』('03)のサウンドトラックで、
シングル"The Point of No Return"のB面に追加されたアルバム未収録曲。昔
段は攻撃的な反体制ラップを志向する彼が、本曲ではストリートの葛藤と困難
を見つめた内省的詩世界を魅せる。盟友Southpawが手がけるアクースティッ
クのギターサンプルもその情景を巧みに演出。

### Lowkey
### Let Me Live

2005　12"

Sensory Overload Records

ミックステープ『Key to the Game 3』('05)のシングルカット"London"のB面
曲。05年7月に勃発したロンドン爆破テロ事件の被害者を追悼しながら、同
時に母親の母国であるイラクで殺されるより多くの人々を想い、また憎悪の連
鎖によりテロリスト扱いされる移民のパーソナルな心情へと巧みに場面をつな
げてゆく。数少ないLowkeyのシングル作品。

### Black Sheep
### B-Boys Theme

2006　12"

Bum Rush Records

Dresの個人名義として再出発したBlack Sheepによる3rdアルバム『8WM/
Novakane』('06)の先行カットとなる一曲。ニュースクール感溢れるトランペッ
ト、サックス、トロンボーンの重層的なホーンを用いた軽快なトラックに、ラッ
プの基本であるボーストが冴え渡る。日本のManhattan Recordsが配給して
おり、米国での流通が少ない隠れた良盤。

### Brother Ali feat. I Self Devine
### No Alibis

2007　12"

Rhymesayers Entertainment

アメリカ国歌を替え歌に"自由の国"アメリカの蛮行をひたすら列挙してゆく
Brother Aliの代表曲"Uncle Sam Goddamn"は赤青白3色のカラーヴァイナ
ルが制作されているのだが、こちらは赤盤のB面に収録された12"オンリーと
なるボーナス曲。「革命家に言い訳はなし」ということで、思慮深い反体制のメッ
セージを示しながらバトルライムを展開してゆく。

### Kool G. Rap feat. KL
### With a Bullet

2008　12"

Latchkey Recordings

G. Rapのソロ4作目となる『Half a Klip』('07)のシングルカット"On the Rise
Again"のB面曲(どうやらこの12"は公式のものではないそう)。Preemoによ
るA面も悪くないが、今回はMarley Marlによる鬼気迫るシンセとハードなドラ
ムのこちらを。G. Rapのヴァースは92年の同名曲"#1 with a Bullet"の流用
だが、そのコワモテのラップは時代を超越している。

## Jay Electronica
### Exhibit C

2009　12"
Decon / The Dogon Society

00年代後半のミックステープブームに乗る形で登場したニューオリンズのMCによる代表曲。Billy Stewart "Cross My Heart" を巧みにフリップしたJust Blazeのビートはもちろん、バトル調ながら09年にネイション・オヴ・イズラムを引用するラップが注目された。発表当時はダウンロードのみだったが、15年に前作 "Exhibit A" とともに12"化。

## Lewis Parker feat. John Robinson
### The Unseen Trap

2010　10"
Project: Mooncircle

SPサウンドの申し子Lewis ParkerとLil SciことJohn Robinsonによるジョイントシングル。ブラックスプロイテーションを模したジャケットからも明らかなように、秘密裏にアートを蝕み自由を奪おうとするシステムと搾取される黒人ミュージシャンの姿を描写しながら、この世界に蔓延る"見えない罠"に警鐘を投げかける。展開のあるシネマティックなトラックも上々。

## Elzhi
### Colors (Remix)

2011　12"
Fnr

DJ Frank Raines主催のレーベルよりリリースされた12"のB面曲。形式的にはアルバム『The Preface』('08)収録の同名曲をDJ Spinnaがリミックスした格好となるが、実はElzhiのリリックも刷新されているため、ほぼ別の曲。「"白"と対峙しなきゃならない子供たちを見て、母親の顔色は"青"い」という具合に、"色"をテーマに人種とアメリカを叙述してゆく。

## Mass Influence
### Morning Breath Chasers

2012　7"
Redefinition Records

90年代に活躍したアトランタのグループ久々のシングルがDamu the Fudgemunkのレーベルより登場（ストリーミングサイトBandcampで事前公開されていたデータ版を7"化）。自然体で楽しげな言葉遊び中心のラップをスモーキーに処理されたO'Donel Levy版 "We've Only Just Begun" のギター、鳴りのよいドラムのトラックが盛り上げる。

## K-Def & DaCapo
### Look Around

2013　12"
Slice-of-Spice

Marley Marlの弟子として90年代を席巻したNJのプロデューサーが地元のMCとともに発表した『The Article EP』のバンドル用12"。K-Defらしいラップを立たせるソウルフルなビートの上で、孤児として生まれ、温もりに飢えたために男に依存してしまう女性Hollyと、荒んだ生活の上、男に嫌気が差しレズビアンになった17歳の少女Danaの奇妙な関係を描く。

## Natural Elements
### doNE

2014　12"
Chopped Herring Records

復帰作『All Hail NE EP』の1曲目でCharlemagneがプロデュース。サンプル元のBrazilian Girls "Homme" の仏語の歌詞 "Donne" と "Y'all done（お前らは終わり）" を言葉遊びにしていることからも明らかだが、パンチラインを交えたバトルラップが展開される。なお本12"にはDJを讃えた名曲 "Turning Tables" のアカペラ版もボーナスで収録された。

### DJ EFN feat. O.C., Reks, Royce Da 5'9" & Your Old Droog　2015　7"
### Revolutionary Ride Music (K-Def Remix)
Redefinition Records

マイアミのミックステープ職人DJ EFN初のオリジナル作品である『Another Time』('15)のシングルカットで、K-Defがリミックスを担当。重厚なベースに反響するコーラスとストリングスが妖しく折り重なるトラックの上、豪華MC陣によるストリート色の強いバトルライムが展開される。なかでもアルコール中毒から復帰した過程を叙述するRoyceは印象的だ。

### The Alchemist feat. Roc Marciano　2016　7"
### All for It
ALC Records

プロデューサーAlchemistの個人レーベルよりリリースされている7"シリーズ"Craft Singles"の第5弾。哀愁系ピアノループにキレのよいドラムの硬派なトラックはかつてのAlchemistを彷彿するし、同系統の単語を畳みかけるRoc Marcianoのスタイルとの相性もバッチリで、そのストリートライフ賛歌のサグラップを絶妙に盛り立てる。

### K.A.A.N. & Klaus Layer　2017　12"
### My Nigga
Soulspazm

2010年代では比較的珍しいファストラップで知られるメリーランドのMCが、歪んだ極悪のアナログサウンドを提供するドイツのプロデューサーと発表した12"のA面2曲目。重厚にフィルター処理されたエレピの瑞々しいトラックの上、MCとなる上で多大な影響を与えてくれた旧友との思い出を代名詞の高速フローで振り返ってゆく。特に1stヴァース最後の展開に非凡さを感じるはずだ。

### Muggs × Doom feat. Kool G. Rap　2018　12"
### Assassination Day
Soul Assassins Records

MuggsとDoomによるコラボシングル"Deathwish"のB面収録曲で、同年Soul Assassins名義の『Dia Del Asesinato』にも再録された。Muggs印のシネマティックなビートはもちろん、なにより聴きどころはG. Rapによる2ndヴァースで、2ライン間でほとんどの音節を揃えてライムするマッチアップというテクニックを駆使している。

### Recognize Ali & Icon Curties feat. Eto　2019　12"
### Savages Know
Tuff Kong Records

5パーセント的詩世界で知られるガーナ出身のハードコアMCとイタリアのプロデューサーの共作EP『Ghost Protocol』収録曲。師匠筋に当たるVinnie Pazの"Slum Chemist"のラインをフックに引用していることからも明らかなように、鬼気迫るノイジーかつグライミーなビートの上、客演のEtoともども多音節のバトルライムを畳みかけてゆく。

### Fatlip & Blu feat. Hemlock Ernst　2020　7"
### Good for the Soul
Guilty By Association

元PharcydeのMCとBluによるLAのスペシャルユニットが発表したシングル。プロダクションはバンド形式で、メインとなる泣きのギター、転調するキーボード、スクラッチの盛り上がりと、バランスよく配置されたトラックの上、3 MC'sがポジティヴなバトルライムを繰る。なかでも神を呪いながらストリートの悲哀を描写したHemlock Ernstのヴァースが重く響く。

# *Honorable Mention*

今回紙面の都合上選外となってしまったものの、掲載作品とも見劣りしない内容のもの、中古市場でオリジナル盤が希少性を帯びている作品を最後に一部ご紹介。

100x
『Philadelphia's 100X Posse Rare & Unreleased 1992-1996』 Freestyle Records （2009）

1st Down (Phat Kat & Jay Dee)
『A Day Wit the Homiez』 Payday （1995）

8-Off 『Wrap Your Lips Around This』
EastWest Records America (Shelved) ［1995］

The Alchemist & Budgie 『The Good Book』
Business As Usual （2014）

All in the Family 『Smoked Diamondz』
J-Bird Records （1998）

Asphalt Legion 『Straight from the Asphalt』
New Medina Music （2009）

Benny the Butcher 『Tana Talk 3』
Griselda Records （2018）

Big Tabb 『Who's Wreckin' Da Mic LP』
Chopped Herring Records （2017）

B.L.A.C.C. Heart
『Beats, Lyrics and Creativity Combined』
360 Sound and Vision （2013）

Born Talent 『The Essence』 54 Side Records （2008）

Brother Most 『Mood & Intensity』
Green Shoes Records （1996）

Buckwild 『Buckwild Presents... EP』
No Sleep Recordings （2010）

Centa of Da Web / Atoms Family
『Beyond Human Comprehension EP /
Atoms Family Archives Vol. 1』
Centrifugal Phorce （2002）

ChillxWill 『The Almighty』
Ill Adrenaline Records （2014）

Cozmik Law 『On Tha Brink』
Tidal Wave Media Group （1997）

Crimeapple 『Metralleta』 Fxck Rxp Rxcxrds （2017）

Crunch E.X. 『Broken Anglish』 Mission Control （2001）

Cubbiebear 『Force Back to Sleep』
Not on Label （2013）

Da Fat Cat Clique 『Da Cat's Out the Bag』
DFCC Records （1996）

Dan-E-O 『Dear Hip Hop』 One Rock Records （2000）

Danger Doom 『The Mouse & the Mask』
Epitaph （2005）

Darkleaf 『Kimetic Principles』 Not on Label （1997）

Deadwate 『Dinnertime』 Red Brick Records （2003）

Dirt Platoon & Kyo Itachi 『War Face』
Shinigamie Records （2013）

DJ Premier 『New York Reality Check 101』
Payday （1997）

Ebony Broadcast System 『Broadcastin'』
1/2 Fro Recordz Inc. （1992）

El Camino 『Walking on Water』
GGBR Records & Tapes （2018）

Erule 『Cold Currentz』 Flatland Region （2001）

Figure Uv Speech 『U Already Know』
Onyx Records （1993）

Frek Sho 『Mocean』 Vagrant Hobby （1997）

Frontline 『Sine Language』
Frontline Entertainment （2002）

Full Circle 『Infinite Edges』 Full 360 Music （2014）

Ghettolandz 『The Concrete Jungle』
The Cross Market （2014 [1995]）

Godfather Don 『The Nineties Sessions』
No Sleep Recordings （2007）

Grassrootz 『Uncharted Regions』
Black Flag Productions （1998）

Greedy Fingers 『Shady Sirens』
D.C. Recordings （1999）

The Gunslinguz 『We All We Gott』
Durdee Mack Records （1995）

Homeboy Sandman 『First of a Living Breed』
Stones Throw Records （2012）

Homeliss Derilex 『Homeliss Derilex』
Not on Label （1993）

Ill Advised 『Can U Smell It』 Quake City Records （1997）

Infamous Mobb 『Special Edition』
Landspeed Records （2002）

Isosceles 『Face the Music』
Ivry Tower Productions （1998）

J.Force 『Cadillac Respect』
J-Force Entertainment （2012）

Jigmastas 『Grass Roots: Lyrical Fluctuation』
Beyond Real Recordings （2000）

Know Qwestion 『Eclipse』 Lost Cause Records （1998）

Krumb Snatcha 『Snatcha Season Pt. 1』
M.I.A. Recording Corp. （1998）

Kukoo Da Baga Bonez & World
『Insane Psycho Home』 Analysis Records （2002）

Lastrawze 『Instrawmental』
Black Jacobins Entertainment （1995）

LAW 『Lethal Assault Weapons Pt. 1』
Sunset Blvd Entertainment （1995）

L.I.F.E. Long 『Struggler's Paradise』 Cajo! （2003）

Lyrical Lunatics 『Jazz Niggas LP』
B-Boy Records （1994）

Madlocks 『Nothing to Lose Much to Gain』
Beatfactory （1999）

Malik B & Mr. Green 『Unpredictable』
Enemy Soil （2015）

Mars Ill 『Raw Material』 Sphere of Hip Hop （2001）

MC Paul Barman 『It's Very Stimulating』
WordSound （2000）

M-Dot 『Ego and the Enemy』 EMS Productions （2017）

Metabolics 『The M-Virus』 WordSound （1998）

Meyhem Lauren 『Mandatory Brunch Meetings』
МИШКА （2012）

Millenium 『Kaos Theory』
House of Abdul Recordings （1998）

Milo 『Who Told You to Think??!!?!?!?!』
Ruby Yacht （2017）

Moka Only & Ayatollah 『Bridges』
Green Streets Entertainment （2012）

Mood Ruff 『Night.Life.Types』
Slo Coach Recordings （1999）

Mr. D. Original 『Uknowmeasahustler』
Money Entertainment （2003）

M. Slash 『Look』 Wildfire Records （2000）

Mudkids 『4trackmind』 Surf Records （1998）

Murs 『F'Real』 Veritech （1997）

Mytee G Poetic 『Com'n Wit Nuff Ruffness』
Gentleman's Relief Records （2018）

N.B.S. & Snowgoons 『Trapped in America』
Big Bang Records （2015）

Neek the Exotic 『Hustle Don't Stop』
HustleDontStopMusic （2013）

NehruvianDOOM 『NehruvianDOOM』
Lex Records （2014）

Nick Wiz 『Cellar Sounds Series』
No Sleep Recordings （2008）

Nolan the Ninja 『Fuck the Hype EP』
Cr(e)ate. （2015）

One Way 『Civic Minded』 Illadelph Records （2000）

Orko Tha Psykotik Alien 『Doomsday Prophet』
Fuk Da Industry Records （1996）

Pickled Corpse Squad 『Drunk'n Wise Guys』
M.A.K.E.S.entertainment Records （2002）

Professor P & DJ Akilles 『The Tokyo Sessions』
Pro & Ak Hb （2016）

Prose & Concepts 『Everything Is Nice』
Status Records （1997）

Que D 『Limited Edition』 Royal Flyness Records （2003）

Qwazaar 『Walk Thru Walls』
Frontline Entertainment （2001）

Rahsheed 『Wasabi』 Quake City Records （1997）

Ran Reed 『Still Commanding Respect』
RRM Consulting （2017）

Rifleman (Ellay Khule) 『Riflemania』
WellBell Records （1998）

Royal Flush 『Ghetto Millionaire』
Blunt Recordings （1997）

Sach 『7 Days to Engineer』
Affordable Dubs Recordings （1998）

Scienz of Life
『Coming Forth by Day: The Book of the Dead』
Sub Verse Music （2000）

Sesh 『4535』 J-Bird Records （1998）

Stil True 『Stil True』 Own Up Entertainment （1998）

Strange Fruit Project 『From Divine』
Black Son Records （2002）

Stretch Armstrong 『Lesson 1』 Dolo Records （1997）

S.U.N. 『Shining Underground』
Black Soul on Vinyl （1998）

Tachichi & Moves 『Truth of the Trade』
Low Pressure （1998）

Tommy Tee 『Bonds, beats & beliefs』
Tee Productions （1998）

TriFe & D-Mob 『Gun Town's Finest』
High Wire Records （1996）

Vakill 『Kill 'Em All』 Molemen （2001）

Vibetree 『As I Come Back』
Illynoise Recordings （1995）

Yaggfu Front 『The Secret Tapes』
Mends Recordings （2002）

Various Artists
『14 Fathoms Deep』 Loosegroove Records （1996）

Various Artists
『B-Sides Volume One: Blatant Battle Raps』
Weightless Recordings （2001）

Various Artists
『Insideout Vol. 1: A Fool Blown Compilation』
Blown! Recordings （2000）

Various Artists 『Lost & Found Series』
Octave （2006）

Various Artists 『Year One』 Son Records （1999）

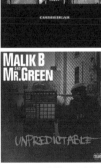

# References

**P.6 Chapter 1 Introduction**
Chang, Jeff. "Can't Stop Won't Stop: A History of the Hip Hop Generation." 2005, 416.

**P.7 Freestyle Fellowship 『To Whom It May Concern』**
DuVernay, Ava. "This Is the Life." film, 2008.

**P.9 Da Phlayva 『Phlayva 4 Dem All』**
"Chopped Herring Records - More Random Fish." press release, 2014. https://shop.choppedherringrecords.com/random-fish/

**P.21 The Juggaknots 『The Juggaknots LP』**
Ettelson, Robbie. "Breeze Brewin from Juggaknots Interview." Unkut.com, 2007. https://www.unkut.com/2007/11/breeze-brewin-from-juggaknots-interview/

**P.32 Chapter 2 Introduction**
Adams, Dart. "Independent as Fuck: 20 Essential Underground Hip Hop Releases from 1997." Festival Peak, 2017. https://festivalpeak.com/independent-as-fuck-20-essential-underground-hip-hop-releases-from-1997-db1c5206a99e

**P.33 Atmosphere 『Overcast! EP』**
Hess, Mickey. "Hip Hop in America: A Regional Guide." 2009, 363-373.
Scholtes, Peter S. "Rhyme out of joint." City Pages, 2000. http://www.citypages.com/2000-07-05/news/rhyme-out-of-joint/
Kangas, Chaz. "Slug Talks Complex's 25 Best Rhymesayers Songs." Complex, 2011. http://www.complex.com/music/2011/05/best-rhymesayers-songs/

**P.37 The Dope Poet Society 『Dangerous Days』**
"Discography of The Dope Poet Society." Justus League Records. http://www.justusleaguerecords.com/Discography.htm

**P.54 The Illogic 『Unforeseen Shadows』**
Jbutters. "Illogic Interview." UGSMAG.com, 2001. https://ugsmag.com/illogic/

**P.67 Jedi Mind Tricks 『Violent by Design』**
Ettelson, Robbie. "Vinnie Paz – The Unkut Interview." Unkut.com, 2012. http://www.unkut.com/2012/10/vinnie-paz-the-unkut-interview/

**P.75 Cannibal Ox 『The Cold Vein』**
Mueller, Gavin. "Interview: Cannibal Ox Vast Aire." Stylus Magazine, 2003. http://stylusmagazine.com/feature_ID_125.html

**P.79 Masta Ace 『Disposable Arts』**
Baker, Soren. "Masta Ace Reveals He Has Multiple Sclerosis." HipHopDX, 2013. https://hiphopdx.com/news/id.26512/title.masta-ace-reveals-he-has-multiple-sclerosis
"Masta Ace - "Disposable Arts" (Official Album Documentary)." YouTube, 2016. https://www.youtube.com/watch?v=kPPyd1zbjwc

**P.86 MF Grimm 『The Downfall of Ibliys: A Ghetto Opera』**
Carey, Percy. "Sentences: The Life of MF Grimm." graphic novel, 2007.

**P.87 Non Phixion 『The Future Is Now』**
Necro's Official Blog http://necroofficial.blogspot.com/

**P.94 The Last Emperor 『Music, Magic, Myth』**
Jones, Todd E. "Rhyme Wars: The Emperor Strikes Back." MVRemix, 2003.
https://www.mvremix.com/urban/interviews/lastemp3.shtml

**P.101 Madvillain 『Madvillainy』**
"Mad Skills: Madlib in Scratch Magazine." Stones Throw Records, 2005. https://www.stonesthrow.com/news/mad-skills/

**P.103 Raw Produce 『The Feeling of Now LP』**
Juon, Steve. "Raw Produce - The Feeling of Now - Female Fun Records." RapReviews.com, 2004. https://www.rapreviews.com/archive/2004_04_feelingnow.html

**P.117 CunninLynguists 『A Piece of Strange』**
Ivey, Justin. "CunninLynguists Look Back on 'A Piece of Strange' Album 10 Years Later." XXL, 2016. https://www.xxlmag.com/cunninlynguists-a-piece-of-strange-album-10-year-anniversary/

**P.122 Chapter 4 Introduction**
XXL Staff. "Rhymesayers Inks Deal with Warner Music Group." XXL, 2007. https://www.xxlmag.com/rhymesayers-inks-deal-with-warner-music-group/

**P.157 Bambu 『Party Worker』**
Hielkema, Jonathan. "Review: Party Worker." Calvin University Chimes, 2014. https://calvinchimes.org/2014/11/06/review-party-worker/

**P.175 Column Part 5**
"GlobalFaction: Behind the Song - Lowkey." YouTube, 2016. https://www.youtube.com/watch?v=2TkyhgStZmc

**P.176 Chapter 6 Introduction**
"2016 RIAA Shipment and Revenue Statistics." RIAA, 2016. https://www.riaa.com/reports/news-notes-2016-riaa-shipment-revenue-statistics/

**P.190 Ka 『Descendants of Cain』**
Mire, Muna. "New York Rap's Greatest Living Treasure." The Fader, 2016. https://www.thefader.com/2016/10/04/ka-interview-new-york-post

# Index

著者略歴

## Genaktion （ジェナクション）

ゲン・ダニエル・ベル - オオタ。
ラプティヴィスト、ヒップホップリサーチャー。
米国北東部在住。

企業でマーケティングを担当する傍ら、音楽雑誌
やウェブ媒体、ラジオ、ソーシャルメディアなど
でラップミュージックやヒップホップ文化に関す
る発信・執筆を手がける。日課はラップのリリッ
クを解読すること。

Gen Daniel Bell-Ota.
Raptivist and Hip Hop researcher, currently in
the Northeastern United States.

Works in an office in the marketing division;
participates in/writes about rap music and Hip
Hop culture for music magazines, websites,
radio stations and social media; enjoys analyzing
rap lyrics.

# インディラップ・アーカイヴ

もうひとつのヒップホップ史：1991-2020

| | |
|---|---|
| 初版発行 | 2020 年 11 月 27 日 |
| 2 刷発行 | 2023 年 8 月 16 日 |

| | |
|---|---|
| 著 | Genaktion（ジェナクション） |
| 執筆・翻訳協力（米国英語） | Cerise Danielle Bell-Ota |
| 翻訳協力（英国英語） | Tom Crew |
| デザイン | 森田一洋 |
| 企画・編集 | 多和匡仁 |
| 編集 | 小澤俊亮（DU BOOKS） |

| | |
|---|---|
| 発行者 | 広畑雅彦 |
| 発行元 | DU BOOKS |
| 発売元 | 株式会社ディスクユニオン |
| | 東京都千代田区九段南 3-9-14 |
| | ［編集］TEL.03.3511.9970　FAX.03.3511.9938 |
| | ［営業］TEL.03.3511.2722　FAX.03.3511.9941 |
| | https://diskunion.net/dubooks/ |

| | |
|---|---|
| 印刷・製本 | シナノ印刷 |

ISBN978-4-86647-133-4
Printed in Japan
©2020 Genaktion / diskunion

カバー・表紙写真
nehopelon. "Vintage wall full of radio boombox of the 80s." Adobe Stock.

本書の感想をメールにてお聞かせください。
dubooks@diskunion.co.jp

## ラップ・イヤー・ブック
### イラスト図解 ヒップホップの歴史を変えたこの年この曲
シェイ・セラーノ 著　小林雅明 訳

この一冊でラップ40年の発展史を完全網羅！　イラスト＆インフォグラムによる歌詞解説付きでわかりやすい。新しいラップを聴いてみたいけど、今どこからどう聴いたらよいかわからない方、「昔はラップを聴いていた」リスナーの再入門書としてもおすすめ。登場ラッパーはラン DMC、トゥパックから、カニエ・ウェスト、ドレイク、ケンドリック・ラマー……and more !

本体2500円＋税　B5変型　240ページ（オールカラー）　好評6刷！

## ギャングスター・ラップの歴史
### スクーリー・Dからケンドリック・ラマーまで
ソーレン・ベイカー 著　塚田桂子 訳

過酷な社会環境に屈しないハングリー精神、リアルな言葉、優れたビジネス感覚でアメリカを制した"ストリートの詩人"の歴史をたどる一大音楽絵巻が邦訳刊。
18年に史上初のピュリッツァー賞受賞ラッパー、ケンドリック・ラマーを輩出したギャングスター・ラップの誕生から現在までを、豊富な図版とコラム付きで紹介。LA在住の訳者による解説も収録。

本体 2500 円＋税　B5　280 ページ

## J・ディラと《ドーナツ》のビート革命
ジョーダン・ファーガソン 著　ピーナッツ・バター・ウルフ 序文　吉田雅史 訳

ヒップホップ史に輝く不朽の名作『Donuts』には、J・ディラ最期のメッセージが隠されていた──。Q・ティップ、クエストラヴ、コモンほか盟友たちの証言から解き明かす、天才ビートメイカーの創作の秘密。日本語版のみ、自身もビートメイカーとして活動する本書訳者・吉田雅史による解説（1万2千字）＆ディスクガイドを追加収録。

本体1800円＋税　四六　256ページ　好評4刷！

## カニエ・ウェスト論
### 《マイ・ビューティフル・ダーク・ツイステッド・ファンタジー》から
### 読み解く奇才の肖像
カーク・ウォーカー・グレイヴス 著　池城美菜子 訳

天才芸術家にして、当代一の憎まれ屋──その素顔とは？　21世紀屈指の名盤『My Beautiful Dark Twisted Fantasy』を題材に、そのナルシシスティックな人物像と彼の生み出す作品を読み解く。訳者による解説（1万2千字）のほか、これまでのキャリアを総括した巻末付録「カニエ・ウェスト年表」も収録。

本体1800円＋税　四六　256ページ

## わたしはラップをやることに決めた
### フィメールラッパー批評原論
つやちゃん 著

マッチョなヒップホップをアップデートする革新的評論集！ 日本のラップミュージック・シーンにおいて、これまで顧みられる機会が少なかった女性ラッパーの功績を明らかにするとともに、ヒップホップ界のジェンダーバランスおよび「フィメールラッパー」という呼称の是非についても問いかける。COMA-CHI ／ valknee のロングインタビューも収録。

本体2200円＋税　四六　280ページ

## スカイ・イズ・ザ・リミット
### ラッパーでもDJでもダンサーでもない僕の生きたヒップホップ
市村康朗＋公文貴廣 著

ブルックリンから持ち帰った"衝撃"が、日本のヒップホップの"未来"をつくった——
1997 年に設立され、Zeebra や OZROSAURUS、SOUL SCREAM らを擁した国内初のヒップホップ専門メジャーレーベル「フューチャー・ショック」のオーナーによる自伝的小説。

本体2200円＋税　四六　336ページ

## RUFF, RUGGED-N-RAW
## -The Japanese Hip Hop Photographs-
### ジャパニーズ・ヒップホップ写真集
cherry chill will. 著

21世紀のジャパニーズ・ヒップホップシーン、初の写真集。
「B-BOYのみが発しB-BOYのみが感じることのできる特殊な『何か』を写真に収めることができるリアル・ヒップホップ・フォトグラファー」
──Zeebra (GRAND MASTER)

本体 3000 円＋税　B5 変型　240 ページ　好評 3 刷！

## ヒップホップ英会話入門
### 学校に教科書を置きっぱなしにしてきた人のための英語学習帳 JUICE
TARO 著

ラップ / DJ / ダンス / バスケットボール / スケートボード / グラフィティのシーン別レッスンで、今すぐ使えるリアルな日常会話表現を紹介。
トラヴィス・スコット、ケンドリック・ラマー、ビヨンセ、チャンス・ザ・ラッパー、カニエ・ウェスト、2 パックほか、大人気アーティストの歌詞解説を通じて英語を学べる〈パンチラインで覚える英語〉も収録。

本体1600円＋税　四六　224ページ

## シティ・ソウル ディスクガイド
### シティ・ポップと楽しむ ソウル、AOR & ブルー・アイド・ソウル
小渕晃 著

マーヴィン・ゲイやネッド・ドヒニー、ライ、サンダーキャットだけじゃない！
和洋ともに音楽を味わいつくした書き手たちが、「いま」聴くべき、良盤・良曲を
600枚紹介。刊行後、Spotify の全世界公式プレイリストに「City Soul」が登場する
など、コンピレーションCDや再発とともに話題になった一冊。
冨田恵一、クニモンド瀧口、DJ JIN、G.RINAの制作者インタヴューも掲載。

本体2000円＋税　A5　208 ページ（オールカラー）　好評2刷！

## 新蒸気波要点ガイド
### ヴェイパーウェイヴ・アーカイブス2009-2019
佐藤秀彦 著　New Masterpiece 編

近未来？ ノスタルジー？ インターネット発の謎多き音楽ジャンル「Vaporwave（ヴェ
イパーウェイヴ）」の誕生から現在までを紐解く、世界初にして唯一の "レコード
屋では売っていない音楽" のディスクガイド。総計300作品の年代別ディスクレビュー
のほか、アーティストやレーベルオーナーへのインタビュー、用語辞典、年表など
を収録。

本体2500円＋税　A5　192ページ（オールカラー）　好評4刷！

## ベース・ミュージック ディスクガイド
### BAAADASS SONG BASS MUSIC DISCGUIDE
ベース・ミュージック ディスクガイド制作委員会 著

Diplo、サウンドシステムeastaudio（VOID）、菊本忠男（TR-808開発者）インタ
ビュー収録！ UK、US、南米からアフリカ、インターネットまで、重要作400作以
上掲載。歴史、場所を超え、拡散するサウンド＋カルチャー。踊れ、体験せよ！
掲載ジャンル：TRAP / JUKE / DIRTY SOUTH / NEW ORLEANS BOUNCE /
MIAMI BASS / DUBSTEP / GRIME...and more.

本体2000 円＋税　A5　208 ページ

## はじめてのレコード
### これ1冊でわかる 聴きかた、探しかた、楽しみかた
レコードはじめて委員会 著

ゆっくりじっくり、ていねいな音楽生活、はじめてみませんか？ 世界でいちばん簡
単な「レコード」の本。なにから用意すればいい？　レコードショップって敷居が
高くて……などの不安をこれ１冊で解消します。高城晶平（cero）・真鍋大度（ラ
イゾマティクス）の「レコードのある暮らし」インタビューや、坂本慎太郎、tofubeats
などに聞いた「レコードをさらに楽しむ方法」も掲載。

本体1850円＋税　A5　144ページ　好評3刷！